D0620535

Dr. Ernesto Castillo, Arzt auf den französischen Antillen, wird von seiner sterbenden Mutter dazu gedrängt, die politischen Verräter aufzuspüren, die seinen Vater umgebracht haben. Als einziger Sohn soll er, nach südamerikanischer Art, Rache an ihnen nehmen – Blut für Blut. Ernesto, der sein Leben und seinen Beruf liebt und seinen Vater über dessen Tod hinaus hasst, weigert sich, die Militärjunta anzuklagen und selbst zum Märtyrer zu werden.

Eric Ambler, geboren 1909 als Sohn eines Schauspieler- und Entertainerpaars in London, studierte Maschinenbau und arbeitete zunächst als Werbetexter. In den dreißiger Jahren schrieb er seine ersten Agentenromane. Im Zweiten Weltkrieg war er Artillerist, dann Produktionsleiter von Lehrfilmen in der britischen Armee; nach 1946 arbeitete er u.a. als Drehbuchautor und Produzent und gewann für drei seiner Bücher den Edgar-Allan-Poe-Preis. Er starb 1998 in London.

ERIC AMBLER

Doktor Frigo

Roman

Aus dem Englischen von
Matthias Fienbork

Atlantik

Die Originalausgabe erschien 1974 unter dem Titel *Doctor Frigo*
im Verlag Hodder & Stoughton, London.

Auf Deutsch ist der Roman erstmals 1975 unter dem Titel
Doktor Frigo im Diogenes Verlag, Zürich erschienen.

Atlantik Bücher erscheinen im
Hoffmann und Campe Verlag, Hamburg.

1. Auflage 2017
Copyright © 1974 by Eric Ambler
Für die deutschsprachige Ausgabe
Copyright © 2017 by Hoffmann und Campe Verlag, Hamburg
Copyright der deutschen Übersetzung
© 1975, 2001 by Diogenes Verlag AG, Zürich
www.hoca.de   www.atlantik-verlag.de
Umschlaggestaltung: b3k-design.de, Andrea Schneider
Umschlagabbildung: tan-tan/shutterstock
Satz: Pinkuin Satz und Datentechnik, Berlin
Gesetzt aus der Trump Mediäval
Druck und Bindung: C.H.Beck, Nördlingen
Printed in Germany
ISBN 978-3-455-65110-2

HOFFMANN
UND CAMPE

Ein Unternehmen der
GANSKE VERLAGSGRUPPE

»Man wird sofort verstehen, dass ich mich in einer außerordentlich schwierigen Lage befand, nicht nur wegen der immensen Verantwortung, die einem dieser Fall an sich schon aufbürdete, sondern auch wegen der äußeren Komplikationen.«

SIR MORELL MACKENZIE
The Fatal Illness of Frederick The Noble

»Nichts wirkt dem Erfolg einer Verschwörung so sehr entgegen wie der Wunsch, das Unternehmen völlig abzusichern und alles für ein Gelingen zu tun. Das erfordert viele Leute, viel Zeit und sehr günstige Bedingungen. Und all dies erhöht wiederum das Risiko des Entdecktwerdens. Man sieht also, wie gefährlich Verschwörungen sind!«

FRANCESCO GUICCIARDINI
Ricordi (1528–1530)

»Du wolltest nie glauben, dass es dazu kommt. Du siehst, du hast dich geirrt.«

KAISER MAXIMILIAN VON MEXIKO
Letzte Worte vor seiner Hinrichtung durch
ein Erschießungskommando (Queretaro, 1867),
an seinen ungarischen Koch gerichtet.

Inhalt

Erster Teil

Der Patient

Hôpital Civil
Fort Louis
Saint-Paul-les-Alizés
Französische Antillen

Donnerstag, 15. Mai

Die neue Nachtschwester aus Guadeloupe macht einen intelligenten und fähigen Eindruck. Bin beruhigt.

Für den Nachtdienst in der Klinik spricht immerhin eines. Das Essen mag schauderhaft sein, und die Ruheliege, auf der man sich ausstrecken kann, steht vielleicht zu nah beim Hauptgenerator der Klimaanlage, aber wenn sich nicht gerade ein besonders schlimmer Verkehrsunfall ereignet oder die Nachtschwester unfähig ist, hat man Ruhe und Zeit zum Nachdenken.

Der diensthabende Arzt hat auch einen Schreibtisch und einen Vorrat an Krankenhauspapier. In den kommenden zwei Nächten werde ich endlich einen Anlauf nehmen und meine Sicht der Affäre Villegas zu Papier bringen; so habe ich sie notfalls später parat, mit Datum und Unterschrift versehen, zum Beweis, dass ich gutgläubig gehandelt habe, wenn auch nicht mit viel gesundem Menschenverstand.

Natürlich hoffe ich, dass das nicht notwendig sein wird. In den letzten vierundzwanzig Stunden hatte ich jedoch Anlass zu der Vermutung, dass hier mehr vorgeht, als ich momentan überblicke. Also gehe ich lieber kein Risiko ein.

Zunächst einmal werde ich die Umstände des Mordanschlags auf meinen Vater rekapitulieren.

Erste unnötige Störung. Die neue Schwester wollte wissen, ob sie dem Herzpatienten auf Station B Phenobarb geben soll. Stellte fest, dass sie die Dienstanweisung nicht gelesen hat, in der ganz klar steht, dass sie in diesem Fall Medikamente nach eigenem Ermessen verabreichen kann. So viel zu ihrer angeblichen Kompetenz! Als ich sie zur Rede stellte, konterte sie, in Pointe-à-Pitre werde eben anders verfahren.

Eine absurde Lüge, und jeder der französischen Ärzte hier, ob weiß oder schwarz, Kreole oder aus Frankreich entsandt, hätte ihr das ins Gesicht gesagt. Ich konnte nur extrem höflich reagieren. Sie wehrte sich, indem sie Patois sprach. Als sie merkte, dass ich sehr wohl verstand, was sie sagte und ihr sogar auf Patois antworten konnte, verdrückte sie sich. Ihre Kolleginnen haben sie bestimmt gewarnt, dass der junge Dr. Castillo ein unsympathischer Béké-Spanier ist. Jetzt hat sie ihre Kostprobe bekommen. Gut so. Sie wird es sich zweimal überlegen, bevor sie wieder ankommt und Fragen stellt.

Zur Ermordung meines Vaters, Clemente Castillo Borja. Wer sich schon einmal mit der politischen und wirtschaftlichen Entwicklung Mittelamerikas beschäftigen musste, weiß, dass diesem Fall noch immer etwas Mysteriöses anhaftet. Von Zeit zu Zeit haben Journalisten, die sich als intime Kenner dieses Landes bezeichnen, aufgrund angeblicher Insider-Informationen Enthüllungsstorys geschrieben. Doch keiner von ihnen hat neue Fakten vorgelegt, und die »ganze Wahrheit«, die immer wieder aufgedeckt wurde, war nicht viel aufschlussreicher als die Spekulationen und Mutmaßungen, die niemand mehr hören will.

Die beiden Attentäter, die an jenem Abend den Anschlag auf den Stufen des Hotels Nuevo Mundo verübten, wurden natürlich sofort identifiziert. Der Tatort war hell erleuchtet, und es gab Dutzende von Augenzeugen. Und doch ist bis heute nicht klar, wer die Killer beauftragt und bezahlt hat. Wir wissen nur, dass irgendjemand vor der Aktion in weiser Voraussicht einen Sprengsatz im Fluchtauto versteckt hatte. Es war das Werk von Experten. Die Täter wurden von der Explosion in Stücke gerissen, ehe man sie erwischen und verhören konnte. Laut Steckbrief wurden die beiden »gesucht wegen bewaffneten Raubüberfalls. Politische Verbindungen nicht bekannt.«

Der weithin verbreiteten, gewissermaßen »offiziellen« Version zufolge war das Attentat von der Militärjunta unmittelbar nach dem Oktober-Putsch angeordnet und unter der Regie eines Spezialkommandos des Sicherheitsdienstes ausgeführt worden.

So könnte es tatsächlich gewesen sein.

Andererseits sind manche Leute noch immer felsenfest davon überzeugt, dass die Junta zwar allen Grund hatte, meinen Vater zu beseitigen, und dazu auch sehr wohl imstande war, sie aber nicht das geringste Interesse hatte, einen Märtyrer aus ihm zu machen. Nach Ansicht dieser Leute gingen das Attentat und die Autobombe auf das Konto einer extrem antiklerikalen Gruppierung innerhalb der Demokratisch-Sozialistischen Partei meines Vaters. Demnach wäre die Aktion unternommen worden, um die Junta zu diskreditieren, bevor sich die Situation nach dem Putsch stabilisieren konnte, aber auch deswegen, weil diese linke Gruppierung wusste, dass sich mein Vater mit den Christdemokraten insgeheim auf eine Koalition verständigt hatte.

So *könnte* es ebenfalls gewesen sein.

Meine Mutter, die vor einem Jahr in Florida starb, glaubte bis zuletzt an diese Version, wenngleich mir die Gründe dafür nie eingeleuchtet haben. Diese außerordentlich gefühlsbetonte, überaus weibliche Frau – eigenwillig, aber doch hilflos ohne einen bestimmenden Mann an ihrer Seite – hatte einen kunterbunten Haufen hitzköpfiger, überkandidelter Emigranten um sich geschart. Als deren Chefin zog sie der landläufigen Ansicht gewiss die exotischere, üppig ausgeschmückte Theorie von Verschwörung und Verrat vor. Jedenfalls drängte sie mich immer, die Verräter aufzuspüren und Rache zu üben, wie es sich für den einzigen Sohn gehört – blutige Rache, Blutrache.

In dieser wie auch in anderer Hinsicht war ich eine Enttäuschung für sie. Zu meiner Verteidigung konnte ich nur vorbringen – und manchmal wurde ich darin von meinen

Schwestern und deren Ehemännern unterstützt –, dass mir die Verratstheorie völlig unglaubwürdig erschien. Das erregte natürlich ihren Unmut, da diese unbekannten Verräter, von deren Existenz sie ausging, die einzigen möglichen Ziele meiner Rache sein konnten. Aber nicht einmal meine Mutter durfte von mir erwarten, dass ich auf eigene Faust eine Strafexpedition gegen die Junta und den Sicherheitsdienst auf deren eigenem Terrain unternahm. Nach dem Umsturz von 1968 wurde das mit der Rache noch komplizierter. Unter der Oligarchie, die von der sogenannten »patriotischen Miliz« gestützt wurde, kamen etliche der ehemaligen Juntaangehörigen zu Tode, und ein Jahr später waren die hohen Offiziere, die man nicht auf irgendwelche Abstellgleise abgeschoben hatte, entweder krank oder tot.

Und was dachte ich wirklich über die Verschwörung gegen meinen Vater?

Noch vor ein paar Tagen hätte ich geantwortet, dass ich mir längst nicht mehr den Kopf darüber zerbreche, wer (wenn überhaupt) hinter der Sache stand oder welche Clique dafür verantwortlich war.

Wenn das roh oder gefühllos klingt – meinetwegen. Zwölf Jahre sind seit dem Tod meines Vaters vergangen, und bei seiner Ermordung war ich ein unsicherer Bursche von neunzehn, der fern der Heimat, an einer französischen Universität, gerade sein Medizinstudium aufgenommen hatte. Von der damaligen Zeit habe ich weder den Schmerz noch die Verwirrung in besonders lebendiger Erinnerung, nicht einmal die Beerdigung bei strömendem Regen, die Soldaten, die die Trauernden umstellten, und die Polizisten, die am Grab standen und die Namen der Anwesenden notierten. Ich entsinne mich vor allem des Blitzlichtgewitters der Pressefotografen auf dem Flughafen Orly, als ich nach Hause fliegen wollte, und der Reporter, die mir dumme Fragen zuriefen. Ein Mann von unserer Pariser Botschaft sollte mich durchschleusen, doch er musste machtlos zusehen. Die Zeitungsleute stießen ihn beiseite, und einer baute sich direkt vor mir auf. Schwitzend und außer Atem brüllte er mir in all dem Lärm mit bemerkenswert feuchter Aussprache auf Spanisch zu: »Was haben Sie gefühlt, als Sie von der Ermordung Ihres Vaters erfuhren? Sie müssen doch gewusst haben, wie verhasst er war. Waren Sie überrascht?«

Ich holte aus, um ihm einen Kinnhaken zu verpassen, doch der Botschaftsmensch hielt meinen Arm fest. Dann erschienen Beamte der Flughafenpolizei, die mich umringten und rasch fortbrachten.

Heute bin ich klüger. Ich weiß jetzt, dass meine Empfindungen für meinen Vater gemischt waren und dass ich schon damals eine Ahnung hatte, was für ein Mensch er war. Behauptungen, die mir früher völlig unakzeptabel erschienen wären, kann ich heute ganz gelassen akzeptieren. Die offenkundige Tatsache etwa, dass Clemente Castillo, selbst wenn er schließlich doch an die Macht gekommen wäre, für mein Vaterland nicht viel mehr getan hätte als die unfähige Junta oder die zivile Oligarchie mit ihrem Marionettenpräsidenten. Eine Regierung Castillo hätte nach außen hin vielleicht ein besseres Bild abgegeben, ein liberaleres Image präsentiert, aber das wär's dann schon gewesen. Die Probleme meines Landes, wie diejenigen anderer Kaffeerepubliken, die einst spanische Kolonien waren, sind historisch bedingt und nicht durch ein glänzendes Erscheinungsbild zu lösen, auch nicht durch bedeutungslose Opportunisten mit allzu simplen Reformvorschlägen.

Ich weiß, dass mich die meisten meiner Kollegen hier im Krankenhaus nicht leiden können. Mein Spitzname hier ist »Dr. Frigo«. »Frigo« ist französischer Jargon und bedeutet nicht nur »Kühlschrank« oder »Gefriertruhe«, sondern auch (etwas abfällig gemeint) »Tiefkühlfleisch«. Natürlich versuche ich die Sache von der humorvollen Seite zu nehmen, aber wenn ich den letzten Absatz noch einmal lese, begreife ich, warum dieser Name in der kleinen, überschaubaren Welt unserer Klinik überhaupt aufkommen konnte.

Bedeutungsloser Opportunist? Ist das das Beste, was der loyale Sohn über seinen ermordeten Vater sagen kann? Wenn er so bedeutungslos war, warum wurde er dann ermordet? Andere Politiker machen sich auch Feinde und leben trotzdem weiter. Und wenn den aufgeblasenen, jungen Dr. Frigo die Umstände der Ermordung seines Vaters tatsächlich nicht länger interessieren, warum will er dann verheilte Wunden wieder aufreißen?

Berechtigte Fragen. Ich muss versuchen, zumindest ein paar davon zu beantworten.

Als Kind habe ich meinen Vater geliebt und geachtet, gar keine Frage. Wir waren eine glückliche Familie. Als Heranwachsender habe ich ihn weiterhin geliebt, aber respektiert habe ich ihn nur noch bedingt.

Mein Vater war Anwalt, bevor er in die Politik ging, und es ist der Anwalt, an den ich mich besonders gut erinnere. Abends beim Essen und später erzählte er von seiner Arbeit. Meistens waren es natürlich triumphale Berichte von gefährlichen Gegnern, die er überlistet hatte, und von Niederlagen irgendwelcher Dummköpfe – alles höchst unterhaltsam. Und selbst wenn er eine Niederlage oder einen Rückschlag zu vermelden hatte, schilderte er die Gründe dafür mit so viel trockenem Humor und Understatement, dass wir für den Schurken des Stückes eher Mitleid als Hass oder Verachtung empfanden. Mein Vater, der unsere unkritische Bewunderung sichtlich genoss, übte und entwickelte gleichzeitig jene rhetorischen Fertigkeiten, die ihm später vor großen Zuhörermassen zugutekommen sollten.

Die meisten seiner Klienten waren kleine Gauner und Schuldner. Im Laufe der Jahre lernten wir Kinder, einfach weil wir so oft von all diesen Dingen hörten, einiges über Verteidigungstaktik, über die weniger erfreulichen Methoden der Ermittlungsbehörden und über die Regeln der Beweisführung. Ich bezweifle, dass meine Schwestern viel davon behielten (sie fanden die väterlichen Berichte über juristische Verfahrenstricks amüsant), doch bei mir war das anders. Tatsächlich waren es diese bruchstückhaften Kenntnisse, die mein (zweifellos unbegründetes) Vorurteil gegen den Juristenberuf nährten und mich zu der Ansicht brachten, dass die Medizin eine exakte Wissenschaft sei – eine nicht weniger irrige Auffassung, wie ich inzwischen festgestellt habe, aber mein damaliger Biologielehrer vertrat sie auch.

Mein Vater reagierte gelassen auf meine Entscheidung, und als er sich später bereit erklärte, mein Studium in Paris zu finanzieren, sagte er in seiner üblichen nüchternen Art: »Schön, dass es wenigstens nicht die Vereinigten Staaten sein müssen. Das wäre nämlich teuer geworden. Jedenfalls bin ich sicher, dass du fleißig arbeiten und das Beste aus deinen Möglichkeiten machen wirst.« Und dann fügte er nachdenklich hinzu: »Aus manchen Ärzten sind gute Politiker geworden. Anscheinend wirken sie vertrauenswürdig, weiß der Himmel warum.«

Wenn diese Lektionen, die ich gewissermaßen auf dem väterlichen Schoß lernte, mich auch gegen die Juristerei einnahmen, schärften sie doch mein Bewusstsein dafür, wie man gewisse juristische Fallen vermeidet.

Immer wieder kam er auf das Thema der schriftlichen Zeugenaussage zu sprechen.

»Nimm dich in Acht vor dem Polizisten mit abgegriffenem Notizbuch«, sagte er. »Vermutlich kann er gerade mal seinen eigenen Namen schreiben und mit Mühe und Not lesen. Aber im Gerichtssaal wird das, was in seiner Kladde steht, ganz egal, wer es wann dort hineingeschrieben hat, so sakrosankt behandelt wie die Heilige Schrift.«

»Also, Kinder, denkt dran«, ermahnte er uns mit erhobenem Zeigefinger, wenn er wieder einmal über einen haarsträubenden Fall von Pseudojustiz oder Rechtsbeugung berichtet hatte, »und vergesst es nicht. Solltet ihr jemals, was Gott verhindern möge, eine Straftat begehen oder Grund zu der Annahme haben, dass ihr fälschlicherweise einer Straftat oder einer Unbedachtheit beschuldigt werdet, dann müsst ihr eure Handlungen und Gedanken in den wesentlichen Phasen aufzeichnen. Handschriftlich, mit Datum und ohne nachträgliche Änderungen, wenn ihr keine einleuchtenden Gründe dafür habt.«

Dies ist eine seiner Ermahnungen, die ich nicht vergessen habe. Von Zeit zu Zeit habe ich schriftliche Notizen der besagten Art angefertigt und sie später als nützlich empfunden. Nicht dass ich je vor Gericht gestanden hätte oder damit zu rechnen gewesen wäre. Aber auf französischen Ämtern werden Ausländer nicht immer korrekt behandelt, und ein ausländischer Arzt, selbst wenn er eine französische Approbation vorweisen kann, hat einige Nachteile. Wenn er Dr. Frigo heißt und im staatlichen Krankenhaus eines französischen Überseedepartements arbeitet, ist er besonders angreifbar.

Erneute Störung, aber diesmal nicht ohne Grund. Finale Urämie auf Station C extrem unruhig, will entlassen werden und zu Hause sterben. Schwester hat sich an die Vorschriften gehalten. 5 ccm Paraldehyd, wie verordnet, aber ohne die gewünschte Wirkung.

Sah mir den Patienten an. Zuckerrohrschneider, in den Fünfzigern. Sprach mit ihm, munterte ihn auf, so gut es ging, aber einem Sterbenden zu erklären, dass die Behandlung fortgesetzt werden muss, ist jedes Mal deprimierend. Verordnete 0,5 g Chloralhydrat. Die Schwester sah mich stirnrunzelnd an, sagte aber keinen Ton.

Habe inzwischen eine andere Meinung von ihr. Sie

kann sehr gut mit Patienten umgehen – einfühlsam, freundlich, bestimmt. Ist eigentlich ganz hübsch. Fast schwarz, aber mit den feinen Gesichtszügen der Chabine. Schöner Teint, allerdings Warze am Hals unterhalb des linken Ohrs. Könnte man leicht kauterisieren. Warum hat ihr das noch niemand gesagt?

Im Moment habe ich das Gefühl, dass ich plötzlich sehr viel angreifbarer geworden bin.

Deswegen diese schriftlichen Aufzeichnungen. Hätte schon vor drei Tagen damit anfangen sollen.

Muss mich beeilen, solange mir meine Handlungen und Gedanken in den nachgerade relevanten Phasen noch frisch im Gedächtnis sind.

Montag, 12. Mai, vormittags

Ist es erst drei Tage her? Kommt mir länger vor.

Ich war in der Pathologie und assistierte Dr. Brissac bei einer Autopsie, als der Anruf von der Präfektur kam.

Die Leiche, an der wir arbeiteten, gehörte einem älteren Belgier, der mit einer Touristengruppe im Hotel Ajoupa gewohnt hatte. Er war während der Darbietung einer Steelband zusammengebrochen und tot hier eingeliefert worden. Todesursache schien ein Aneurysma der Aorta zu sein, doch die Witwe des Mannes hatte der Polizei gegenüber beharrlich darauf bestanden, dass ihr Mann an einer Lebensmittelvergiftung gestorben sei, und schwere Vorwürfe gegen die Hotelleitung erhoben.

Obwohl die anderen Gruppenmitglieder höchstens unter Verdauungsbeschwerden und Übellaunigkeit litten, den normalen Begleiterscheinungen eines Grillabends im Ajoupa – angekohlte Insel-Steaks sind quasi ungenießbar –, hatte der Untersuchungsrichter eine umfassende Autopsie angeordnet, und wir hielten uns strikt an die vorgeschriebene Prozedur.

Dr. Brissac ist der hiesige Direktor des Gesundheitsdienstes und zugleich Chefarzt, und falls es jemanden erstaunt, dass er eine so niedere Tätigkeit nicht delegierte, so kann ich nur sagen, dass Dr. Brissac mittlerweile darauf besteht, die Autopsien selber durchzuführen. Warum? Ich kann es nur vermuten. Einige meiner Kollegen sind der Ansicht, dass er als Arzt zu übertriebener Ängstlichkeit neigt und dass man viele interessante Fälle, die vorsichtshalber nach Fort de France ausgeflogen wurden, durchaus bei uns hätte behandeln können. Sie finden, dass er einem Jüngeren Platz machen solle. Mag sein, dass Brissac, gehemmt durch Erinnerungen an den einen oder anderen Fehler am lebenden Patienten, es inzwischen vorzieht, sein Handwerk an Toten zu praktizieren. Ich muss sagen, dass er am Seziertisch eine gewisse Leidenschaft erkennen lässt. Er arbeitet mit raschen, sicheren Handgriffen, und es ist ein Vergnügen, ihm bei der Arbeit zuzusehen.

Gerade hatte er die Bauchdecke geöffnet. Während ich am *Colon ascendens* zog, damit er die peritonealen Nervenstränge wegschneiden konnte, kam der Pathologiehelfer herein und teilte mit, dass ich am Telefon verlangt werde.

Ich bat ihn, den Anruf entgegenzunehmen. Er sagte, es sei jemand von der Präfektur, im Auftrag eines Kommissars Gillon, und dringend.

Dr. Brissac hielt inne und rief, ungeduldig mit der Schere herumfuchtelnd: »Bestellen Sie der Präfektur einen schönen Gruß von mir, aber Dr. Castillo kann im Moment nicht weg. Sagen Sie, dass er die Gedärme eines Toten in Händen hält und dass er zurückruft.«

Der Helfer entfernte sich grinsend, und wir arbeiteten weiter. Dr. Brissac ächzt und stöhnt sehr viel bei der Arbeit, spricht aber kaum ein Wort. Als wir zum *Colon transversum* kamen, blickte er zu mir herüber.

»Kennen Sie Kommissar Gillon?«

»Nur flüchtig. Vor ein paar Wochen kam er mit seinem jüngsten Sohn, der sich beim Baden an einem Felsriff ein Bein aufgeschnitten hatte. Der Kommissar wollte die Wunde versorgen lassen. Ich hatte gerade Dienst.«

Dr. Brissac spitzte die Lippen. »Davon hat er mir gar nichts erzählt.« Nach einer Weile fuhr er fort: »Neulich Abend war er bei uns zum Bridge, er hat sich nach Ihnen erkundigt. Nicht was Ihre beruflichen Fähigkeiten angeht – das steht ja alles in seinen Akten –, sondern Ihre privaten Interessen, Ihren Charakter.«

»Aha.«

»Was Sie in Ihrer Freizeit so alles machen, wenn Sie nicht gerade mit Ihrer Freundin ins Bett gehen, und abgesehen von Ihrer Hobbyknipserei. Welchen Eindruck ich von Ihnen hatte, als Sie letztes Jahr die mobile Ambulanz leiteten. Ob Sie allein zurechtkommen oder der Typ sind, den man an die Hand nehmen muss?«

»Interessante Fragen.« Ich tat so, als wäre mir egal, was er geantwortet hat.

Er sagte es mir ohnehin nicht. Er arbeitete sich zur Milz vor. Schließlich sagte er irgendwann: »Ich vermute, Sie wissen nicht, wer Kommissar Gillon ist oder was er hier macht.«

»Ich dachte, er ist Polizist. Ich wusste nicht, dass in der Präfektur Polizisten sitzen.«

»Er ist tatsächlich Polizist, aber kein gewöhnlicher. Er ist Chef der DST-Antenne in dieser Abteilung. Jedenfalls sagt er ›Antenne‹. Offiziell ist die Einheit vermutlich eine Brigade, aber vielleicht glaubt er, dass Antenne geheimnisvoller und wichtiger klingt. Diese politischen Typen …« Er unterbrach sich, als wäre ihm plötzlich bewusst, dass er sich auf heiklem Terrain bewegte. »Schon ganz sinnvoll, höflich zu ihnen zu sein«, fügte er hinzu.

Mehr bekam ich aus ihm nicht heraus. Es war klar, dass er mehr über den Telefonanruf und den Grund dafür wusste, als er mir sagen wollte.

Als wir mit der Autopsie fertig waren, tippte ich den vorläufigen Bericht, der dann von ihm unterschrieben werden musste, und schickte die entnommenen Proben ins Labor. Inzwischen war es zehn Uhr. Eigentlich hatte ich Dienst in der Ambulanz, aber dort war man selten ungestört, und ich wollte nicht belauscht werden, wenn ich mit der Präfektur über private Dinge sprach. Trotz Dr. Brissacs Andeutungen über Gillons Interesse an meiner Person konnte ich mir die Aufmerksamkeit des DST nur damit erklären, dass ich als Ausländer im Staatsdienst irgendwie verdächtig war.

Ich wurde zu einer Sekretärin durchgestellt. Sie war brüskiert. Dr. Brissacs kleiner Scherz über die Eingeweide war bei ihr offenbar nicht gut angekommen. Kommissar Gillon wolle um halb zwölf in seinem Büro mit mir sprechen. Nicht um zwölf, nicht um Viertel vor zwölf, um halb zwölf. Meine Verpflichtungen im Krankenhaus in Ehren, aber ich könne mich bestimmt von einem Kollegen vertreten lassen. Halb zwölf also, im Büro von Kommissar Gillon, im zweiten Stock des Anbaus. Auf Wiederhören.

In der Ambulanz waren an diesem Tag nur sehr wenige Patienten. Einer von ihnen war ein alter Fischer mit Diabetes, den ich kennengelernt hatte, als ich mit der mobilen Ambulanz die kleineren Inseln abgefahren hatte. Die örtliche Apotheke versorgte ihn inzwischen mit Insulin, aber alle drei Monate kam er, um sich von mir untersuchen zu lassen. Seine Frau begleitete ihn jedes Mal. Sie konnte seine Krankheit nicht verstehen – oder sich daran erinnern, was ich ihr das letzte Mal darüber gesagt hatte –, und da ich Mühe hatte, meine einfachen Erklärungen in Patois zu übersetzen, war auf beiden Seiten Geduld vonnöten. Um Viertel nach elf kam ich schließlich weg, doch mein Moped wollte nicht anspringen, sodass ich bis zur Hauptstraße in die Pedale treten musste. Ich schwitzte und war unruhig und empfand die Schussfahrt in die Stadt hinunter nicht so erfrischend wie sonst.

Die Insel Saint-Paul-les-Alizés wurde von Columbus auf seiner zweiten Westindienreise gesichtet und erhielt von ihm den Namen San Pablo de las Montañas. Die

»Berge« waren die beiden Gipfel des Vulkans (er heißt heute Mont Velu), dessen Krater sich während der Ausbrüche von 1785 vereinigten. San Pablo stand nie unter spanischer Kolonialherrschaft. Die einheimischen Kariben waren ein wildes Völkchen, und die drei Dominikanermissionen, die sie zum rechten Glauben bekehren sollten, wurden am Ende allesamt massakriert. Anderthalb Jahrhunderte später, als eine französische Handelsgesellschaft die Insel in Besitz nahm, wurden die Kariben von Saint-Paul ihrerseits von besser bewaffneten europäischen Wilden massakriert. Abgesehen von einer zeitweiligen Besetzung durch die Engländer während der napoleonischen Kriege ist die Insel seit dieser Zeit bis heute französisch.

Obwohl Saint-Paul, wie Martinique, Guadeloupe und die anderen Inseln der französischen Antillen, rasant »entwickelt« wird, sind nur wenige der jüngsten Errungenschaften von Saint-Paul – der Industriekomplex (»Plan Fünf«), das Handelszentrum, die billigen Sozialblocks, die neue Grundschule, der Supermarkt »Alizés« und das Hotel Ajoupa – bis zum alten Hafen von Fort Louis und zu den weiter oberhalb gelegenen Straßen vorgedrungen. Innerhalb des Talkessels, der von den Festungsmauern auf der Landspitze, der Hafenmole und den Hügeln des Grand Mamelon begrenzt wird, sieht es noch immer wie im neunzehnten Jahrhundert aus. Zwar gibt es auf dem Dach der Zitadelle neben dem Flaggenmast inzwischen auch große Fernmeldeschüsseln, Jumbojets heben donnernd von der verlängerten Startbahn ab, und draußen auf der anderen Seite der Bucht, auf den grünen Hängen von La Pointe de Christophe, schießen wie Giftpilze die Betonmasten des neuen Club Nautique aus dem Boden, aber Fort Louis selbst hat sich kaum verändert. Die Stadt ist noch immer hässlich, übervölkert, laut, heruntergekommen und ein einziges Dreckloch.

Die Präfektur befindet sich an der Place Lamartine, auf halber Höhe den Berg hinauf.

Wenn in der Informationsbroschüre des Bureau de Tourisme behauptet wird, die Altstadt sei eine »malerische Erinnerung an die koloniale Vergangenheit«, so ist das zwar nicht völlig falsch, aber doch irreführend. Vor wenigen Jahren wurden in einer Straße die alten Fassaden aus Kalkstein und *Maçonne-du-bon-Dieu* restauriert. Damit hatte es sich, aber uns, die wir dort wohnen, reichte das nicht. Am Zustand der Rohrleitungen änderte sich überhaupt nichts. Er erinnert an die koloniale Vergangenheit in einer Weise, dass selbst die abgebrühten Männer vom Service Sanitaire aus dem Staunen nicht herauskommen. Mit dem Geld, das eigentlich dafür bereitgestellt worden war, installierte man stattdessen eine Klimaanlage in der Präfektur. Die Entrüstung über die bürokratischen Tricks, mit deren Hilfe man diesem eklatanten Schwindel einen Anschein von Legalität verlieh, hat sich bis heute nicht gelegt.

Die Präfektur, gebaut im Jahre 1920, nachdem das alte Gebäude bei einem Brand zerstört worden war, sieht aus wie das Rathaus einer nordfranzösischen Industriestadt, das man hierhertransportiert und dann weiß getüncht hat. Frech starrt es das Standbild von Lamartine an, dem Dichter, der als Staatsmann die Menschen zu befreien suchte und so unbestechlich war, dass er am Ende keinen Pfennig mehr besaß.

Der schwarze Polizist unter der schlaff herabhängenden Trikolore beäugte mich misstrauisch, als ich mich nach dem Büro von Kommissar Gillon erkundigte, und wies dann auf den Anbau.

Das Hauptgebäude mit seinem knarrenden Parkett ist mir sehr vertraut – das Büro für Ausländer befindet sich im Zwischengeschoss –, aber bis zum Anbau war ich noch nie vorgedrungen. Man erreicht diesen Gebäudeteil (der nach der »Angliederung« von 1946 im Garten der Präfektur errichtet worden war) über eine schmale Seufzerbrücke vom zweiten Stock aus. Ein Schild mit einer Zeigehand wies darauf hin, dass dort unter anderem die Büros des Innenministeriums und der Direction de la Surveillance du Territoire untergebracht sind.

In nordamerikanischen Zeitschriften wird die DST gelegentlich als das französische FBI bezeichnet, was zwar ein griffiger, prägnanter Vergleich ist, aber nicht ganz zutrifft. Das FBI hat die Aufgabe, gewisse Verbrechen zu bekämpfen, die unter Bundesrecht fallen, unter anderem die Spionagetätigkeit ausländischer Mächte. Die DST befasst sich nur mit Gegenspionage auf französischem Boden und allen damit zusammenhängenden Fragen und beschränkt sich, obwohl eine Abteilung der Sûreté Nationale, mehr oder weniger auf den Schutz der inneren Sicherheit. Es gibt noch andere Unterschiede. Filme und Fernsehserien, in denen FBI-Agenten als Helden dargestellt werden, mögen nicht mehr besonders populär sein, aber immerhin gibt es sie. Sollte es auch nur einen einzigen Film geben, der einen DST-Agenten in sympathischem Licht zeigt, wäre ich sehr überrascht. Jedenfalls habe ich noch keinen gesehen. Während ein normaler Bürger der Vereinigten Staaten, der von FBI-Vertretern angesprochen wird, sich womöglich geschmeichelt fühlt, dürften die meisten Franzosen, die ohnehin allen Polizisten misstrauen, einer ähnlichen Einladung seitens der DST nur äußerst unwillig und mit stärksten Bedenken Folge leisten. Ich bin zwar kein gebürtiger Franzose, aber Frankreich ist meine Wahlheimat. Dem Gespräch mit Kommissar Gillon sah ich daher mit der allergrößten Skepsis entgegen.

Der Empfang im Vorzimmer beruhigte mich nicht gerade. Die Sekretärin, eine herrische, braunhäutige Frau mit reichlich Gold im Gebiss, tippte vorwurfsvoll auf das Ziffernblatt ihrer Armbanduhr, um mich daran zu erinnern, dass ich spät dran war, zeigte dann auf eine Sitzbank und sagte, dass ich nun warten müsse. Um ihr Missfallen zu unterstreichen, packte sie ein paar Akten, die auf ihrem Schreibtisch lagen, hierhin und dorthin und zündete sich dann eine Zigarette an. In der Ecke des Zimmers tickerte ein Fernschreiber ruhig vor sich hin. Ein junger Weißer, der das Gerät bediente, stöhnte hin und wieder auf – ob aus Langeweile oder aus Unmut, war schwer zu sagen. Es schien, als würde via Fernschreiber eine Art Auseinandersetzung geführt. Das Gestöhn des jungen Mannes begann die Sekretärin zu amüsieren. Auf ihren Lippen lag schon ein sorgfältig formulierter Scherz, als die Gegensprechanlage auf ihrem Schreibtisch loskrächzte. Mit einer ungeduldigen Handbewegung schickte sie mich hinein.

Der Kommissar Gillon, den ich im Krankenhaus erlebt hatte, war ein besorgter, schwitzender Vater im Strandhemd gewesen, der mit einem verletzten, quengeligen Jungen erschienen war. Der Gillon, dem ich jetzt gegenübertrat, war ein hochrangiger Beamter, der ruhig in einem klimatisierten Büro saß. Er war untersetzt, muskulös, in den Vierzigern. An diesem Tag trug er einen grauen Anzug. Er hatte eine Lesebrille mit halben Gläsern, eine helle, gesunde Hautfarbe, kurzes blondes Haar und ein blendend weißes Gebiss. Ein gut aussehender Mann mit einer Stupsnase und schweren Lidern über lebhaften Augen. Er sprach Pariser Französisch. Er brachte es fertig, mich mit einer knappen Armbewegung zu begrüßen und gleichzeitig zum Stuhl auf der anderen Seite seines Schreibtischs zu dirigieren.

»Schön, dass Sie sofort gekommen sind.« Er saß schon wieder und lehnte sich zurück. »Dr. Brissac hat keine Schwierigkeiten gemacht?«

»Nein. Ich hoffe, das Bein Ihres Jungen ist gut verheilt.«

»Absolut. Dr. Massot hat den Verband gewechselt. Er ist unser Hausarzt, wissen Sie. Ich wollte Sie nicht unnötig ein zweites Mal beanspruchen. Kennen Sie Massot?«

Er sprach von dem Arzt, der die meisten Weißen von Fort Louis betreut und Besitzer der teuren Clinique Massot ist.

»Flüchtig. Manchmal nimmt er die Einrichtungen unseres Hauses in Anspruch.«

Gillons feines Lächeln ließ erkennen, dass meine Antwort, obschon vorsichtig formuliert, meine wahre Einstellung gegenüber Dr. M. nur unzureichend verborgen hatte. Dr. M. war dank eines krassen Fehlurteils seitens der Krankenhausverwaltung zum ehrenamtlichen Berater der orthopädischen Abteilung berufen worden, und die Tatsache, dass diese Position unbezahlt war, hatte er so interpretiert, dass er unsere Röntgen- und Laboreinrichtungen für seine Privatpatienten oder seine Privatklinik stets mit Vorrang benutzen dürfe. Er macht uns oft Stress.

Die nächste Frage verwirrte mich jedoch. »Hat Massot mit Ihnen jemals in einer anderen Sprache als Französisch gesprochen?«

»Ein, zwei Mal, ja.« Dr. M. zeigt gern, dass er rudimentäre Kenntnisse in mehreren Sprachen hat. Im Hotel Ajoupa soll er während der Touristensaison ziemlich absahnen.

»Wie ist sein Spanisch?«

Kollegiale Rücksichtnahme war in diesem Fall nicht nötig. »Sein Deutsch erschien mir verständlicher. Ich selbst kann allerdings kein Deutsch.«

Der Kommissar grinste, nahm ein grünes Dossier und hielt es mir so hin, dass ich meinen Namen sah, der darauf stand – Castillo Reye, Ernesto. Das unverbindliche Geplauder (oder was ich dafür gehalten hatte) war zu Ende. Jetzt würde sich herausstellen, warum ich herbeordert worden war.

Er setzte ein offizielles Gesicht auf. »Herr Doktor, Sie verstehen gewiss, dass wir uns für den Status und die Aktivitäten von Ausländern in unserer Mitte interessieren, selbst wenn es sich bei diesen Personen um angesehene Ärzte handelt.«

»Ja.«

»Aber natürlich kann man nicht immer über alles Bescheid wissen. Wir können observieren, was der Betreffende tut, wie er sich verhält, wer seine Freunde und Bekannten sind und so weiter und so fort. Und aus diesen Erkenntnissen können wir gewisse Schlüsse ziehen. Wenn wir es aber nicht mit Personen zu tun haben, die sich erfahrungsgemäß leicht einschätzen lassen – Betrüger, Prostituierte, kleine Abenteurer –, können wir nicht immer wissen, was der Betreffende denkt, welche Ansichten er vertritt. In manchen Bereichen können solche Informationen sehr wichtig sein. Ärzte, denke ich, haben manchmal ähnliche Schwierigkeiten bei der Diagnose. Symptome sagen nicht immer die Wahrheit.«

»Patienten auch nicht.«

Er sah mich überrascht an. »Die Leute erzählen Ihnen tatsächlich Lügen?«

»Manchmal, aber selten ganz bewusst. Meistens belügen sie sich selbst. Der Arzt soll bei der Verschwörung bloß Hilfestellung leisten. Was wollten Sie denn über mich wissen, Herr Kommissar?«

Er warf mir einen spöttischen Blick zu. »Na schön. Laien sollten die Finger von medizinischen Vergleichen lassen. Also, ein paar Fragen. Vor zwei Jahren hätten Sie einen Antrag auf Verleihung der französischen Staatsangehörigkeit stellen können. Das war Ihnen offensichtlich bekannt, denn Sie haben Maître Bussy in dieser Sache konsultiert. Sie sind sogar noch einen Schritt weitergegangen. Sie haben ihm den erforderlichen Lebenslauf vorgelegt. Dann, nur einen Monat später, teilen

Sie ihm mit, dass Sie den Antrag zurückziehen wollen. Wieso?«

»Meine Mutter war dagegen.«

»Ihre *Mutter*? Mit welchem Argument?«

»Vielleicht ist ›sie war dagegen‹ nicht ganz richtig. Sie hat an mich appelliert, als guter Sohn nicht das Land aufzugeben, für das mein Vater den Märtyrertod gestorben war.«

»Und Sie haben diese Auffassung akzeptiert?«

»Nein. Aber es ging meiner Mutter nicht besonders gut, sie hatte Schmerzen. Ich wollte nicht, dass sie zu den anderen Sorgen noch psychischen Stress hatte.«

»Aber Ihre drei Schwestern hatten doch schon eine andere Staatsangehörigkeit angenommen.« Er zeigte auf das Dossier. »Zwei sind Amerikanerinnen, die dritte Mexikanerin, jedes Mal durch Eheschließung. Hat Ihre Mutter da ähnliche Einwände vorgebracht?«

»Bei Frauen aus der Generation und der Schicht meiner Mutter waren es immer die Söhne, die in die Pflicht genommen wurden. Und wenn man der einzige Sohn ist …«

»In welche Pflicht genommen? Dass er eines Tages in die Heimat zurückkehrt und den Märtyrertod seines Vaters rächt?«

Ich dachte eine Weile nach, bevor ich antwortete. Bei manchen Themen ist es ratsam, nicht allzu offen zu sein, nicht einmal gegenüber einem intelligenten und unsentimentalen Menschen wie Gillon.

Die Wahrheit ist, dass mein Vater nie ein Märtyrer im eigentlichen Sinne des Wortes war, außer für meine Mutter und vielleicht einige seiner gläubigeren Genossen. Er war kein Martin Luther King, kein Kennedy und schon gar kein Lumumba. Mit seiner Rednergabe konnte er die Massen packen, sogar zu Tränen rühren, aber in der Achtung der Leute lag nichts Romantisches, keine Liebe. Sie glaubten wohl, dass er ihr Los verbessern würde, dass er sich für sie engagierte und wirklich ihr Freund war. Sie applaudierten ihm und äußerten lautstark ihre Begeisterung, aber wenn er sich unter sie mischte, drängte niemand vor, ihn zu berühren. In einer Menschenmenge war er derjenige, dem man respektvoll Platz machte. Die wesentliche Fähigkeit des wahren Demagogen, zu vergessen und damit andere vergessen zu machen, dass er im Grunde seines Herzens ein Politiker ist – diese Fähigkeit besaß er nicht. Die Ermordung eines solchen Menschen mag ein aufsehenerregendes Ereignis sein, Anlass zur Entstehung einer Märtyrerlegende ist sie selten.

Doch mir ist klar, dass gute Söhne nicht in dieser Weise über ihre toten Väter sprechen sollten. Gillon mochte ein hochrangiger DST-Beamter sein, aber er war auch, wie ich sehr wohl wusste, ein liebevoller Vater und Familienmensch. Da es keinen Sinn hatte, ihn unnötig vor den Kopf zu stoßen, wich ich seiner Frage aus.

»Meine Mutter hat sich jahrelang damit getröstet, dass der Tod meines Vaters gerächt werden muss und irgendwann auch gerächt werden wird. Dieser Ansicht war ich nie.«

»Haben Sie ihr das gesagt?«

»Ich habe dieses Thema wenn irgend möglich vermieden. Sie könnten sagen, dass ich ihr etwas vorgemacht habe. Als ich mich vor zwei Jahren bereit erklärte, meine Staatsangehörigkeit zu behalten, hat meine Mutter gewiss angenommen, dass ich mich nicht nur ihren Wünschen beuge, sondern auch ihre politische Vision teile. Und ich bin sicher, dass ihre engsten Vertrauten sie darin bestärkt haben.«

»Mit engsten Vertrauten meinen Sie vermutlich die Mitglieder der Partei Ihres Vaters, die im Exil sind?«

»Ich meine diejenigen Parteimitglieder, überwiegend Spinner, Betrüger und Postenjäger, die sich in Florida eingenistet haben.«

»Haben Sie noch Kontakt zu diesen Leuten?«

»So wenig wie möglich, eigentlich gar nicht.«

»Briefkontakt?«

»Hin und wieder schicken sie mir ihr schwachsinniges Mitteilungsblatt, das dort erscheint. Hin und wieder werde ich um Geldspenden gebeten. Auch darauf reagiere ich nicht.«

»Ihre Mutter hat Mitglieder dieses Kreises mit beträchtlichen Summen unterstützt.«

»In der Tat. Wie Sie vielleicht wissen, erschien es der Junta opportun, in Bezug auf das Vermögen meines Vaters eine großzügige Regelung zu treffen. Als meine Mutter nach Florida ausreiste, wurden die Devisenvorschriften eigens für sie gelockert. Die Emigranten dort haben sich jahrelang auf ihre Kosten ein schönes Leben gemacht. Für ihre hohen Arztkosten mussten dann mein Schwager und ich aufkommen. Ihr ganzes Geld war verjubelt oder einfach gestohlen. Nach ihrem Tod erklärte sich der Schatzmeister eines Vereins von Exilkubanern freundlicherweise bereit, kostenlos die Bücher zu prüfen. Er empfahl uns, zur Polizei zu gehen und in bestimmten Fällen Anzeige zu erstatten.«

»Was Sie aber nicht getan haben.«

»Nein, wir haben nur damit gedroht. Leider, bei den hohen Arztrechnungen konnten wir uns nicht auch noch Prozesskosten leisten.«

»Wir tauschen ja regelmäßig mit dem FBI Informationen auf inoffizieller Basis aus. Wären Sie überrascht, wenn ich Ihnen sage, dass Sie, laut einem Bericht, den wir kürzlich erhielten, von der Gruppe in Florida als künftiger Parteichef und möglicher Chef einer Übergangsregierung genannt werden?«

»Meine Schwester Isabella hat mir davon geschrieben. Gleichzeitig erhielt ich übrigens eine Reihe jener Spendengesuche, von denen ich vorhin sprach. Nein, überrascht war ich nicht. Nichts von dem Quatsch, den die Florida-Fraktion veröffentlicht, kann mich noch erschüttern. Ich war aber betrübt, weil ich annehmen musste, dass meine Mutter die Verwendung des Namens Castillo genehmigt hatte. Aber da lag sie schon im Sterben, und unser Name war das Einzige, was sie noch hergeben konnte.«

»Sie glauben also nicht an eine Zukunft der Demokratisch-Sozialistischen Partei Ihres Vaters? Sehen Sie nicht die Chance, dass die gegenwärtige Regierung eines Tages gestürzt wird?«

»Nicht, wenn man es der Florida-Gruppe überlässt. Ob sie für die gesamte Opposition repräsentativ ist, ist eine andere Frage.«

»Wie ist Ihre Meinung dazu?«

»Ich weiß nicht genug, um dazu etwas sagen zu können. Ich lese dieselben Zeitungsmeldungen über die verschiedenen Fraktionen wie alle anderen Leute auch. Die kubanische Gruppe dürfte mehr oder weniger marxistisch orientiert sein, kein Wunder. Und die Villegas-Gruppe …«

Ich zögerte. Der Kommissar drängte mich weiter: »Ja? Was halten Sie von der Villegas-Gruppe?«

»Die sitzt ja bekanntlich in Mexiko. Nach Informationen meiner Schwester Isabella – und ich versichere Ihnen, ich habe dort keine anderen Quellen – hat die Gruppe um Villegas enge Kontakte zur Stadtguerilla in unserem Land, diesen militanten Jugendlichen, die der Oligarchie so enorm zusetzen. Von diesen Kontakten weiß ich natürlich nur vom Hörensagen. Die Florida-Fraktion kann die Mexiko-Fraktion nicht ausstehen, weil die anscheinend keine Geldsorgen hat. Es heißt immer wieder, dass Villegas von der CIA unterstützt wird. Auch das reines Gerede. Aber das ist ja mehr oder weniger üblich. Jede politische Gruppe in Lateinamerika, die nicht bettelarm ist, muss einfach von der CIA finanziert werden. Was die politische Richtung angeht, so dürfte die Villegas-Gruppe – und auch das habe ich von meiner Schwester – links von der Mitte stehen.«

»Nicht zu weit von der Position entfernt, die Ihr Vater eingenommen hätte.«

»Vermutlich. Allerdings kann ich mir meinen Vater nicht als Chef einer Gruppe treuer Emigranten vorstellen, welcher Position auch immer.«

»Nein? Er war doch Politiker.«

»Meinem Vater gefiel es, politische Macht zu haben. Und Geld wollte er auch haben. Über den Vorwurf, ein Opportunist zu sein, lachte er. Er fasste es als eine Art Kompliment auf. Wenn er ins Exil getrieben und nicht ermordet worden wäre, hätte er wieder als Anwalt gearbeitet oder, wenn das nicht gegangen wäre, sich an einem lukrativen Geschäft beteiligt. Er hatte nicht den Nerv für langwierige Kämpfe, auch wenn auf seinem Banner die Forderung nach sozialer Gerechtigkeit stand. Die Ziele, für die er eintrat, mussten immer in absehbarer Zeit erreichbar sein.«

Der Kommissar sah mich einen Moment etwas merkwürdig an, so als wollte er seinen Ohren nicht recht trauen, und zuckte dann mit den Schultern. »Wie ich gehört habe, sollen Sie Ihren Vater sehr geliebt haben. Was Sie da sagen, klingt aber nicht danach.«

Da ich nun doch in die Falle gegangen war, die ich bislang erfolgreich vermieden hatte, musste ich nach Kräften versuchen, mich irgendwie herauszureden.

»Genau dieselben Worte hat meine Mutter auch verwendet, als sie mich zum soundsovielten Mal drängte, seinen Tod zu rächen.«

Es funktionierte. Gillon erstarrte. Der Vergleich mit meiner Mutter, wie entfernt auch immer, gefiel ihm nicht.

»Soweit ich Ihre Landsleute kenne, bräuchten nur wenige in einer solchen Angelegenheit gedrängt zu werden. Immerhin gibt es bei Ihnen den Machismo, dieses ausgeprägte Männlichkeitsgefühl.«

»Nicht nur in meiner Heimat. In ganz Lateinamerika. Aber ich stimme Ihnen zu. Viele sinnlose Morde werden von Leuten verübt, die es für einen Beweis von Männlichkeit halten, einen Menschen umzubringen, der sie beleidigt hat. Ich selbst sehe das anders. Vielleicht zeigt sich darin der verderbliche Einfluss meiner französischen Ausbildung.«

»Vielleicht.« Er hielt inne, um über diese ketzerische Bemerkung nachzudenken. »Oder hat es damit zu tun«, fuhr er fort, »dass Sie nie herausgefunden haben, wer für die Tat verantwortlich war? Ich meine, wer das Attentat geplant hat.«

»Werde ich in Ihrer Achtung noch tiefer sinken, wenn ich Ihnen erkläre, dass ich mich im Grunde nie darum bemüht habe?«

»Hat es Sie nicht interessiert?«

»Nein, nein. Was immer man Ihnen erzählt hat, ganz so gefühllos bin ich nicht. Aber ich lege einfach Wert auf Beweise. Was bislang zutage gefördert wurde, war keinen Pfifferling wert. Eigentlich müssten Sie das wissen. Vielleicht hätte ich mich intensiver darum kümmern sollen, aber ich bin kein Polizist, auch kein Amateurdetektiv, der jede Menge Zeit hat.«

»Glauben Sie denn, dass es irgendwo noch Beweise gibt?«

»Möglicherweise gibt es im Verteidigungsministerium, das sich in Sichtweite der Treppe befindet, auf der mein Vater ermordet wurde, Dokumente, aus denen die Namen der Verantwortlichen hervorgehen. Erst recht, wenn es sich um Mitglieder der Partei meines Vaters handelt.

Und selbst wenn es Angehörige der Sicherheitskräfte waren, die auf Anweisung der Junta gehandelt haben, könnte es irgendwo noch Beweise geben. Bürokraten sind vorsichtige Leute, die vernichten nicht so schnell Unterlagen, selbst wenn man es ihnen befiehlt. Man kann schließlich nie wissen, ob sie nicht eines Tages doch nützlich sind.«

»Ich verstehe. Die Dokumente existieren vielleicht, aber niemand wird sie Ihnen einfach so zeigen. Und selbst wenn Sie wüssten, wo diese Dokumente aufbewahrt werden, müssten Sie feststellen, welcher Beamte dafür zuständig ist und welche Sorte Bestechungsgeld nötig ist. Hab ich recht?«

»Außerdem gibt es ja dieses alljährliche Ritual, das mich vor der Versuchung schützen soll, meiner Neugier nachzugeben. Wenn ich mir vom französischen Konsul in Fort de France meinen Pass verlängern lasse, werde ich immer wieder daran erinnert, dass dieses Dokument nur von begrenztem Nutzen ist. Es gilt für die ganze Welt, nur nicht für Reisen in mein Heimatland.«

»Ihre Mutter ist vor einem halben Jahr gestorben. Wollen Sie ihre sentimentalen Wünsche hinsichtlich Ihrer Staatsangehörigkeit ewig weiterbefolgen?«

»In ihrer Familie dauert die Trauerzeit mindestens ein Jahr. Daran werde ich mich halten. Ich bin aber sicher, dass das Konsulat in Fort de France einen Antrag auf Erteilung eines Einreisevisums ablehnt, wenn ich einen französischen Pass vorlege. Die Ablehnung würde nur etwas höflicher formuliert, das ist alles.«

»Ja, ich verstehe. Nur noch eine Frage. Das gegenwärtige Regime – die Oligarchie, wie sie genannt wird – ist ja bekanntlich alles andere als stabil. Sollte ein von der Armee getragener Staatsstreich zur Machtübernahme der Demokratischen Sozialisten oder zu einer Koalitionsregierung führen, die bereit wäre, das gegen Sie verhängte Einreiseverbot aufzuheben, wären Sie dann bereit zurückzukehren?«

»Für einen kurzen Besuch vielleicht. Nicht für immer. Ich habe hier meine Arbeit, und sie macht mir Spaß.«

»Als Sohn Ihres Vaters würde man Ihnen womöglich einen Posten in der neuen Regierung anbieten – das Gesundheitsministerium etwa.« Er lächelte, aber es war durchaus ernst gemeint.

»Ich würde ablehnen. Meine Kindheit hat mich gegen politischen Ehrgeiz immun gemacht. Ich bin Arzt, Karriere möchte ich nur in meinem Beruf machen.«

Apropos Beruf. Es ist jetzt 2 Uhr. Die Schwester brachte mir ein Glas Tee. Ein deutliches Friedensangebot. Dadurch ermutigt, beschloss ich, ihre Warze zu erwähnen. Ein schwerer Fehler meinerseits, in jeder Hinsicht. Es ist keine Warze, sondern ein pigmentierter Naevus. Schwester sehr gekränkt. Wortreiche Entschuldigungen. Sie akzeptierte sie nur pro forma, wie mir die aufeinandergepressten Lippen und der abgewandte Blick deutlich signalisierten. Muss mich in Zukunft um meine eigenen Dinge kümmern. Sollte nach dem Rundgang etwas schlafen, habe aber das Gefühl, dass ich zuerst den Bericht über Gillon zu Ende schreiben sollte. Zum Teufel mit pigmentierten Naevi. Zum Teufel mit Gillon.

Da er gesagt hatte, dass es seine letzte Frage sei, ging ich davon aus, dass unser Gespräch mit meiner Antwort beendet war. Ich hatte ihm erklärt, warum ich meinen Antrag auf Verleihung der französischen Staatsangehörigkeit zurückgezogen hatte. Seinen Verdacht, dass ich in Emigrantenkreisen engagiert bin, hatte ich wohl zerstreut. Also stand ich auf, um ihm die Mühe zu ersparen, mich zur Tür zu bringen.

Er reagierte gereizt. »Wir sind noch nicht fertig, Herr Doktor. Setzen Sie sich bitte wieder.«

Ich gehorchte. »Sie haben gesagt, Sie wollten mir ein paar Fragen stellen. Ich habe sie beantwortet.«

»Und Sie werden sich freundlicherweise anhören, warum ich sie Ihnen gestellt habe.«

Ich schwieg und machte wahrscheinlich ein arrogantes Gesicht. Ich habe mir sagen lassen, dass Dr. Frigo meistens so reagiert, wenn er klein beigeben muss.

Gillon beugte sich vor und kniff die Augen zusammen. »Was den Antrag auf Verleihung der Staatsbürgerschaft angeht, so sollten Sie wissen, dass uns solche Anträge zur Beurteilung und Stellungnahme vorgelegt werden.« Er zeigte mit dem Finger auf mich. »Wir können ja oder nein sagen. Sie sollten darüber nachdenken, bevor Sie sich weigern, mit uns zusammenzuarbeiten.«

»Ich habe mich nicht geweigert.«

»Gut. Dann können wir ja weitermachen.« Auf seinem Schreibtisch lag ein zweites Dossier, mit einem gelben Deckel. Mit dem Zeigefinger drehte er es so, dass ich den Namen lesen konnte, der in Druckbuchstaben darauf stand.

VILLEGAS LOPEZ, MANUEL

»Was wissen Sie über ihn?«, fragte Gillon.

»Abgesehen davon, dass er die Mexiko-Gruppe anführt, nicht sehr viel. In den letzten zehn Jahren hat er als Dozent in der Ciudad Universitario gearbeitet. Er dürfte um die fünfzig sein. Als Student ging er in die Vereinigten Staaten. Ich weiß nicht genau, an welche Universität, aber ich glaube, er hat Architektur studiert.«

»Ingenieurwissenschaft. Und das hat er auch in Mexiko unterrichtet. Er ist Professor.«

»Als er in das Zentralkomitee der Partei gewählt wurde, arbeitete er in einem Architekturbüro. Vielleicht als Ingenieur. Ich habe seinerzeit studiert. Das war vor ungefähr sechzehn, siebzehn Jahren. Ich weiß noch, wie mein Vater sagte, dass Villegas genau das dringend benötigte frische Blut in die Partei bringe – er war jung, aber nicht zu jung, hatte Berufserfahrung, ein Sozialist, der auf den ganzen ideologischen Kram verzichten konnte, ohne seinen Überzeugungen untreu zu werden.«

»Das klingt, als würden Sie jemanden zitieren. Waren das die Worte, mit denen Ihr Vater Villegas beschrieben hat?«

»Ja, aber lassen Sie sich nicht täuschen. Diese Worte sind mir nicht eingefallen, weil wir über Villegas sprechen. Mit ihnen hat mein Vater immer aufstrebende, neue Parteimitglieder beschrieben, die sein Lob verdient hatten. Es bedeutete, dass der Betreffende so weit Pragmatiker war, dass er völlig mit meinem Vater übereinstimmte, zumindest nach Ansicht meines Vaters. Natürlich hatte er nicht immer recht. Wenn er sich geirrt hatte, hieß es von dem Mann, der die Dinge am Ende doch nicht so sah wie er, er sei ein Abenteurer.«

»War Villegas ein Abenteurer?«

»Weiß ich nicht.«

»Was hat Ihr Vater sonst noch über ihn gesagt?«

»Ich kann mich an nichts erinnern. Es hat mich ohnehin nie besonders interessiert. Villegas war einfach neu im Komitee. Die anderen Mitglieder gehörten alle zur Generation meines Vaters, Männer wie Calman, Acosta und Hermanos.«

»Und Segura Rojas?«

»Sie meinen Onkel Paco?«

»*Onkel* Paco?«

»So haben wir als Kinder zu ihm gesagt. Segura war eine Zeit lang oft bei uns zu Besuch. Weil er uns meistens teure Geschenke mitbrachte, wurde er für uns eine Art Onkel.«

»Villegas bezeichnet ihn als seinen Außenminister. Die beiden scheinen sich sehr nahezustehen. Wussten Sie das nicht?«

»Ich wusste, dass Segura in Mexiko war. Das Letzte, was ich von ihm gehört habe, war, dass er sich in Cuernavaca ein Haus gekauft hat. Er war immer einer von diesen reichen Sozialisten. Seine Familie hatte Grundbesitz in Venezuela. Er muss inzwischen ziemlich alt sein.«

»Achtundsechzig, wenn Sie das alt nennen. In Ihrem Alter tut man das wohl. Aber für Sie ist er nach wie vor Onkel Paco?«

»Ich habe seit Jahren nicht mehr an ihn gedacht. Erst jetzt, als Sie seinen Namen erwähnten.«

»Nun ja, Sie werden ihn wahrscheinlich bald sehen. Sie haben davon gesprochen, dass Villegas in Mexiko lebt. Das stimmt nicht mehr. Er ist seit zwei Monaten hier. Segura ist bei ihm.«

Ich starrte Kommissar Gillon ungläubig an, doch er räumte plötzlich seinen Schreibtisch auf und schob die Akte Villegas und mehrere andere Dossiers zu einem ordentlichen Stapel zusammen.

»Hier? Wieso das denn?«

Kommissar Gillon hörte mit dem Ordnen auf, verschränkte die Arme über der Brust und sah mich dann an.

»Er beantragte eine befristete Aufenthaltserlaubnis, um hier Urlaub zu machen und aus gesundheitlichen Gründen. Dem Antrag wurde stattgegeben. Die Entscheidung fiel in Paris. Weshalb die Genehmigung erteilt wurde, ist nicht mein Bier und Ihres erst recht nicht. Ich empfehle Ihnen dringend, keine Spekulationen über die Sache anzustellen oder darüber zu diskutieren. Ich habe dafür zu sorgen, dass Monsieur Villegas, seine Familie und Begleitung, zu der auch Ihr Onkel Paco gehört, einen ruhigen Aufenthalt hier verbringen und so weit wie möglich von der Öffentlichkeit abgeschirmt werden. Außerdem habe ich mich darum zu kümmern, dass alles für seine Gesundheit getan wird. Diese Aufgabe übertrage ich jetzt Ihnen, Herr Doktor. Sie werden Monsieur Villegas als medizinischer Betreuer zur Seite stehen, und ich sage Ihnen lieber gleich, dass Dr. Brissac seine Einwilligung gegeben hat.«

Ich sagte das Erste, was mir in den Sinn kam: »Und Monsieur Villegas? Ist *er* denn einverstanden?«

»Als er seine Aufenthaltsgenehmigung erhielt, wurde ihm bedeutet, dass alle Maßnahmen im Zusammenhang mit seiner Sicherheit und Gesundheit hier in diesem Büro getroffen werden.«

»Aber seinen Arzt wird er sich doch aussuchen dürfen.«

»Gewiss. Auf Dr. Massot hat er bereits verzichtet.«

»Mit welcher Begründung?«

»Verständigungsschwierigkeiten. Sie haben selbst gesagt, dass Massots Spanisch zu wünschen übriglässt. Dasselbe gilt für Villegas' Französisch. Ich nehme mal an, dass sich die beiden nicht sonderlich sympathisch waren.«

»Sie sagen, dass Villegas auch aus gesundheitlichen Gründen hierherkam. Hat er eine bestimmte Krankheit?«

»Laut Dr. Massot ist er ein Hypochonder und vielleicht auch ein heimlicher Trinker. Ich habe Dr. Massots Bericht hier, wenn Sie ihn sehen wollen.« Er griff nach der Akte Villegas.

»Ich glaube nicht, dass ich viel damit anfangen kann. Weiß Villegas denn von mir?«

»Natürlich. Sohn des alten Parteichefs, Examen und Approbation in Paris, ein geschätzter Arzt am hiesigen Krankenhaus, der direkten Zugang zu modernen diagnostischen Apparaten und kompetenten Fachkollegen hat und fließend Spanisch spricht – wir haben ihm alle Fakten gegeben, die er brauchte, um sich eine Meinung zu bilden.«

»Und er war mit mir einverstanden?«

»Er hat sofort und mit überaus herzlichen Worten eingewilligt. Ihre Ansichten über den Kreis Ihrer Mutter in

Florida waren ihm übrigens bekannt. Er wird Sie wohl, genau wie ich, über Ihre politische Einstellung befragen. Nach allem, was Sie mir gesagt haben, dürfte es kaum Schwierigkeiten geben. Er könnte natürlich versuchen, Sie zu bekehren oder zu indoktrinieren und auf seine Seite zu ziehen, und sei es nur wegen Ihres Namens. Aber ich denke« – der Kommissar lächelte süß –, »dass Sie ihm genauso ausweichend oder mehrdeutig antworten werden wie mir.«

Ich reagierte nicht auf diese Provokation. »Das klingt ja, als sollte ich diesen Patienten regelmäßig besuchen. Gibt es konkrete medizinische Gründe dafür?«

»Von einer bestimmten Krankheit ist mir nichts bekannt. Ich möchte aber, dass Sie ihn mindestens zweimal die Woche besuchen und auf diese Weise ein Freund der Familie werden.« Er hielt kurz inne, um diese Worte wirken zu lassen. »Für diese Leistung erhalten Sie aus DST-Mitteln ein Honorar von monatlich fünfhundert Francs. Das ist der Betrag, den Dr. Massot bekam. Damit dürfte Ihr Aufwand an Zeit und Arbeit angemessen abgegolten sein – für Ihre Besuche in Les Muettes, so heißt die Villa, in der Villegas wohnt, und für Ihre Berichte an uns ...«

»Berichte?«

Er machte eine abwehrende Handbewegung. »Bitte lassen Sie mich ausreden. Ihr Ärzte! Massot hat genauso reagiert. Ich sage doch gar nicht, dass Sie gegen Ihren Eid verstoßen sollen, gegen Ihr Berufsethos. Mir ist klar, dass Sie an Ihre ärztliche Schweigepflicht gebunden sind. Natürlich würde ich nicht von Ihnen verlangen, über den Zustand der Leber oder der Nieren Ihres Patienten zu berichten. Aber seine allgemeine Verfassung, auch die seiner Vertrauten, die Auswirkung, die bestimmte Besucher auf ihn haben – das sind generelle Dinge, über die Sie uns sehr wohl Ihre Eindrücke schildern könnten. Und wenn Sie von Personen angesprochen werden, die über die Bewohner von Les Muettes etwas erfahren wollen – das wird nämlich ganz bestimmt passieren, sobald sich herumgesprochen hat, dass Sie Villegas' Arzt sind –, hoffe ich, dass Sie uns auch darüber informieren. Also: regelmäßige Berichte. Wie gesagt, unsere Aufgabe ist es, unseren Gast zu beschützen. Und nicht nur vor Krankheiten, sondern vor allen möglichen Gefahren, tatsächlichen oder potenziellen, für sein Wohlergehen. Haben wir uns verstanden?«

»Ja.« Die Pille, obschon mit einer dicken Zuckerschicht ummantelt, schmeckte entschieden unangenehm. Aber es schien mir sinnlos, mit dem Hinweis, dass ich keine Lust hätte, für die DST als Spitzel zu fungieren, das Gespräch noch endlos fortzusetzen.

Gillon nickte beifällig. »Gut. Wir sind von Ihrer Einwilligung und Ihrer Kooperationsbereitschaft ausgegangen und haben mit Villegas vereinbart, dass Sie ihn morgen Vormittag um elf in seiner Villa besuchen. Hoffentlich haben Sie dadurch keine Scherereien, aber Dr. Brissac wird Ihnen gewiss helfen.«

»Alles klar.«

»Ihre Berichte können Sie telefonisch durchgeben, aber Sie müssen sie jede Woche schriftlich bestätigen.«

Ich stand auf, um zu gehen, doch er hob die Hand.

»Noch ein Wort zur Villa Les Muettes. Ich sollte vielleicht darauf hinweisen, dass sie aus Sicherheitsgründen – vielleicht wollte Villegas die Presse ablenken – nicht von ihm persönlich angemietet wurde. Segura hat das für ihn getan, Ihr Onkel Paco. Das heißt also, draußen auf dem Briefkasten am Tor steht sein Name. Außerdem werden Sie dort einen meiner Jungs vom Sicherheitsdienst vorfinden. Er hat seine Instruktionen. Sie zeigen ihm einfach Ihren Ausweis.«

»In Ordnung.«

Wieder stand ich auf. Diesmal kam ich bis zur Tür.

»Noch etwas, Herr Doktor. Eine kleine Information, die aber, wenn Sie rekapitulieren, was heute in diesem Zimmer besprochen wurde, Ihre Gedanken in Bezug auf ein heikles Thema beruhigen könnte.« Er hielt inne und fuhr dann langsam fort: »Kollegen aus einer anderen Abteilung haben verdeckte Ermittlungen über die Umstände des Mordanschlags auf Ihren Vater durchgeführt. Und zwar unmittelbar nach dem tragischen Ereignis. Eine Zusammenfassung des Berichts wurde uns kürzlich vom Quai d'Orsay übermittelt.« Er nahm ein Blatt und las daraus vor: »*Unsere Ermittlungen ergaben keinerlei eindeutigen Beweis dafür, dass ein Mitglied der Demokratisch-Sozialistischen Partei an dem Anschlag auf Castillo beteiligt gewesen wäre. Es steht Ihnen frei, Dr. Castillo dies zur Kenntnis zu bringen.*«

»Vielen Dank. Kein *eindeutiger* Beweis?«

»Richtig.«

»Heißt das, dass es uneindeutige Beweise gab?«

»Ich habe nicht die leiseste Ahnung. Ich wollte Ihnen nur die Information geben, wie mir das ja gestattet wurde.«

Ich dankte ihm erneut.

Der Fernschreiber draußen im Vorzimmer war stumm, aber der junge Mann, der inzwischen die langen Papierschlangen auf dem Nebentisch durchging, stöhnte noch immer.

Es ist jetzt 4 Uhr. Muss ein bisschen schlafen. Die Informationen, die ich am Abend des 12. Mai von Elisabeth erhielt, und die Vorgespräche in Les Muettes am 13. Mai sind viel zu wichtig, als dass ich sie in meiner gegenwärtigen Verfassung niederschreiben sollte. Würde die wichtigen Dinge vergessen. Kann nur hoffen, dass ich morgen eine ruhige Nacht habe.

Abends

Nach meinem Besuch bei Gillon kam ich am späten Nachmittag mit Dr. Brissac in dessen Dienstzimmer zusammen. Natürlich wollte er einen ausführlichen Bericht über mein Gespräch auf der Präfektur haben. Da ich aber sicher war, dass Gillon ihm bei ihrer nächsten Bridgerunde davon erzählen würde, äußerte ich mich zurückhaltend. Ich erzählte ihm jedoch von dem Honorar, und obschon ich stark bezweifelte, dass er damit zu tun hatte, bedankte ich mich bei ihm. Er winkte großzügig ab und bot mir an, dass ich im Bedarfsfall einen der tragbaren EKG-Apparate der Klinik benutzen könne. Für den

Transport sollte ich mir allerdings ein Auto leihen. Er missbilligt mein Moped. Aus seiner Sicht ist es ein Verkehrsmittel, das eines Arztes nicht würdig ist. Er wies darauf hin, dass ich die fünfhundert Francs, die ich monatlich nebenbei verdienen würde, als Anzahlung für ein Auto nehmen könnte.

Nach Dienstschluss fuhr ich zu Elisabeth.

Sie wohnt ebenfalls in einem der restaurierten Häuser, wobei das ihre nicht wie meines in separate Wohnungen aufgeteilt ist. Sie hat dort ihr Atelier und eine fest angestellte Haushälterin. Außerdem besitzt sie eine Galerie in der Laden-Passage des Hotels Ajoupa. Dort verkauft sie ihre eigenen Arbeiten, aber auch solche anderer hiesiger Künstler sowie die eines talentierten kreolischen Bildhauers, der seinen Lebensunterhalt als Vorarbeiter in einer Rumbrennerei verdient.

In Saint-Paul wimmelt es von Künstlern. Die meisten taugen nicht viel. Am meisten verkauft Elisabeth die Arbeiten einer Blumenmalerin mit einem Hibiskusfimmel und die eines Automechanikers, der Öl-auf-Karton-Bilder von Sehenswürdigkeiten der Insel malt. Er verwendet ein Gerät, mit dem er Sand auf die frische Farbe bläst. So verbirgt er, zumindest teilweise, seine laienhafte Kunst, und zugleich vermittelt er die Illusion einer besonders originellen Technik. Während der Saison sind seine Werke sehr begehrt (im Bordmagazin einer amerikanischen Fluglinie wird er als »Grandma Moses von Saint-Paul« bezeichnet), und Elisabeth bereitet es ein diebisches Vergnügen, astronomische Preise für seine Bilder zu verlangen. Der talentierte Bildhauer dagegen lässt sich kaum verkaufen. Ein, zwei amerikanische Galerien, darunter auch das New Yorker Museum of Modern Art, haben inzwischen Werke von ihm erworben, und Elisabeth versucht gerade, in Paris eine Einzelausstellung für ihn zu organisieren.

Sie selbst malt entweder *trompe l'œil*-Bilder, die sehr gut gehen, oder »Buchstabengemälde«, die überhaupt nicht gehen.

Der Ausdruck »Buchstabengemälde« stammt von mir. Sie selbst nennt sie »Erinnerungen«. Es sind großformatige, wüste Darstellungen mittelalterlicher Folterszenen, Massaker oder Totentänze, in denen die Buchstaben A, E, I, O und U in menschlicher Gestalt gezeigt werden.

Um diese Bilder zu verstehen, um zu verstehen, warum Elisabeth sie überhaupt malt, muss man einen Blick in ihren Pass werfen.

Normalerweise verwendet sie den Namen Elisabeth Martens. In ihrem Reisepass steht jedoch der Name Maria Valeria Modena Elisabeth von Habsburg-Lothringen Martens Duplessis. Martens ist ihr Mädchenname. Ihr Vater, Jean Baptiste Martens, ein Belgier, besitzt Textilfabriken in der Nähe von Lille. Duplessis ist der Name ihres französischen Ehemannes, von dem sie getrennt lebt. Der Rest der eindrucksvollen Namen geht auf ihre Mutter zurück, die kurioserweise eine Urururenkelin von Kaiserin Maria Theresia von Österreich ist, was Elisabeth anhand von Stammbaumtafeln belegen kann.

Elisabeth ist also, über einen spanischen Zweig der Familie, eine Habsburgerin. Und AEIOU ist das Akronym eines Sinnspruchs, erfunden von oder für Kaiser

Friedrich III., einem Habsburger des fünfzehnten Jahrhunderts, der seinen verständlicherweise schwindenden Glauben an den Fortbestand der Dynastie mit einem Sinnspruch untermauern wollte. AEIOU steht für *Austria Est Imperare Orbi Universo*.

Elisabeth findet es nicht absurd, sich immer wieder mit diesem Thema auseinanderzusetzen. Und dass sie diesen Teil ihres Familienerbes und die langen, blutigen Kapitel der habsburgischen Geschichte weder ignorieren noch vergessen kann, ist keineswegs Ausdruck von Snobismus. Ihre Gefühle gegenüber dieser ungeheuren Dynastie, die sie nicht in Ruhe lässt, sind denn auch ausgesprochen ambivalent. Wenn sie ihre Familie in den Buchstabenbildern immer wieder spöttisch oder kritisch behandelt – es gibt unter anderem eine abscheuliche »Erinnerung« an eine kaiserliche Grablegung in der Kapuzinergruft –, so kann sie gleichwohl vehement für sie eintreten. Sie soll empört darauf hingewiesen haben, dass es nicht das britische Empire war, in dem die Sonne nie untergegangen sei, sondern das Reich Karls V., das sich »von den Karpaten bis nach Peru« erstreckt habe. Einmal muss sie, nicht mehr ganz nüchtern, einen harmlosen Bostoner Kunsthändler und dessen Frau heftig attackiert haben, man müsse doch Verständnis haben für die schwierige Lage Karls VI. – Gicht, Magenprobleme, katastrophale Schwangerschaften. Nach einem Moment größter Irritation stellte sich heraus, dass Elisabeth die Pragmatische Sanktion von 1713 rechtfertigen wollte und dass mit den Schwangerschaften die der Kaiserin gemeint waren.

Wenn sie nach all dem ein wenig exzentrisch erscheint, so muss ich doch sagen, dass sie meistens ziemlich vernünftig ist. Die Einheimischen bezeichnen sie als *toquée*, was auf Saint-Paul aber nicht unbedingt negativ klingt. Ein gewisses Maß an Verrücktheit wird toleriert, und wenn die betreffende Person so aussieht wie Elisabeth, ist es sogar ein Plus. Ihre Unterlippe hat nichts Habsburgisches, und ihr Unterkiefer steht auch nicht vor. Sie besitzt einen Druck von einem Stieler-Porträt der Erzherzogin Sophie, das man für ein Bildnis von ihr selbst in einem Phantasiekostüm halten könnte. Wenn sie selten etwas Gewagteres oder Modischeres als Hose und Hemd trägt, so sind es nur die Frauen gewisser französischer Beamter, die darüber die Nase rümpfen. *Mal élevée*, lautet ihr Urteil.

Man könnte vielleicht behaupten, dass die allermeisten Habsburger schlecht erzogen waren, wenn auch nicht in dem Sinn, wie die Beamtengattinnen ihre Bemerkung verstehen. Elisabeth kann einiges zu diesem Thema beitragen, da ihr die Großmutter mütterlicherseits, die als junges Mädchen am Hof von Franz Josef war, viel erzählt hat. Die spöttische Bemerkung des Königs von Ungarn, dass starke Nationen in den Krieg ziehen müssten, während das glückliche Österreich durch Heirat das Gewünschte bekam, ist nicht so falsch. Diese armen kleinen Erzherzöge und Erzherzoginnen, all die Franzis, Maxls, Bubis, Sissis und Lisls, die schon als Kleinkinder höfisches Benehmen und Etikette lernten und deren künftige Ehepartner schon feststanden, bevor sie überhaupt in die Pubertät kamen – kein Wunder, dass die meisten von ihnen im Erwachsenenalter mehr als nur ein bisschen neurotisch waren. Es ist wirklich ein Wunder, dass im Laufe der Jahrhunderte so wenige manifest geisteskrank waren.

Wer Elisabeth darüber sprechen hört, könnte leicht glauben, dass sie diesen Dingen ebenso distanziert gegenübersteht wie man selbst. Das aber wäre ein Missverständnis. Wenn sie auch nicht so sehr in der Vergangenheit ihrer Familie lebt, als dass sie deren Verschrobenheiten rechtfertigen würde, so bringt sie doch ein gewisses Verständnis auf. Aus ihrer Sicht sind die Liebenden von Mayerling zwei verabscheuenswerte Dummköpfe, die dem alten Kaiser unerträglich viel Schmerz und Kummer bereitet haben. Dass sie Mitleid verdient hätten, wäre für sie eine abwegige Vorstellung. Gewiss wurden in Rudolfs Erziehung Fehler gemacht. Ein dummer Hauslehrer sperrte den Buben in ein Wildgehege, um ihm zu zeigen, was Mut ist. Ganz sicher keine Methode, einem Sechsjährigen irgendetwas beizubringen. Aber Rudolf war Kronprinz, Thronfolger. Er hätte von sich aus Pflichtgefühl haben müssen. »O ja, du findest natürlich, dass ich dummes Zeug rede, trotzdem ...«

Elisabeth selbst dürfte die typische Erziehung einer Tochter eines belgischen Industriellen genossen haben, aber ihre Haltung zu bestimmten Dingen bleibt die der Großmutter, die vor Franz Josef einen Hofknicks machte.

Zur Scheidung ihrer Eltern vertritt sie eine charakteristische Ansicht. Da ihr Vater Protestant war und immer bleiben wollte, sei die Ehe von Anfang an zum Scheitern verurteilt gewesen. Die beiden hätten überhaupt nicht heiraten sollen, findet sie. Es wäre besser gewesen, wenn sie als uneheliches Kind zur Welt gekommen wäre.

Ihre Eltern haben unterschiedlich auf diesen Kommentar reagiert. Ihr Vater, der noch zwei Kinder aus zweiter Ehe hat, kann sich inzwischen halb belustigt damit abfinden. Ihre Mutter dagegen, die mit ihrem zweiten Mann inzwischen in Paraguay lebt, war sehr getroffen. Bei ihrem letzten Besuch auf Saint-Paul kam es zu einem heftigen Streit, bei dem sich Mutter und Tochter vermutlich die tödlichsten Beleidigungen an den Kopf warfen. Ich sage »vermutlich«, weil Attacke und Gegenattacke mit historischen Anspielungen einhergingen, die für mich weitgehend unverständlich waren. Das war auch der Grund, weshalb meine Schlichtungsversuche am Ende nicht ganz erfolglos blieben. Meine kägliche Ignoranz war so offenkundig, dass die beiden Kontrahentinnen am Ende in lautes Gelächter ausbrachen.

Über ihre eigene Ehe äußert sich Elisabeth nicht weniger dogmatisch. Sie lebt seit fünf Jahren offiziell von ihrem Mann getrennt. Aus dieser Ehe sind keine Kinder hervorgegangen. Sie braucht ihn nicht und verwendet nicht einmal seinen Namen. Und obwohl sie sich meines Wissens nie in die Nähe einer Kirche oder eines Priesters begibt, ist sie der Auffassung, dass sie mit diesem Mann unwiderruflich verbunden ist. Eine Scheidung kommt für sie nicht in Betracht, und wenn er, was durchaus möglich ist, eine zivilrechtliche Auflösung der Ehe beantragte, würde sie sich mit allen Mitteln zur Wehr setzen. Als ich einmal in einem der Bücher blätterte, die sie von der Großmutter geerbt hat, fand ich eine Passage über Anna von Tirol, die Gemahlin von Kaiser Matthias. Sie soll eine mit silbernen Spitzen versehene Peitsche bei sich getragen haben, mit der sie sich als Buße für ihre Sünden geißelte. Als ich Elisabeth fragte, ob sie in Bezug auf ihre Ehe nicht dasselbe tue, wurde sie wütend und warf einen Spachtel nach mir. Es war Farbe darauf, sodass ich die Hose in die Reinigung geben musste.

Kurz nach diesem Zwischenfall schenkte sie mir zur Versöhnung eines ihrer »Buchstabenbilder«. Thema war der Prager Fenstersturz. Meiner Ansicht nach befindet sich Elisabeth noch immer im Dreißigjährigen Krieg.

Ich erzählte nicht sofort, was ich an diesem Tag im Büro von Kommissar Gillon erlebt hatte. Wir hatten noch Arbeit zu erledigen, und ohnehin war ich mir noch nicht im Klaren darüber, wie viel ich ihr erzählen wollte. Die zusätzlichen fünfhundert Francs im Monat würden bestimmt ihren Beifall finden, aber wenn ich das Gespräch mit Gillon nicht herunterspielte, würde sie gewiss anfangen, die nahe liegenden Überlegungen anzustellen, denen ich selbst in diesem Moment eher aus dem Weg ging. Am besten, ich nahm die ganze Sache nicht zu ernst. Am besten, ich konzentrierte mich auf Dr. M.s Diagnose von Villegas als Hypochonder und beklagte den unnützen Zeitaufwand.

Doch im entscheidenden Moment erzählte ich alles.

Auslöser war die gemeinsame Arbeit. Da ich mich auf etwas anderes als die Probleme des Tages konzentrieren musste, entspannte ich mich und erzählte ihr, ohne groß nachzudenken, was passiert war. Was Dr. Brissac meine

»Hobbyknipserei« nennt, ist nichts anderes als ein Job, den ich für Elisabeth übernommen habe. Als sie in Paris studierte, arbeitete sie halbtags in einer Galerie auf der Rive Droite. Vom Inhaber der Galerie lernte sie viel über das Geschäft, und als sie später auf Saint-Paul ihre eigene Galerie eröffnete, übernahm sie seine Methoden. Eine bestand darin, von jedem Objekt, ob gut oder schlecht, das durch seine Hände ging, eine Fotografie anzufertigen. Manche Fotos konnte man interessierten Kunden im Ausland zuschicken, aber die meisten dienten der Dokumentation. Abzüge oder Diapositive eines jeden Werks wurden katalogisiert und mit Verweisen auf die Rechnungsbücher versehen.

Eine Zeit lang nahm Elisabeth die Dienste des Fotografen von Fort Louis in Anspruch, der normalerweise Sportwettkämpfe und gesellschaftliche Ereignisse im Bild festhält. Doch für ihre Zwecke war er im Grunde nicht geeignet. Gemälde zu fotografieren ist leicht, solange es nicht auf größtmögliche Farbtreue ankommt, doch sobald die Farbqualität eine Rolle spielt, wird es schwierig. In vielen Großstädten gibt es ja Profis, die sich eigens auf diesen Bereich spezialisiert haben. Der Mann in Fort Louis war ohnehin nicht groß interessiert, da er von seinem Geschäft, in dem er billige Kameras und Hi-Fi-Geräte verkauft, voll in Anspruch genommen wird. Also erstand ich vor zwei Jahren, als ich in Florida zu Besuch bei meiner Mutter war, einige Fachbücher und eine gebrauchte, preiswerte 13 × 18-Kassettenkamera. Mit Hilfe eines unserer Röntgentechniker und nach einigem Experimentieren gelangen mir am Ende ganz passable Ergebnisse. Mit einiger Übung und nachdem ich in Caracas ein zuverlässiges Farblabor entdeckt hatte, erzielte ich durchweg gute Resultate.

Für diese Fotositzungen bauen wir die Kamera und die Lampen in einer Ecke des Ateliers auf und machen eine ganze Serie von Bildern, so viel wir in einem Durchgang schaffen. So kann ich immer einen neuen Film verwenden und das belichtete Material sofort in feuchtigkeits-abweisende Versandtüten packen. An diesem Abend hatten wir uns zehn Gemälde und eine Plastik vorgenommen. Da sowohl Farbnegative als auch Dias angefertigt werden, bedeutete das eine längere Sitzung. Elisabeths Haushälterin brachte uns zwischendurch kühlen Weißwein und Meeresfrüchtehäppchen. In einer Pause kam ich wieder auf die Kamera zu sprechen, die wir uns anschaffen sollten.

»Das haben wir doch schon alles diskutiert«, entgegnete Elisabeth. »Diese alte Kiste erfüllt ihren Zweck bei Gemälden ganz gut, aber bei dreidimensionalen Objekten wäre diese neue Kamera mit Zoom geeigneter. Man bekommt die räumlichen Verhältnisse besser hin, stimmt's?«

»Genau.«

Sie zeigte mit einem Stück Brot auf mich. »Ich weiß, was mit dir los ist, mein Lieber. Du hast Feuer gefangen.«

»Blödsinn. Ich wollte nur …«

»Von wegen. Das mit den räumlichen Verhältnissen mag zwar stimmen, aber in Wahrheit möchtest du prachtvolle Fotos machen, die im Katalog einer New Yorker Galerie oder in einem Hochglanzmagazin abgedruckt werden mit deinem Namen darunter. Ich spüre es. Du entwickelst künstlerischen Ehrgeiz.«

Weil ein Körnchen Wahrheit in ihrer Behauptung steckte, reagierte ich vorsichtshalber nur mit einem leichten Schulterzucken. »Du willst schließlich Molinet bekannt machen, nicht ich.« Molinet ist der begabte Arbeiter aus der Rumbrennerei. »Ich finde, dass die Aufnahme, die wir gerade machen, dem Objekt überhaupt nicht gerecht wird.«

»Schlechte Handwerker reden sich immer mit ihrem Handwerkszeug heraus. Du kannst das Objekt anders beleuchten, bring die Textur heraus.«

»Es wird trotzdem wie ein löchriger Kalksteinblock aussehen.«

»Nicht für ein geschultes Auge. Übrigens hast du es mir selbst gesagt. Diese neue Kamera kostet tausendfünfhundert Dollar nur für das Gehäuse, ohne Objektiv. Was es kostet, bis du alles zusammenhast, um deine Meisterwerke hervorzubringen, weiß der Teufel. Dreitausend Dollar? Viertausend? Darling, meine Galerie ist zwar nicht gerade ein Verlustgeschäft, obwohl diese Schweinebande von Hoteldirektion die Miete erhöht hat, aber so einen amerikanischen Zauberkasten können wir uns nicht leisten.«

Da ich mir gerade einen Essensfleck vom Hemd rieb, fiel meine Entgegnung nicht so energisch aus, wie sie sonst vielleicht gewesen wäre. »Ich rede nicht von amerikanischen Zauberkästen«, stöhnte ich, »sondern von einer weltweit anerkannten deutschen Kamera. Und ich erwarte auch gar nicht, dass die Galerie meine hochfliegenden Ambitionen finanziert. Dr. Brissac meinte heute, ich soll mir ein Auto zulegen und das Moped ausrangieren. Es ist mal wieder nicht angesprungen. Stattdessen könnte ich es gründlich durchsehen lassen und mir für das Geld eine Kamera kaufen.«

»Welches Geld?«

Und dann erzählte ich es ihr.

Sie hörte aufmerksam zu und machte nur eine einzige Bemerkung. Wenn Dr. M. fünfhundert im Monat bekommen habe, hätte ich tausend verlangen sollen. Es war schon recht spät, als wir fertig waren und alles wieder zusammengepackt hatten.

Da Elisabeths Schlafzimmer praktisch Teil des Ateliers ist, riecht es dort immer ein wenig nach Terpentin. Für mich ist dieser Geruch angenehm, und wenn er sich mit ihrem Parfüm verbindet, hat es eine sonderbar exotische Wirkung. Wenn ich dann zu Hause in meinem Bett liege, stelle ich oft fest, dass manche Körperteile, vor allem Arme und Schultern, danach riechen. So habe ich vor dem Einschlafen immer einen schönen Moment der Erinnerung an Elisabeth.

Doch an diesem Abend war es anders. Entspannt lagen wir im Bett, und ich dachte gerade, dass ich bald aufstehen, mich anziehen und in meine Wohnung zurückgehen müsste, als Elisabeth plötzlich verkündete, dass sie schwimmen gehen wolle.

Ich war nicht sprachlos, nur ein wenig überrascht – und verwirrt. Nachts schwimmen zu gehen ist für Elisabeth eine Art Schnelltherapie, eine Methode, überschüssiges Adrenalin abzubauen, Spannungen loszuwerden und die innere Ruhe wiederzufinden. Und normalerweise wusste ich auch immer, was das unmittelbare Motiv war – ein heftiger Streit, ein Brief von ihrer Mutter oder ein Bescheid vom Finanzamt, über den sie sich ärgerte –, und ihre Entscheidung fiel immer, wenn wir beide angezogen waren. Noch nie hatte sie beschlossen, schwimmen zu gehen, *nachdem* wir miteinander geschlafen hatten. Daher also meine Verwirrung. Mir schien (und ich glaube nicht, dass ich allzu eitel bin oder mir auf diesem Gebiet etwas vormache), als sei die innere Anspannung, die sie womöglich gehabt hatte, etwa zwanzig Minuten zuvor gründlich und erfolgreich abgebaut worden.

Und dann kam mir ein Gedanke. Etwas war noch nicht geklärt. »Was die Kamera betrifft«, sagte ich, »es war mir eigentlich nicht so wichtig. Du hast recht. Es wäre etwas übertrieben.«

»Du musst dich nicht sofort entscheiden.« Sie stand auf. »Wir gehen jetzt schwimmen.«

»Wir? Du weißt doch, ich habe …«

»Frühdienst. Außerdem musst du den großen Villegas untersuchen, den kommenden Mann in deiner Heimat. Du brauchst Schlaf. Ein paar Runden, und ich garantiere dir, du wirst prächtig schlafen.«

An dem Abend regnete es heftig. Ich wies darauf hin, dass der Hotelpool wahrscheinlich nicht benutzbar sei.

»Möchtest du lieber im Meer schwimmen?«

Das war eine rhetorische Frage. In diesem Teil der Welt ist nächtliches Baden im Meer eine anerkannte Methode, sich das Leben zu nehmen. Ich griff nach meinen Sachen.

Wir fuhren in Elisabeths Peugeot-Kombi zum Hotel.

Ajoupa ist das alte karibische Wort für eine Hütte aus Palmetto oder Bambus. Das Hotel Ajoupa (»200 klimatisierte Zimmer, weißer Sandstrand«) ist alles andere als das. Auf dem hoteleigenen Briefpapier ist eine stilisierte Ajoupa dargestellt, und neben der Strandbar stehen ein paar ungezieferverseuchte Cabanas ähnlicher Bauart, aber damit endet die Parallele auch. Das Ajoupa gehört einem französisch-schweizerischen Hotelkonzern und ist, nach Elisabeths Worten, ein »Fünf-Stern-Automat«, wie es im Branchenjargon nordamerikanischer Reiseveranstalter heißt.

Dieser Ausdruck ist keineswegs kritisch gemeint – obschon viele dieser gigantischen Betonklötze mit ihren endlosen Fensterreihen tatsächlich wie Essensautomaten aussehen –, sondern eine alles andere als kritische Beschreibung der Funktion, die ihnen in einem lukrativen, trickreichen Gewerbe zukommt. Wenn der Kunde, benebelt durch den Katalog mit seinen Verheißungen von Sonne, Meer, Sand und Palmen, sein Geld in den Schlitz steckt, muss er nehmen, was herauskommt. Natürlich wird genau das herauskommen, was im Katalog steht, da die Leute andernfalls womöglich ihr Geld zurückfordern. Nur die Verpflegung mag hier und da überraschen. Im Katalog wird nicht behauptet, dass das Gebotene durchweg genießbar sei.

Der Swimmingpool des Ajoupa beispielsweise sieht im Hotelkatalog ganz wunderschön aus, weil das Foto in der Trockenzeit aufgenommen wurde. Unerwähnt bleibt, dass der Landschaftsarchitekt, dem die französische Riviera vertrauter ist als die Karibik, den Pool am Fuß eines künstlich errichteten Hügels angelegt hat. Bei jedem heftigen Regen ergießt sich folglich ein Schlammstrom über die Schutzmauer in den Poolbereich. Die Kosten einer adäquaten Kanalisation für die ganze Anlage (ohne Grunderneuerung des Schwimmbeckens) werden gegenwärtig auf eine Million Francs beziffert. Angesichts dieser Situation hat sich die Hoteldirektion vorerst darauf beschränkt, die Schilder zu entfernen, auf denen vor dem Baden im Meer gewarnt wird, und in der Nebensaison Getränkegutscheine auszugeben, die nur an der Strandbar einlösbar sind. Bislang hat es nur wenige Unfälle gegeben, die in erster Linie aber auf das Konto von Seeigeln und Quallen gehen.

In dieser Nacht hatte der Regen den Pool in der üblichen Weise zugerichtet. Das Wasser war dunkelbraun und mit einer dicken Schmutzschicht überzogen. Blätter und Zweige verstopften die Abflusssiebe. Wäre der Chlorgeruch nicht gewesen, hätte man sich wie in einem Mangrovensumpf fühlen können.

Ich schwamm zwei Längen, kletterte dann hinaus und stellte mich unter die Süßwasserdusche, um mir den Dreck abzuwaschen. Ich fragte mich noch immer, warum wir hergekommen waren. Offensichtlich hatte Elisabeth verspätet auf irgendetwas reagiert, was am Abend passiert war. Wenn es nicht die neue Kamera war, dann blieb nur Villegas.

Und dann dämmerte es mir. Sie hatte ihn verächtlich als den »großen Villegas« bezeichnet, den »kommenden Mann in deiner Heimat«. Bestimmt hatte sie etwas Negatives über ihn gehört und wusste nicht, ob sie mir davon erzählen sollte. Das musste sie beschäftigen. Elisabeth hat wie viele Leute eine komische Vorstellung vom Arzt-Patient-Verhältnis. Zwischen Arzt und Patient, so der Trugschluss, muss es immer gegenseitige Sympathie und Achtung geben, es reicht einfach nicht, wenn der Patient dem Arzt nur vertraut. Ein Arzt, der einen Patienten insgeheim unsympathisch findet oder nicht akzeptiert, kann ihn nicht richtig behandeln.

Ich hatte Elisabeth schon öfters gesagt, dass sie von Wunderheilern rede, aber an diesem Abend war sie offensichtlich zu Scherzen aufgelegt. Während sie ihre Runden drehte, rief ich mir die üblichen Argumente in Erinnerung.

Ich brauchte keines. Nachdem sie geduscht hatte, setzte sie sich im Dunkeln neben mich, rubbelte sich dabei die Haare trocken und fing an, mich über das Gespräch mit Gillon auszufragen.

»Welche Rolle hat er eingenommen?«

»Rolle?«

Ungeduldig schnipste sie mit den Fingern. »Wie hat er sich verhalten, wie ist er aufgetreten? Du weißt, was ich meine. Ich kann mir nicht vorstellen, dass er dich eingeschüchtert hat. Du bist zwar ein Ausländer, aber schließlich auch Arzt und ein angesehener Bürger der Stadt. Aber Typen wie er haben so eine Art, sich auszudrücken. Die Wörter mögen harmlos wirken, wenn man sie auf der Tonbandabschrift liest, aber der Tonfall, die Gesten bedeuten manchmal mehr als die eigentlichen Wörter.«

»Du meinst, ob er unangenehm war? Nein. Manchmal

war er sogar richtig nett. Natürlich hat er davon gesprochen, dass sein Büro meinen Einbürgerungsantrag befürworten muss, falls ich einen stelle.«

»Aha.«

»Das ist vermutlich normal, wenn man etwas für sie tun soll, was einem nicht so schmeckt.«

»Du meinst, Leute für sie aushorchen.«

»So hat er sich nicht ausgedrückt, aber es war klar, was er gemeint hat. Er war bestimmt, aber nicht unangenehm. Was soll's.«

Aber sie war noch nicht zu einer Erklärung bereit. »Hat er das Gespräch auf Band aufgenommen?«

»Ein Mikrophon oder Aufnahmegerät habe ich jedenfalls nicht gesehen. Ich glaube eher nicht. Manchmal war er ganz ungezwungen. Er gab sogar zu, dass er einen missglückten Vergleich gezogen hat.«

»Hat er gesagt, warum Villegas hier ist?«

»Villegas hat eine befristete Aufenthaltsgenehmigung beantragt – zwecks Erholung und aus gesundheitlichen Gründen, das hab ich dir doch schon erzählt.«

»Aber das hast du ihm doch bestimmt nicht abgenommen! Hast du dich nicht nach den wahren Gründen erkundigt?«

»Er hat mir keine Gelegenheit gegeben. Die Entscheidung, Villegas eine Aufenthaltserlaubnis zu erteilen, sei in Paris gefallen, sagte er. Und dass der Grund für die Entscheidung weder ihn noch mich zu interessieren habe. Er empfahl mir auch, darüber nicht zu reden – also genau das nicht zu tun, was wir im Moment tun.«

Sie überging die letzte Bemerkung. »Mit anderen Worten: Dieses ganze Trara von wegen Urlaub und Gesundheit ist einfach die Formel, die Paris ihm vorschreibt.«

»Wahrscheinlich. Wenn Villegas gesundheitliche Probleme hätte, die einen solchen Klimawechsel erforderlich machen, hätte er sich irgendwo in Mexiko etwas suchen können. Dort gibt es alle möglichen Klimaverhältnisse.«

»Paris möchte ihn also aus anderen Gründen auf der Insel haben?«

»Anscheinend.«

Elisabeth legte ihr Handtuch beiseite. »Willst du dich nicht erkundigen?«

»Erkundigen?«

»Inwiefern Villegas hier oder sonst wo für Paris von Nutzen ist?«

»Na schön, da du die Antwort ja offenbar weißt, werde ich mich erkundigen. Aber wen meinst du mit Paris? Den Quai d'Orsay, das Ministerium für die überseeischen Gebiete, den Premierminister oder den Staatspräsidenten?«

»Diese Herumalberei passt nicht zu dir, Ernesto, aber wenn du mich schon fragst, wohl eher den Finanz- und Wirtschaftsminister. Aber wenn ich mir so überlege, wie Gillon mit dir gesprochen und was er dir gesagt hat, nehme ich an, dass sich S-dec mit der Sache befasst.«

Ich stöhnte.

»S-dec – SDECE. Service de Documentation Extérieure et de Contre-Espionnage.« Sie machte eine leicht obszöne Handbewegung, mit der sich die Einheimischen normalerweise vor dem bösen Blick schützen. »Geheimdienst.«

»Ach so.«

»Ja. Sie brauchen einen glänzenden Erfolg. Du erinnerst dich doch bestimmt an die Affäre Ben Barka – ich habe dir den Artikel in *Paris Match* gezeigt.«

»Ich erinnere mich.«

»Natürlich. Überall erinnert man sich. Der arme S-dec! Sie haben sich längst von den brutalen Korsen getrennt, behaupten sie jedenfalls. Der Dienst wurde reformiert und umgebaut und in die Armee eingegliedert. Entführungen, Folter und Ermordung kommen jetzt nicht mehr vor. Die Burschen haben ein reines Herz. Aber geliebt werden sie noch immer nicht, weil ihnen niemand so recht über den Weg traut. Zur Bestätigung ihres neuen Image brauchen sie einen eindrucksvollen Erfolg. Sobald dieses Image etabliert ist, interessiert es sie nicht mehr, ob sie geliebt werden oder nicht. Man wird sie noch immer fürchten, aber nach außen werden sie als verantwortungsbewusster und tüchtiger Geheimdienst auftreten, der unbeirrt den Ruhm Frankreichs aufrechterhält.«

Ich seufzte wieder, diesmal etwas lauter. »Elisabeth, ich habe nicht die geringste Ahnung, wovon du sprichst.«

»Du meinst, was S-dec mit Villegas zu tun hat? Das liegt doch auf der Hand. Letztlich wollen sie ihn in der Hand haben. Aber noch geht das nicht. Die Burschen von der DST können den S-dec nicht ausstehen, das ist bekannt, und daran wird sich auch in Zukunft nichts ändern. Solange Villegas sich aber auf französischem Boden befindet, ist die DST zuständig. Warum sollst du Gillon berichten, hm, was glaubst du? Wen meint er, wenn er warnend von gewissen Personen spricht, die sich bei dir nach den Bewohnern von Les Muettes erkundigen könnten? Die Presse? Die CIA? Gut, die vielleicht auch, aber in erster Linie will er dich vor dem S-dec warnen.«

»Warum interessiert sich S-dec überhaupt für Villegas? Du hast mir noch immer nicht erklärt, warum er deiner Ansicht nach hier ist.«

»Stimmt, du hast recht.«

Langsam ging mir die Angelegenheit auf die Nerven. »Mir ist gerade ein guter Grund eingefallen«, sagte ich. »Ich bin sogar ziemlich sicher, dass er die Sache trifft. Es geht nicht um das Klima, sondern um seine Gesundheit. Er leidet an Dyspepsie. Er verträgt das mexikanische Essen einfach nicht mehr.«

Sie lächelte souverän und küsste mich dann auf die Wange. »Wunderbar, *chéri*. Ich wünschte, es wäre so, aber ich glaube nicht, dass du recht hast. Meines Erachtens wird hier ein Spiel gespielt, und Villegas ist auf einmal eine lohnende Karte, die darüber entscheidet, ob man ein phantastisches Vermögen gewinnt oder verliert.«

Ich stand auf und gähnte.

»Ja, Ernesto, ich weiß. Du bist müde und musst schlafen gehen. Wir fahren jetzt zurück, und unterwegs erzähle ich dir alles.«

Und im Auto packte sie schließlich aus.

»Vor drei Monaten tauchten hier im Hotel vier gemeinsam reisende Männer auf, die zwei Nächte blieben. Sie hatten Plätze in der Freitagsmaschine der Air France nach Paris gebucht, aber statt direkt nach Fort de France weiterzufliegen, haben sie die Reise hier unterbrochen, einer von ihnen hatte Durchfall und war noch nicht ganz wiederhergestellt. Zwei der Männer waren Franzosen, der Kranke war Norweger, der vierte Holländer, und ihn, den Holländer, habe ich kennengelernt. Er kam in die Galerie, wollte sich nur etwas umschauen, und am Ende hat er einen Molinet gekauft. Natürlich kamen wir ins Gespräch.«

Ich nickte. Jeder, der einen Molinet kauft, ist für Elisabeth interessant. Sie dürften einigen Gesprächsstoff gehabt haben.

Nach einer Weile fuhr sie fort.

»Dieser Holländer erwähnte beiläufig, wo sie gewesen waren und wo sie sich den Durchfall geholt hatten. Es hatte sie reihum erwischt, und sie seien froh gewesen, sagte er, dass sie sich nichts Schlimmeres geholt hatten. Sie waren auf den Coraza-Inseln. Kennst du sie, Ernesto?«

»Ich war mal dort.«

Schon der Name rief Kindheitserinnerungen in mir wach.

Die Corazas sind eine kleine Inselgruppe, etwa hundert Kilometer südlich der Hauptstadt und vom Festland bei Punta Careya gerade zu erkennen. Ich war als kleiner Junge dort gewesen. Kurz nachdem sich mein Vater sein erstes Auto gekauft hatte, waren wir dorthin gefahren, die ganze Familie, zu einem kleinen Picknickausflug. Von der Landspitze aus, wo wir Rast machten, konnte man gerade eben zwei der Inseln erkennen. Sie sahen aus wie kleine blauschwarze Wolken am Horizont. Ich weiß noch, dass ich meinen Vater fragte, ob wir uns nicht ein Motorboot anschaffen und dorthin fahren könnten.

Es muss wohl mehrere Gründe gegeben haben, warum das nicht möglich war.

An die Antwort meines Vaters erinnere ich mich noch gut.

»Tja, Ernesto, wir könnten dorthin fahren, aber erst müssten wir uns Genehmigungen vom Innenminister, vom Marineminister und vom Fischereiminister besorgen. Und selbst wenn wir Glück haben und all diese Papiere bekommen, wäre es vielleicht besser, nicht dorthin zu fahren.«

»Wieso denn nicht, Papa?«

»Ernesto, die Leute, die auf den Inseln wohnen, sind bettelarm – Arawak-Indianer aus der Zeit vor der Eroberung, die unsere Sprache bis heute nicht sprechen und keine Schulen haben. Es gibt nicht sehr viele von ihnen, weil nur auf einer der Inseln Quellwasser vorhanden ist – auf der größeren der beiden, die man dort drüben erkennen kann – und weil es auch kaum mehr Nahrung gibt. Früher haben die großen Schildkröten dort gebrütet, aber dann ist irgendetwas passiert, das die Küstenregion zerstört hat, und die Schildkröten sind nicht mehr gekommen.«

»Und warum bleiben die Indianer dann?«

»Weil dort ihr Zuhause ist und weil sie ihre alten Götter haben, ihre Idole. Das ist angeblich ein Geheimnis, aber die Kirche weiß natürlich davon und hilft ihnen auf ihre Weise. Man hat eine Missionsstation eingerichtet, und eine Weile schickten die Ordensleute Kopra zum Festland, um Geld für die Inseln zu verdienen. Dann kam die Seuche. Es war ein ganz besonders heimtückisches Gelbfieber, gegen das unser Impfstoff keinen Schutz bot. So starben viele Christen. Es gab noch andere Krankheiten.

Gleichzeitig kamen viele der Indianer durch Krankheiten um, die vom Festland eingeschleppt worden waren. Da also weder die Indianer noch die Inseln für unsere Großgrundbesitzer viel Geld abwarfen, wurden die Coraza-Inseln zum Natur-Reservat erklärt. Man verhängte Quarantänevorschriften, um auf diese Weise sicherzustellen, dass die Indianer ihre Krankheiten für sich behielten. Jetzt lässt man sie hilflos verhungern. Vielleicht gibt es bald keinen mehr von ihnen, und wir sind sie ein für alle Mal los.«

Mein Vater war verbittert. Zu der Zeit war sein soziales Gewissen noch sehr wach, und er kämpfte gegen viele Missstände. Als er fünf Jahre später das Manifest für nationalen Fortschritt und soziale Gerechtigkeit formulierte, wurde die Lage der Coraza-Insulaner nicht einmal mehr erwähnt.

»Jetzt passiert also doch noch etwas«, sagte ich zu Elisabeth. »Ich dachte immer, dass die Corazas interessant sind, auch wenn mir nicht ganz klar ist, was sie mit dem Aufenthalt von Villegas auf Saint-Paul zu tun haben.«

Elisabeth fuhr gerade am Fischmarkt entlang – nachts immer sehr riskant wegen der vielen Betrunkenen, die keine Rücksicht auf den Verkehr nehmen. »Inwiefern interessant?«, fragte sie.

»Für Soziologen und Archäologen. Und Mediziner. Dieser Holländer, was war er von Beruf? Anthropologe oder Biologe?«

»Weder noch. Geologe.«

»Aber auf den Corazas gibt es doch gar keine Bodenschätze. Sonst hätte sich die Regierung schon längst darauf gestürzt. Außer Guano gibt es praktisch nichts, und selbst den gibt es nicht in vermarktbarer Menge.«

»Der Molinet, den er gekauft hat, war als Fluggepäck zu schwer, also musste ich ihm das Ding per Schiff nach Le Havre schicken. Das bedeutete Papierkram, also warf ich einen Blick in seinen Pass. Als Beruf stand da Erdölgeologe.«

Ich schwieg.

Sie fuhr fort. »Er erzählte mir auch, was die anderen drei waren. Der eine Franzose war Hydrograph. Die anderen beiden waren Ingenieure. Welcher Richtung, hat er nicht gesagt. Unkultivierte Typen, die sich nur für irgendwelche Druckziffern interessierten, was immer das sein mag. Aber als Gruppe waren sie ein richtiges Expertenteam.«

»Hat er gesagt, welchen Auftrag sie hatten?«

»Sie haben auf einem Vermessungsschiff gearbeitet. Er sagte, die Techniker an Bord waren Engländer, die Besatzung Jamaikaner und das Essen furchtbar.«

»Haben sie nach Öl gesucht?«

»Dass es dort Ölvorkommen gibt, ist ja bekannt. Sie sollten feststellen, wie man am besten rankommt.« Sie warf mir einen reumütigen Blick zu. »Entschuldige, Ernesto, ich habe nicht richtig zugehört. Ich musste immer daran denken, dass er es sich mit dem Molinet eventuell anders überlegt, weil das Ding so schwer war. Ich war zwar erleichtert, als er weiter über seinen Job erzählte, habe aber nicht so richtig hingehört. Deshalb wollte ich noch schwimmen gehen, ich wollte versuchen, mich genauer an das zu erinnern, was er gesagt hat.«

»Aber er hat gesagt, dass sie von dem Ölvorkommen schon wussten?«

»Ja ja. Anscheinend passiert das heutzutage überall. Von Ölvorkommen zu wissen, nützt einem noch gar nichts, verstehst du. Man muss wissen, wie man rankommt und ob sich die Investitionen lohnen, das ist das Entscheidende. Wenn der Preis für ein Barrel Rohöl bei drei Dollar liegt, es aber fünf Dollar kostet, um das Öl zu fördern, braucht man gar nicht erst anzufangen. Aber dann steigt der Ölpreis auf zwölf Dollar oder mehr und dann wird man wieder unsicher. Es sind die Ingenieure und Wissenschaftler, die diese Gleichungen lösen müssen. Er sagte, dass Teams wie das seine den neuen Reichtum produzieren.«

»Aber wieso ein europäisches Team?«, fragte ich. »Wenn die Oligarchie eine Bohrkonzession für das Gebiet um die Coraza-Inseln erteilt, dann doch bestimmt an eine amerikanische Gesellschaft. Die haben ihre eigenen Teams.«

»Schon, aber dieses hat sich auf Tiefseearbeiten spezialisiert. In mehr als dreihundert Metern Tiefe! Darauf war er mächtig stolz. Es ist etwas ganz anderes als die üblichen Off-shore-Bohrungen. Man braucht ein anderes Gerät. Vieles ist anders. Na ja, diese Leute klangen nicht wie Europäer, trotz ihrer Pässe, sie haben amerikanisches Englisch untereinander gesprochen, selbst der Franzose. Und sie haben nicht für eine Gesellschaft gearbeitet, sondern für ein internationales Konsortium. Daran erinnere ich mich genau. So wie er davon gesprochen hat, klang es, als wäre es der liebe Gott.«

»Und hat er gesagt, wie viele Firmen daran beteiligt sind? Hat er darüber was gesagt?«

»Ich glaube fünf. Da wusste ich natürlich noch nicht, dass Villegas hierherkommt, sonst hätte ich ihn gefragt, um welche Firmen es sich handelt.«

»Und wenn eine französische Firma dabei ist, zu wie viel Prozent sie beteiligt ist?«

»Das auch.« Elisabeth parkte auf der Place Carbet.

Ich lauschte einen Moment den zirpenden Grillen. Viele Menschen finden dieses Geräusch beruhigend. Im Gegensatz zu mir.

»Du hast noch immer nicht erklärt, warum Villegas plötzlich wichtig ist«, sagte ich. »Du hast ihn als lohnende Spielkarte bezeichnet. Aber bei welchem Spiel?«

Sie kämmte sich die Haare. »Wenn du in einem Ölkonsortium wärst, Ernesto, und vorhättest, Milliarden von Dollar in eine Kaffeerepublik zu investieren, würdest du die Regierung dann nicht genau unter die Lupe nehmen, bevor du dich entscheidest?«

»Vermutlich.«

»Und wenn du siehst, dass ein paar Großgrundbesitzer das Land mit Hilfe kleiner Gangster beherrschen, die sich als Miliz kostümieren, und dass die Inflationsrate bei achtzig Prozent liegt – was würdest du dann machen?«

»Die CIA bitten, eine neue Regierung einzusetzen, schätze ich.«

Ich lächelte dabei.

Sie runzelte die Stirn. »Nein, so etwas würde die CIA nicht machen, nicht mehr, und ganz sicher nicht in Lateinamerika. Man will das Schmuddelimage loswerden.«

»Es war nur ein Scherz.«

Sie überging meine Bemerkung. »Man könnte allerdings eine andere Agentur, die sich für die Region interessiert, und das Konsortium veranlassen, die schmutzige Arbeit für einen zu übernehmen; und natürlich auch die Verantwortung, falls die Sache dummerweise schiefgeht. Mit den Engländern und Deutschen haben sie Vereinbarungen auf dieser Grundlage getroffen.«

»Du scheinst dich auf diesem Gebiet ja auszukennen«, bemerkte ich. »Oder phantasierst du dir das alles zusammen?«

»Ich kenne mich da tatsächlich aus.« Sie schüttelte das Handtuch aus. »Ich wäre nicht überrascht, wenn sie mit S-dec und den Franzosen einen Deal machen würden.«

Ich schwieg dazu, und sie schien auch keinen Kommentar erwartet zu haben.

»Nur eines verstehe ich nicht«, fuhr sie nachdenklich fort. »Warum haben sie dich zu seinem Doktor gemacht. Franz Josef war ja immer ein bisschen eifersüchtig auf den beliebten Maximilian, der besonders in der Lombardei viele Anhänger hatte, und manchmal machte es ihm auch Angst. Dieser Onkel Paco, wie heißt er gleich?«

»Segura.«

»Genau, dieser Segura ist vielleicht der Graf Grünne, der in seinen vertraulichen Empfehlungen bewusst auf diese Angst gesetzt hat.«

Eine Habsburger-Legende war das Letzte, was ich in diesem Moment hören wollte. »Elisabeth, ich bitte dich«, rief ich ärgerlich, »Ich bin sein Arzt, weil er um jemanden gebeten hat, der Spanisch spricht. So einfach ist das!«

Sie war so freundlich, mir diese Illusion zu lassen.

Doch später, als ich einzuschlafen versuchte, gingen mir immer wieder Dinge durch den Kopf, die sie gesagt hatte, und Dinge, die mir eingefallen waren.

Diese schlimme Sache, die sich an der Küste der Coraza-Inseln ereignet hatte, weshalb die Schildkröten dort nicht mehr brüteten – war das vielleicht eine massive Ölkatastrophe gewesen? Und was passiert, wenn eine Kaffeerepublik plötzlich reich wird?

Vielleicht wird Onkel Paco es mir sagen, dachte ich.

Schwester kühl und formell, bemüht würdevoll. Offensichtlich noch immer verärgert. Meine taktlose Bemerkung betr. Warze bedauerlich, aber vielleicht heilsame Nebenwirkung. Werde wohl nicht mehr gestört, außer in absoluten Notfällen.

Dienstag, 13. Mai, vormittags

Pünktlich um 11 Uhr (wie mit Kommissar Gillon vereinbart) vor der Villa Les Muettes zum Termin bei neuem Patienten Señor Manuel VILLEGAS Lopez.

Gillon hatte darauf hingewiesen, dass einer seiner Jungs von der »Sicherheit« am Tor Wache halten würde. Tatsächlich. Im Schatten eines Baumes stand ein 2CV, und zwar so, dass er die Einfahrt zum Grundstück notfalls blockieren konnte. Kaum hatte ich angehalten, stieg der Mann aus und schob einen Riegel zurück, der so aussah, als sei er erst kürzlich angebracht worden.

Zu meiner Überraschung erkannte ich den Agenten, einen älteren, ziegenbärtigen Schwarzen, den ich ein paarmal beim Betreten oder Verlassen der Präfektur gesehen hatte. Weil er stets weißes Hemd und Krawatte trug, war ich davon ausgegangen, dass er dort einen Schreibtischjob hatte. Jetzt trug er außerdem ein Pistolenhalfter.

Er nickte mir freundlich zu, während er einen Zettel aus der Brusttasche fischte und einen Blick darauf warf.

»Doktor Castillo?«

Ich zeigte ihm meinen Ausweis, den er sorgfältig studierte, bevor er ihn mir zurückgab.

»Ich heiße Albert«, sagte er. »Wir werden uns wohl noch öfter hier sehen. Ist das Ihre übliche Zeit?«

»Nicht immer. Wenn ich in der Klinik Nachtdienst habe, schlafe ich am nächsten Tag etwas länger. Manchmal kommen auch Notfälle dazwischen. Ist das so wichtig für Sie, Monsieur Albert?«

»Nein, aber wir sind drei Leute, jeder acht Stunden. Als Dienstältester übernehme ich die Vormittagsschicht. Die beiden anderen werden sich Ihr Gesicht merken müssen, für den Fall, dass Sie zu anderen Zeiten kommen. Dachte nur, Sie würden sich gern zwei weitere Kontrollen ersparen. Ganz wichtige Person dort drinnen!« Er grinste und zeigte dann auf die Ledertasche, die auf dem Gepäckträger festgeschnallt war. »Ihre Arzttasche?«

»Ja. Wollen Sie reingucken?«

»Irgendwelche Handfeuerwaffen oder Granaten dabei?«

»Nein.«

»Na ja« – er grinste wieder –, »vielleicht schaue ich trotzdem mal rein. Dann weiß ich endlich, was in einer Arzttasche außer einem Stethoskop so alles drin ist.« Und dann fügte er hinzu: »Außerdem kann ich in meinem Bericht erwähnen, dass Ihre Tasche kontrolliert wurde. Gründlichkeit. Gefällt dem Kommissar.«

Er benahm sich aber sehr anständig. Er warf nur einen Blick hinein und fasste nichts an. Über die Medikamente sagte er: »Sie könnten einen Feind auch ohne Waffe erledigen, stimmt's, Doktor?«

Dass er nach Waffen gefragt und die Tasche dann doch inspiziert hatte, erschien mir interessant. Trotz seiner witzigen Anspielung auf den Bericht schien er mir zu intelligent zu sein, als dass er seine Berichte unnötig ausschmücken würde. Offensichtlich ging sein Chef davon aus, dass jemand beabsichtigen könnte, zu meinem Patienten vorzudringen, um ihn zu ermorden. Als Gillon von der »Gefahr für sein Wohlergehen« sprach, hatte ich in erster Linie an aufdringliche Presseleute gedacht.

Ich ersparte mir die Mühe, die Tasche wieder auf dem Gepäckträger richtig festzuschnallen, was ich bald bedauern sollte. Bis zum Haus war es noch ein ganzes Stück, und der Schotterweg zog sich durch einen Dschungel wilder Bananenstauden. Stellenweise hatte der Regen tiefe Rillen in die Straße gewaschen, sodass das Einhändig-Fahren ziemlich mühsam war. Schließlich stieg ich ab und schob die restliche Strecke.

Les Muettes, jedenfalls die Urversion, wurde in der Mitte des neunzehnten Jahrhunderts von einem Plantagenbesitzer gebaut, der so viel Geld darauf verwendete, dass seine Erben bald bankrott waren. Bei Ende des Zweiten Weltkriegs hatte das Gebäude schon jahrelang leer gestanden. Aber es war aus Steinen auf einem soliden Fundament errichtet worden, und in den fünfziger Jahren kaufte es ein Pariser Bankier zusammen mit zwei Hektar Land, um direkten Strandzugang zu haben. Ein Architekt wurde beauftragt, das Haus zu restaurieren, mit Badezimmern und diversen anderen Annehmlichkeiten auszustatten, und ein Gartenarchitekt gestaltete das Grundstück. Am Ende war eine luxuriöse Villa zum Überwintern entstanden. Der Bankier und seine Frau verbringen den Januar und Februar dort. In den übrigen Monaten wird die Villa an wohlhabende Leute vermietet. Nur das Hauspersonal wohnt das ganze Jahr dort.

Ich war wegen eines Notfalleinsatzes schon einmal hier gewesen. Ich erinnerte mich nur noch an die großartige Sicht, die man von der Terrasse aus hatte, und an einen nierenförmigen Swimmingpool. Dort war auch der Unfall passiert. Der Gärtner, der die Kacheln des nahezu leeren Beckens reinigen wollte, war hineingefallen und hatte sich ein Bein gebrochen. Es war nicht ganz leicht gewesen, ihn dort herauszuholen.

Aus dem Schotterweg wurde nun eine asphaltierte Auffahrt, die im gepflasterten Innenhof endete. Ein Vorbau und zwei große Schatten spendende Bäume schützten den Besucher vor Sonne und Regen. In der Garage standen ein Citroën DS (das Auto des Bankiers?), umhüllt von einer schützenden Plastikplane, ein kleiner Renault sowie ein Motorboot auf Anhänger. Ich stellte das Moped daneben ab.

Ein schwarzer Butler in gestreifter Weste öffnete eine der Mahagoni-Doppeltüren und hielt mir ein Silbertablett für die Visitenkarte hin. Ich sagte, dass ich keine hätte, und nannte meinen Namen, worauf er sich verbeugte und mich über den Marmorfußboden zu einer Art Nische führte, die durch Jalousien vom Salon und der Terrasse abgetrennt war.

»Warten Sie bitte«, erklärte der Butler. »Ich sage Madame Bescheid.«

Auf der einen Seite stand ein schmiedeeiserner Tisch mit Glasplatte, darauf ein ordentliches Flaschensortiment, Eiskübel, Martini-Mixer und verschieden große Gläser. Auf dem Wandregal waren eine Stereoanlage und eine Schallplattenkollektion untergebracht. Mangels Sitzgelegenheit sah ich mir die Platten an. Sie waren alphabetisch geordnet – Bach, Bartók, Beethoven, Brahms, Chopin, Debussy, Mozart, Scarlatti, Schumann, Strawinsky und Wagner. Auf dem kleinen Stapel neben dem Plattenteller lag zuoberst *An Evening with Cole Porter*. Als ich gerade nachsehen wollte, welche Platte darunterlag, hörte ich Fußschritte auf dem Marmor.

Doña Julia, Villegas' Gattin, kannte ich zwar von Fotos, und ich hatte auch gehört, dass sie eine attraktive Frau sei, aber eingedenk der üblichen Schmeicheleien von Porträtfotografen hatte ich nicht erwartet, dass sie tatsächlich so schön war. Für eine Landsmännin von mir war sie überdurchschnittlich groß, und obschon Ende vierzig und Mutter von drei Kindern, hatte sie eine erstaunlich jugendliche Figur. Ihr blasses, raubvogelartiges Gesicht war um die Augen herum schon recht faltig – was von den leicht getönten Brillengläsern fast verborgen wurde –, aber ihre ärmellose Bluse gab den Blick auf straffe Arme frei. Ihr glattes schwarzes Haar schien vom Alter unberührt.

Onkel Paco, der uns miteinander bekannt machte, erkannte ich kaum wieder.

Immer, jedenfalls seit ich ihn kenne, hatte er schmale Schultern, einen mächtigen Bauch und Taubenzehen, aber früher war das nicht so sehr aufgefallen. Mit Hilfe eines Korsetts, das seinen Bauch einzwängte, und teurer Maßanzüge, die seine Schultern größer machten, war er, obschon korpulent, eine durchaus elegante Figur gewesen. Jetzt war er ein kugelrunder Koloss von einem Mann, glatzköpfig, weiße Haarbüschel sprießten ihm aus den Ohren, und die roten Hängebacken zitterten bei jeder seiner Bewegungen. Das gemusterte mexikanische Hemd, mit waagerechten Falten vom Brustbein bis zum Schritt, verbesserte sein Erscheinungsbild nicht unbedingt. Nur die seltsam blauen Augen in dem aufgeschwemmten Gesicht, die durch eine schwere Hornbrille guckten, waren unverändert – vergnügt, wachsam und stets bereit zu einem boshaften Lächeln.

Sie zwinkerten jetzt, während er Doña Julia beobachtete, die die üblichen Höflichkeitsfloskeln äußerte und versuchte, mich einzuschätzen.

»Mir ist natürlich klar«, sagte sie gewandt, »dass Sie aus Gründen der Standesehre kaum geneigt sind, sich kritische Bemerkungen über einen Ihrer Kollegen anzuhören, aber vielleicht darf ich doch sagen, dass es eine große Erleichterung ist, endlich wieder einem Arzt zu begegnen, der unsere Sprache spricht.«

»Sehr liebenswürdig von Ihnen, Doña Julia.«

»Wissen Sie, in Mexiko-City hatten wir Zugang zum Amerikanisch-britischen Hospital. Natürlich wurde dort im Allgemeinen englisch gesprochen. Aber wenn ich richtig informiert bin, gibt es grundsätzliche Unterschiede zwischen der ärztlichen Ausbildung in Frankreich und Nordamerika, nicht nur sprachliche.«

»Grundsätzliche wohl kaum.«

»Nein? Als Dr. Massot bei meinem Mann den Blutdruck kontrollierte, führte das zu einiger Verwirrung, kann ich Ihnen sagen.«

»Interessiert sich Ihr Gatte besonders für seinen Blutdruck?«

»Tut das nicht jeder Mann in seinem Alter?«

»Manche, die ich kenne, kümmern sich einfach nicht darum.«

»Stimmt«, sagte Onkel Paco. »Für mich persönlich ist mein Blutdruck das Letzte, worüber ich sprechen möchte.«

»Mein lieber Paco. Niemand hört gern schlechte Nachrichten.« Liebevoll tätschelte sie seinen Arm, doch mir schien, dass das Lächeln, das ihre Geste begleitete, eine Spur von Unwillen verriet. »Ich wollte Dr. Castillo bloß vor Don Manuels Faktenhunger warnen.«

Onkel Pacos Grinsen offenbarte eine umfangreiche Gebisssanierung. »Das wird er schon bald selber herausfinden, meine Liebe. Ich meine, sofern wir ihm eine Chance dazu geben.«

»Natürlich, daran hatte ich nicht mehr gedacht.« Sie schenkte mir wieder ihr Lächeln. »Dr. Castillo hat ja nicht nur im Hospital zu tun, sondern auch seine

Pflicht gegenüber der Polizei zu erfüllen.« Ihr Lächeln war jetzt das reinste Trockeneis. »Wollen Sie Ihren jungen Freund nicht nach oben begleiten und ihn vorstellen, Paco?«

Mit einem kurzen Kopfnicken entfernte sie sich.

Während die Absätze ihrer Sandalen über den Marmor klapperten, holte Onkel Paco ein Zigarrenetui aus seiner Brusttasche.

»Dummes, arrogantes Weibsbild«, sagte er. »Wenn er an die Macht kommt, wird sie ihm Feinde verschaffen. Vielleicht nicht unter alten Freunden, aber unter den Zweiflern, den Unentschlossenen.« Er nahm eine Zigarre heraus und klappte das Etui zu. »Zu welcher Gruppe wirst du gehören, Ernesto? Du hast doch nichts dagegen, dass ich dich duze, immerhin sind wir alte Bekannte.«

»Nein, Don Paco. Und was die andere Frage angeht – ich falle in die Kategorie der völlig Desinteressierten.«

»Das hat mir dieser Kommissar Gillon auch gesagt.« Er drehte sich um und watschelte auf die Terrasse hinaus.

Ich folgte ihm in der Annahme, dass ich zu dem Patienten gebracht würde, doch nach ein paar Schritten hielt er inne und ließ sich auf dem Fußende einer Chaiselongue nieder.

»Setz dich einen Moment, Ernesto.« Er zeigte auf einen Stuhl. »Don Manuels Beschwerden haben Zeit. Möchtest du einen Drink?«

»Danke nein.«

»Hast recht, es ist viel zu früh.«

Ich setzte mich und wartete, während er sich die Zigarre anzündete. Schließlich blickte er auf.

»Bist du mir böse, Ernesto?«

»Böse, Don Paco?«

Er schnipste den Streichholzrest in einen Aschenbecher.

»Weil du jetzt hier mit uns zu tun hast.«

»Sollte ich dir denn böse sein?«

»Denkbar wär's. Ich kann dir sagen, es war wirklich ein langes Hin und Her. Paris wollte uns in Guadeloupe haben. Strenge Sicherheitsvorkehrungen dort sehr leicht, erklärte man uns. Ich schlug Saint-Martin vor. Natürlich wusste ich, dass sie davon nicht begeistert sein würden. Wir sollten uns den unkomplizierten Grenzübertritt auf die holländische Seite nicht zunutze machen. Also einigten wir uns auf Saint-Paul. Natürlich taten sie, als wäre es ein enormes Zugeständnis. Sie wussten, dass ich dich dabeihaben wollte, stellten sich aber dumm. Uns diesen Idioten Massot zu präsentieren, wo ich um einen spanisch sprechenden Arzt gebeten hatte, hielten sie wohl für einen Scherz. Offenbar haben sie Massot abgenommen, dass er Spanisch kann. Keine Überprüfung. Nachdem ich ihnen diesen Reinfall unter die Nase gerieben hatte, konnten sie mir nichts abschlagen. Auch wenn sie es versucht haben. Sprachen davon, wie wichtig du für das Krankenhaus bist. Hatten sogar die Unverschämtheit vorzuschlagen, dass es politisch unklug sei, dich in die Sache reinzuziehen. Dusselige Provinzdeppen!«

Ich war inzwischen tatsächlich verärgert, versuchte aber, es nicht zu zeigen.

»Weiß Don Manuel von deinen Tricks, Onkel Paco?«

Er grinste. »Schon besser. Ich habe darauf gewartet,

dass du mich so nennst. Musste dich wohl erst ein bisschen ärgern.«

»Ich habe gefragt, ob Don Manuel weiß, dass ...«

»Natürlich nicht«, antwortete er scharf. »Für Außenpolitik – und in unserem Fall bedeutet das Kontakte zu Regierungen, die uns auf ihrem Territorium freundlicherweise dulden – bin ich zuständig. Und es ist manchmal eine ziemlich schmutzige Angelegenheit. Du weißt das, obwohl du versuchst, dich da herauszuhalten. Aber einer muss den Kopf hinhalten und dafür sorgen, dass die Würde der Nummer eins gewahrt bleibt. Verschwörer im Exil machen sich nur allzu leicht lächerlich. Auch das musst du wissen.« Er machte eine Pause. »Das mit deiner Mutter hat mir leidgetan.«

»Danke.«

»Trotzdem finde ich es klug von dir, dass du diese Gauner, die sie ausgenutzt haben, nicht vor den Kadi gebracht hast.«

»Du weißt also davon?«

»Das und noch sehr viel mehr, Ernesto. Mehr vielleicht, als du ahnst. Ich habe mich bemüht, über Florida informiert zu sein. Und über dich natürlich auch.«

»Der fürsorgliche Onkel, Don Paco?«

»Keineswegs. Du bist ein Castillo. Glaubst du, dass man dich daheim vergessen hat?«

»Ein paar haben vielleicht sentimentale Erinnerungen. Politisch gesehen bin ich vermutlich vergessen.«

Er schüttelte den Kopf. »Selbst diese Idioten in Florida wissen Bescheid. Sie haben dich dazu ausersehen, die Parteiführung zu übernehmen. Es hieß sogar, dass man dich zum Präsidenten machen wolle. Oh, ich werfe dir nicht vor, dass du mit diesen Kindereien nichts zu tun haben willst, aber das heißt ja nicht, dass die ganze Sache völlig sinnlos gewesen wäre.«

»In jedem Liter Meerwasser ist Gold, sagt man. Das heißt nicht, dass man sich das Zeug in Flaschen füllen sollte.«

Er grinste. »So siehst du es also. Ich bin froh und erleichtert. Aber ich sollte dich warnen, Ernesto. Don Manuel denkt anders. Er ist der Ansicht, dass diese Idioten in Florida dich immer falsch behandelt haben« – er beugte sich etwas vor –, »dass sie dich kein einziges Mal wirklich in Versuchung geführt haben.« Er hielt die Hände hoch, als wollte er einen Schlag von mir abwehren. »Du musst verstehen, Ernesto. Vieles hat sich bei uns in der letzten Zeit geändert, Dinge, über die ich nicht reden kann, nicht einmal mit dir. Don Manuel war ungewöhnlichem, manchmal schrecklichem Druck ausgesetzt. Und das gilt für uns alle.«

»Glaub ich gern. Eine einzelne Ölgesellschaft ist schon schlimm genug. Aber ein Fünferkonsortium sowie« – ich machte eine Kunstpause –, »sowie andere interessierte Parteien, das muss ganz schön anstrengend sein.«

Eigentlich hatte ich gar keine Reaktion erwartet. Ich wollte nur Elisabeths Theorie an jemandem ausprobieren, dem sie, wenn auch nur etwas daran war, etwas bedeuten würde. Das Ergebnis war überraschend. Onkel Pacos Hängebacken waren auf einmal ganz ruhig.

»Ich vermute, Gillon hat geredet«, sagte er schließlich. »Oder war es Delvert?«

»Gillon war es nicht, und einen Delvert kenne ich nicht.« Ich stand auf. »Mein Termin war für elf Uhr anberaumt. Es ist jetzt zehn nach elf. Mein Patient ist der Führer der Demokratisch-Sozialistischen Partei, er kann Respekt und Höflichkeit erwarten. Ich denke, ich sollte ihn nicht länger warten lassen.«

Das Lächeln kehrte wieder zurück, jedoch nur andeutungsweise. Nach einer Weile nickte er zur Terrassentür.

»Dort ist eine Klingel«, sagte er. »Antoine wird dich hochbringen.«

Ich fand die Klingel und drückte auf den Klingelknopf, aber während irgendwo eine Klingel zu hören war, wandte er sich noch einmal an mich: »Don Manuel wird versuchen, dich umzustimmen.«

Ich sah mich um. Er zeigte mit der Zigarre auf mich und bewegte das Ende in kleinen Kreisen, so als hoffte er, mich auf diese Weise zu hypnotisieren.

»In Bezug worauf, Onkel Paco?«, fragte ich. »Ölkonsortien?«

Er kicherte. »Nein, Ernesto. Den Goldgehalt von Meerwasser.«

Doch da kam schon der Butler. Während ich mich umdrehte, hörte ich Onkel Paco zu ihm sagen: »Ich werde hier sein, wenn der Doktor fertig ist, Antoine. Passen Sie auf, dass er nicht geht, ohne bei mir vorbeizuschauen. Monsieur Villegas wird ihn jetzt empfangen.«

Villegas bewohnt ein riesengroßes Zimmer mit drei hohen Fenstern, von denen man über den Grand Mamelon bis aufs Meer schauen kann. Die Klimaanlage war voll aufgedreht.

Villegas erhob sich, um mich zu begrüßen, und einen Moment dachte ich, dass es mein Vater war, der mir da gegenüberstand. Dann erinnerte ich mich an etwas, das ich schon lange vergessen hatte. Die Protégés meines Vaters, die aufstrebenden Parteileute, die er förderte, waren immer sehr ähnliche Typen gewesen, jugendliche Spiegelbilder seiner selbst. Es muss eine Enttäuschung für ihn gewesen sein, dass ich mehr nach der mütterlichen Seite der Familie ausgeschlagen bin.

Villegas ähnelt ihm jedenfalls sehr. Ob er diese Ähnlichkeit womöglich kultiviert?

Er ist groß gewachsen, kaum Bauch, und hat sich für sein Alter erstaunlich gut gehalten. Die Haut ist blass, glatt und rein, die dichten grauen Haare sind gepflegt. Er hat etwas Aristokratisches, sodass man leicht vergisst, dass *sein* Vater Zollbeamter war. So wie die braunen Augen, mit denen er durch einen hindurchsieht, als suche er irgendwo in der Ferne nach der Wahrheit, leicht vergessen machen, dass er ein Politiker ist. Seine Brille hält er hin und wieder mit der linken Hand wie ein Lorgnon vor die Augen – eine Angewohnheit, die vielleicht auf seine Zeit als Hochschullehrer zurückgeht. Er trug ein blassblaues Hemd mit einer dunkelblauen Strickjacke, weiße Hosen und Espadrilles. Auf dem Schreibtisch stand eine Schachtel mit Zellstofftüchern. Während er um den Schreibtisch herumging, stopfte er sich ein gebrauchtes Tuch in die Hemdtasche.

Er schüttelte mir herzlich die Hand. »Schön, Sie zu sehen, Dr. Castillo. Ist mir wirklich eine große Freude.« Er roch leicht nach Zigarre und einem Toilettenwasser.

Während ich mit den üblichen Formeln antwortete, klopfte er mir auf die Schulter und musterte mich durch die hochgehaltene Brille.

»Ich glaube, ich erkenne Sie wieder«, sagte er, »aber nur mit Mühe.«

»Von alten Fotos, Don Manuel?«

»Nein, nein. Wir sind uns ja schon einmal begegnet, auch wenn es mich sehr überraschen würde, wenn Sie sich daran erinnern.« Er dirigierte mich zum Sofa. Wir setzten uns, einander zugewandt.

»Es war bei der Messe für Ihren Vater«, sagte er.

»Ah ja.«

»Ja. Sie wirkten sehr würdevoll und gefasst. Ich habe einen Sohn, der genauso alt ist wie Sie damals. Er ist eigentlich ganz vernünftig, es besteht sogar die Chance, dass er am Massachusetts Institute of Technology aufgenommen wird, aber in einer solchen Situation war er noch nie.«

»Wir alle hoffen, dass es nie dazu kommt, Don Manuel.«

Ich hoffte außerdem inständig, dass er das Thema wechseln würde, doch er schien kein Ende zu finden.

»In Ihrem Fall war die Messe ja nur eine von vielen Prüfungen. Erst der Tumult am Flughafen und dann die Beisetzung, ganz zu schweigen von den Studentendemonstrationen und den Straßenschlachten. Die Messe war ja gewissermaßen ein Höhepunkt. Deshalb wäre ich überrascht gewesen, wenn Sie sich an unsere Begegnung erinnert hätten, obschon der arme Hermanos uns miteinander bekannt gemacht hat. Mir kamen Sie bewundernswert ruhig und würdevoll vor, aber auch irgendwie betäubt, als könnten Sie an diesem Tag nichts mehr empfinden.«

»Nicht ganz, Don Manuel, aber mit den Gedanken war ich in der Tat woanders. Der Armeechef hatte damit gedroht, einen öffentlichen Gottesdienst für meinen Vater zu verbieten. Meine Mutter war zutiefst bestürzt. Die Messe wurde erst genehmigt, nachdem wir eingewilligt hatten, dass die ganze Familie unmittelbar nach dem Gottesdienst in aller Stille das Land verlassen würde. Die Vereinbarung wurde in unserem Namen von einem Mann vermittelt, dem Mutter vertraute. Wir glaubten, er sei ein Freund meines Vaters gewesen.«

»Ach ja. Der ehrenwerte, allzeit loyale Acosta!« Der Spott in seiner Stimme klang eher müde als bitter. »*Nur für ein paar Wochen, Doña Concepción, bis sich die ganze Aufregung gelegt hat.* Ich höre ihn fast. Natürlich hat ihm Ihre Mutter geglaubt. Sie haben ihm bestimmt auch geglaubt. Wer würde Ihnen das verdenken. Wie konnte Ihre Mutter, wie konnten Sie wissen, dass der Trick, mit dem die Castillos aus dem Land gejagt wurden, nur Teil einer großangelegten Repressionskampagne und dass das Verbot unserer Partei längst beschlossene Sache war. Ich sage Ihnen, Doktor, anfangs habe auch ich mich täuschen lassen.«

Seine Stimme und die erhobenen Augenbrauen machten, dass ich ihm den letzten Satz nicht abnahm.

»Tatsächlich, Don Manuel?«

»Anfangs ja. In den ersten Stunden jedenfalls. Sie waren nicht allein, glauben Sie mir. Der Verlust unseres Parteiführers war schlimm. Aber wir hätten nicht kopflos reagieren sollen. Wenn das Parteikomitee prompt und entschieden reagiert hätte, wenn es, statt einen General-streik bloß anzudrohen, ihn sofort ausgerufen und in die-sen drei entscheidenden Tagen bis zuletzt durchgehalten hätte, wäre alles ganz anders gekommen. Aber es wurde nicht gehandelt, sondern diskutiert, und statt die Initia-tive zu ergreifen, ließ man sich von der vermeintlichen Stimme der Vernunft umgarnen.«

Er schüttelte betrübt den Kopf und stützte sich auf die Sofalehne, als hoffte er, auf diese Weise die Last seiner Erinnerungen leichter tragen zu können. Schließlich räusperte er sich.

»Immerhin hatte ich eine Entschuldigung«, sagte er. »Als das Attentat verübt wurde, befand ich mich gerade in New York. Ich werde es nie vergessen. Das Fernsehen brachte eine Sondermeldung. Der Name, der vom Spre-cher erwähnt wurde, klang etwas anders als der Ihres Va-ters, sodass ich sofort bei unserer Botschaft in Washing-ton anrief in der Hoffnung, die ganze Sache stelle sich als Irrtum heraus. Aber nein. Tja, in diesen drei kritischen Tagen saß ich zum größten Teil in Abflughallen und war-tete auf Maschinen, die wegen schlechten Wetters Ver-spätung hatten, oder in Propellermaschinen, die so spät eintrafen, dass ich den Anschlussflug verpasste. Als ich schließlich in der Hauptstadt eintraf, war das Malheur bereits passiert. Nicht dass meine Anwesenheit, meine einsame Stimme, irgendetwas bewirkt hätte. Wir Sozia-listen galten ja als verbohrte Dogmatiker. Aber selbst eine einzige schwache Stimme kann Zweifel säen, wenn auch sonst nicht viel mehr. Und so war meine Anwesenheit beim Trauergottesdienst, dem ich zusammen mit den übrigen Komiteemitgliedern beiwohnte, meine letzte offizielle Handlung als Angehöriger dieses erlauchten Gremiums. Achtundvierzig Stunden später waren die meisten von uns schon außer Landes. Alle anderen, auch unser treuer Acosta, haben sich sehr schnell mit den Reaktionären arrangiert.«

Erfolglos versuchte er ein Niesen zu unterdrücken. Es war ein guter Moment, ihn daran zu erinnern, dass ich als Arzt gekommen war.

»Nun ja«, sagte ich energisch, »die meisten von ihnen sind inzwischen gestorben, und zwar eines natürlichen Todes.«

»Auch der gute Acosta, ja, ja. Woran ist er gestorben, Doktor? Wissen Sie das zufällig?«

»Keine Ahnung. Wenn die hiesige Presse über einen Todesfall berichtet, werden normalerweise keine medizinischen Details erwähnt, außer bei Unfällen.«

»Waren Sie denn nicht neugierig?«

»Nein, Don Manuel. Meine berufliche Neugier beschränkt sich auf lebende Patienten. Auf Sie zum Beispiel. Sie scheinen mit den Nebenhöhlen Probleme zu haben. Haben Sie deswegen Dr. Massot konsultiert?«

Der Name war das Zauberwort. Don Manuel richtete sich sofort auf. »Erinnern Sie mich bloß nicht an diesen Idioten! Er kam auf Veranlassung Ihres Polizisten, um mich gründlich durchzuchecken. Beiläufig erwähnte ich, dass ich seit meiner Ankunft hier eine verstopfte Nase habe.«

»Seit zwei Monaten?«

»Jedenfalls die letzten Wochen. Erst dachte ich, dass es an der Klimaveränderung liegt oder an irgendwelchen Pollen.«

»Haben Sie Heuschnupfen?«

»Eigentlich nicht, und in dieser Jahreszeit noch nie.«

»Haben Sie Ihre Temperatur gemessen?«

»Selbstverständlich. Jeden Tag messe ich Temperatur. Normal. All das habe ich Massot erzählt. Ich dachte, er gibt mir vielleicht ein Anti-Histaminikum. Stattdessen gab er mir irgendwelche Pillen.«

»Die nicht geholfen haben?«

»Ich hatte zwei Tage lang heftigen Durchfall, wenn Sie das helfen nennen. Mit den Nebenhöhlen wurde es nicht besser.«

»Haben Sie Dr. Massot das gesagt?«

»Natürlich. Er hat die Dosis erhöht. Natürlich habe ich mich nicht daran gehalten. Ich habe die Dinger wegge-worfen. Der Mann war offensichtlich unfähig. Wir haben Gillon darüber informiert.«

»Ich verstehe.«

Ich verstand tatsächlich. Im Spanischen wird für ver-eiterte Nebenhöhlen oder Katarrh meist das Wort *cons-tipado* verwendet. Bei französisch- und englischsprachi-gen Ärzten, die nicht wissen, dass das spanische Wort für verstopft *estrenido* ist, hat das oft zu Missverständnissen geführt. Da es mir aber sinnlos erschien, Dr. Massots An-sehen in diesem Haus zu retten, beschloss ich, nichts weiter dazu zu sagen.

»Schlafen Sie hier mit voll aufgedrehter Klimaanlage?«, fragte ich.

»Ja, natürlich.«

»Und Doña Julia? Findet sie es nicht ein bisschen kühl?«

»Sie schläft in ihrem eigenen Zimmer. Klimaanlagen sind ihr ohnehin zuwider.«

»Die Fenster sind moskitosicher. Haben Sie mal versucht, bei geöffnetem Fenster und abgeschalteter Klimaanlage zu schlafen?«

»Warum sollte ich? Wozu hat man denn eine Klimaanlage? Doch nicht, um sie abzustellen. Dann kommt die Feuchtigkeit herein.«

»Ihren Nebenhöhlen würde das vielleicht guttun. Wenn nicht, können Sie die Klimaanlage ja immer wieder einschalten.«

»Na schön. Ich werd's versuchen. Sie glauben nicht, dass ein Antihistaminikum etwas nützt?«

»Das kann ich erst beurteilen, wenn ich Sie untersucht habe. Haben Sie noch andere Beschwerden?«

»Ja, hier.« Er legte eine Hand auf den linken Unterbauch. »Schmerzen und Krämpfe, allerdings nicht im Moment. Der bekannte Vorführeffekt. Die Schmerzen sind verschwunden.«

»Übelkeit, Erbrechen?«

»Als ich die Krämpfe hatte, ja. Das war vor zwei Wochen. Es ging wieder weg. Ich nehme an, eine Art Lebensmittelvergiftung. Ich hatte leicht erhöhte Temperatur, aber das habe ich oft. Ich weiß nicht, warum.«

Nachdem ich so viel wie möglich von seiner Krankengeschichte aus ihm herausbekommen hatte, legte ich mein Notizbuch beiseite.

»Ich werde Sie jetzt untersuchen, Don Manuel. Würden Sie sich bitte ausziehen?«

»Ganz?«

»Ja. Und wenn Sie nichts dagegen haben, wäre es gut, wenn wir die Klimaanlage etwas runterstellen könnten.«

Ich untersuchte Villegas so gründlich, wie das unter den gegebenen Bedingungen möglich war. Er zeigte sich kooperativ und interessiert. Fast zu interessiert. Die Untersuchungsmethoden am Amerikanisch-britischen Hospital in Mexiko-City waren ihm vertraut, er verglich sie amüsiert mit den meinen. Eine Erstuntersuchung erfordert sehr viel Konzentration. Es störte mich bei der Arbeit, seine Fragen beantworten zu müssen, selbst die leichten.

Warum beispielsweise amerikanische und englische Ärzte den Blutdruck anders messen als Ärzte, die in Europa studiert haben.

Antwort: Sie messen ihn nicht anders, sondern lesen ihn nur anders. Amerikaner und Engländer verwenden Millimeter, die Europäer Zentimeter. Sein Blutdruck beispielsweise sei 190/100 in Millimetern ausgedrückt und 19/10 in Zentimetern. Ja, niedriger wäre besser. Aber ich würde nach einer Weile noch einmal messen und vielleicht wäre er dann anders. Setzen Sie sich bitte aufrecht und atmen Sie tief durch den Mund.

Nicht alle Fragen waren irrelevant. Während ich eine Blutprobe nahm, fragte er, ob eine Thyroxin-Bestimmung gemacht würde. Ich sagte ja.

»Sie werden feststellen, dass der Wert ein bisschen erhöht ist, etwa sechzehn.«

»Ja, das ist hoch.«

»Gibt es im Krankenhaus ein eigenes Labor?«

»Eine Abteilung des Instituts Pasteur arbeitet für uns.«

»Machen Sie einen Schilddrüsenfunktionstest?«

»Nicht hier. Das wird in Fort de France gemacht.«

»In meinem Fall ist das nicht notwendig. Erst vor einem halben Jahr wurde einer gemacht. Alles in Ordnung.«

»Schön.« Später sagte ich: »Ich muss Sie zu einer Röntgenuntersuchung ins Krankenhaus bitten, Don Manuel. Ein, zwei Stunden.«

»Der Darm?«

»Es ist wahrscheinlich nichts Ernstes, aber wir sollten auf Nummer sicher gehen. Wir können gleichzeitig noch andere Tests machen.«

»Also, den Nierenfunktionstest können Sie sich sparen. Neben dem Radiojodtest wurde auch ein Kreatinintest gemacht. Null Komma neun Milligramm. Das ist unbedenklich.«

»Ganz recht, scheint mir auch.«

Er sah, in der Unterhose auf dem Bett sitzend, genau zu, wie ich die verschiedenen Blutproben einpackte.

»Diese Röntgenuntersuchung, muss das wirklich sein?«

»Bedaure, ja. Sehen Sie, diese Magenschmerzen, von denen Sie sprachen – die hatten Sie in Mexiko noch nicht, oder?«

»In Mexiko hatte ich keine gesundheitlichen Probleme. Wann werden die Ergebnisse Ihrer Tests vorliegen?«

»Einige schon morgen, der Rest übermorgen. Wenn Sie einverstanden sind, rufe ich Sie an, sobald alles vorliegt, dann können wir einen Termin vereinbaren, sodass ich Ihnen Bericht erstatten kann.«

»Und die Röntgenuntersuchung?«

»Das können wir ebenfalls telefonisch vereinbaren.«

»Also gut.« Er ging zum nächsten Fenster und riss es auf. »Heiß und stickig«, sagte er, während die Luft hereindrang. »Ich hoffe, es gefällt Ihnen, Doktor.«

»Hoffentlich können Sie heute Nacht gut schlafen, Don Manuel.«

Er griff zu der Schachtel Zellstofftücher auf dem Schreibtisch. Als ich das Zimmer verließ, schnäuzte er sich heftig die Nase.

Onkel Paco rief mir von der Terrasse aus zu, als ich das untere Ende der Treppe erreichte.

Ich ging zu ihm und setzte mich. Ein eisgekühltes Rumgetränk stand auf der Armlehne. Er zeigte darauf.

»Willst du auch einen, Ernesto?«

»Danke nein, ich muss zurück ins Krankenhaus.«

»Und?«

»Wie ich Don Manuel gesagt habe, werde ich die Ergebnisse erst in ein paar Tagen beisammen haben. Und er muss zur Röntgenuntersuchung ins Krankenhaus kommen.«

»Was hat er denn?«

»Probleme mit den Atemwegen, die Klimaanlage ist viel zu stark eingestellt. Ich habe ihm empfohlen, bei offenem Fenster zu schlafen. Ob das was nützt, werde ich in ein paar Tagen wissen.«

»Und sonst?«

»Ich weiß es nicht, Onkel Paco. Ich hoffe, ich finde es

heraus. Wenn es überhaupt etwas herauszufinden gibt. Allerdings gibt es eine Frage, die ich ihm nicht gestellt habe. Ich dachte, ich stelle sie dir.«

»Ja?«

»Wie viel Alkohol trinkt er?«

»Dein Kollege Massot hat mir dieselbe Frage gestellt. Ich glaube nicht, dass er Don Manuels Antwort geglaubt hat. Die Antwort lautete: keinen.«

»Keinen Wein, kein Bier? Nichts?«

»Keinen Alkohol. Das heißt, keinen Rum, Whisky, Wodka, Gin, Brandy, Tequila. Er trinkt Wein in Maßen, gelegentlich Bier. Du meinst die etwas undeutliche Aussprache, oder?«

»Ja.«

»Seine Gedanken sind manchmal so schnell, dass er nicht hinterherkommt. Eine alte Schwäche von ihm. Oder eine Stärke, könnte man sagen, ein Plus. Manche Leute, die blitzschnell denken, stottern oder sprechen überhaupt unverständlich. Don Manuel verschleift manchmal die Konsonanten. Wenn er eine vorbereitete Rede zu halten hat, wenn er im Voraus weiß, was er sagen wird, ist seine Aussprache tadellos. Aber versuch das mal Dr. Massot zu erklären!«

»Ich verstehe.«

Onkel Paco strahlte. »Ich bin ja so froh, Ernesto.«

»Du hast gesagt, es ist eine alte Schwäche. Wie lange geht das schon so?«

»Seit ich ihn kenne. Und jetzt sag mir, Ernesto. Ganz ehrlich. Findest du ihn sympathisch? Es ist wichtig, weißt du. Er will dich auf seiner Seite haben. Ich meine, nicht nur in einem politischen Sinn, sondern auch wegen der Vergangenheit.« Er schob sich etwas nach vorn und trank einen Schluck aus seinem Glas. »Ich sage dir jetzt etwas im Vertrauen. Als er hörte, dass du sein Arzt sein wirst, gestand er mir, dass er sich schämt.«

»Wieso denn?«

»Wieso? Gute Frage! Ich habe sie ihm auch gestellt. Weißt du, was er geantwortet hat?«

»Keine Ahnung.«

»Er schämt sich, weil er in New York war und es sich gut gehen ließ, als dein Vater von diesen Gangstern ermordet wurde. Sogar geschlafen hat er. Erst am nächsten Morgen, als er die Zeitung aufschlug, wusste er, was passiert war. Er erinnert sich noch heute daran, verstehst du. Er ist so empfindsam. Er hat ein Herz, Ernesto.«

»Bestimmt. Er hat es also aus der Zeitung erfahren?«

»Wie denn sonst in New York?«

»Du bist nicht ganz auf der Höhe, Onkel Paco. Vor zwölf Jahren gab es in den meisten New Yorker Hotels schon Fernsehapparate auf den Zimmern. Don Manuel sagt, dass das Fernsehen eine Sondermeldung brachte, und anschließend hat er in Washington in der Botschaft angerufen, um sich die Meldung bestätigen zu lassen. Entscheidend ist ja nicht, wie er die Nachricht gehört hat, sondern dass er seinerzeit in New York war und die Ereignisse aus der Ferne verfolgte. Richtig?«

Wir sahen uns an – ewig lange, wie mir schien –, dann ging ich zur Klingel und drückte auf den Schalter. Als Antoine kam, bat Onkel Paco ihn, mich hinauszubringen. Das war alles. Keiner von uns sagte noch ein Wort.

Es folgt der Bericht, den ich nach meiner Rückkehr in die Klinik anhand meiner Notizen anfertigte, als Anlage zum Krankenblatt, das normalerweise für jeden unserer Patienten geführt wird.

VILLEGAS Lopez, Manuel. 51 J., Ingenieur, Politiker
Familie: Vater starb mit 58, wahrscheinlich an Bauchfellentzündung, Mutter lebt, gesund, 73 Jahre. Eine Schwester, gesund. Verheiratet, zwei Söhne, eine Tochter.

Patient: Mit 25 J. Blinddarmoperation. Vor sechs Jahren Harnleiteruntersuchung (intravenöse Pyelogramme) in Mexiko-City (Amerikanisch-britisches Hospital?). Offenbar keine Auffälligkeiten. Nach Ansicht des Arztes vermutlich zwei Wochen zuvor Abgang von Harngrieß.

Herz und Lunge ohne Befund. Leichte Arthritis, wird durch gelegentliche Physiotherapie gelindert.

Patient berichtet über Schmerzen im li. Unterbauch. Übelkeit, Blähungen und Krämpfe, Unwohlsein. Außerdem Fieber von unklarer Genese. Symptome z. Zt. nicht vorhanden (seit zwei Wochen »nicht mehr vorgekommen«.)

Keine Dysurie, keine Hämaturie, keine Geschlechtskrankheiten. Frühere Tests (ebenfalls Mexiko-City) negativ.

Untersuchung: Augenbewegungen normal. Pupillen rund, regelmäßig, reagieren auf Licht und Akkommodation. Ohren unauffällig. Leicht verstopfte Nebenhöhlen. Rachen einwandfrei. Zähne gut, Zahnfleisch nicht entzündet. Schilddrüse nicht vergrößert. Keine Adenopathie. Thorax voll und gewölbt. Brust normal. Lungen bei

Perkussion und Auskultation unauffällig. Puls 96. Temperatur 37,4 °C. Respirationsrate 22. Blutdruck (mehrmals gemessen) schwankt zwischen 190/100 und 160/95. Herzrhythmus regelmäßig. Reizlose Appendixnarbe. Leber und Milz normal. Leichte Druckempfindlichkeit über dem McBurney-Punkt. Keine Hernie, rechter Leistenring schien aber offen zu liegen. Rektaltonus normal. Extremitäten gut ausgebildet, symmetrisch. Rücken gerade. Füße normal. Knie- und Bizepsreflex normal. Babinski und Romberg negativ. Nieren bei Abtasten normal. Keine kostovertebrale Empfindlichkeit. Blase unauffällig. Penis und Hoden normal. Prostata weich, nicht vergrößert.

Es wurden Blut- und Urinproben genommen.

Nach Angabe des Patienten wurde in Mexiko ein Radiojodtest durchgeführt. Keine Anomalien. Kreatinintest (ebenfalls in Mexiko-City) angeblich ebenfalls negativ.

Patient wurde über die Notwendigkeit einer Röntgenuntersuchung unterrichtet.

Vorläufiger Befund: Divertikulose, möglicherweise Divertikulitis. Bluthochdruck, wahrscheinlich auf die politische Tätigkeit und emotionale Faktoren zurückzuführen. Therapie eventuell leichte Diuretika.

Sonstige Beobachtungen: Patient hat leichte Sprechstörung. Verschleift Konsonanten. Patient ist sich dieses Umstands offenbar bewusst und bemüht sich, dieses Problem in den Griff zu bekommen. Nicht immer mit Erfolg. Alkoholkonsum angeblich sehr gering. Hatte keine Veranlassung, diese Information anzuzweifeln.

PS: Ein Bekannter des Patienten (P. Segura) meint, dass diese Sprachschwierigkeit schon länger vorliegt und mit mangelnder Koordination zwischen Denken und Aussprechen der Gedanken zu tun hat. Die Tatsache, dass der Patient über seine Behinderung Bescheid weiß und imstande ist, sie teilweise in den Griff zu kriegen, dürfte diese Ansicht widerlegen.

Gez.: Castillo

Diesen Bericht schrieb ich am Dienstagnachmittag.

Später sprach ich mit Dr. Brissac, der sich seinerseits mit dem Leiter der Röntgenabteilung in Verbindung setzte. Daraufhin wurden mir (obwohl die Abteilung chronisch überlastet und unterbesetzt ist) ausnahmsweise drei Termine genannt, die ich Villegas anbieten kann – Donnerstag, Freitag oder Samstag jeweils 10 Uhr.

Dann rief ich in Les Muettes an und bat, mit Don Paco sprechen zu dürfen. Stattdessen wurde ich mit Doña Julia verbunden.

Sie versprach, mir am nächsten Morgen Bescheid zu sagen, welcher Termin in Frage käme. Und sie rief tatsächlich an. Das war am Mittwoch, dem 14. Der Patient habe sich für den Freitagvormittag entschieden. Dann fragte sie, ob die Untersuchungsergebnisse schon bekannt seien. Ich sagte, dass ich sie gemeinsam mit ihm besprechen würde, wenn er am Freitag ins Krankenhaus komme.

Donnerstagvormittag rief der Butler Antoine an, um mitzuteilen, dass Villegas den Termin nicht einhalten könne. Keine Begründung. Ich fragte, ob Villegas krank sei, und erfuhr, dass das nicht der Fall sei. Ich fragte, ob er einen Termin für einen anderen Tag vereinbaren wolle. Antoine wusste es nicht.

Ich rief Kommissar Gillon an, um ihn über die Situation zu informieren. Er teilte mir seinerseits mit, dass er gerade durch Boten einen Brief von Paco Segura erhalten habe.

In dem Brief stand, dass Señor Villegas und seine Frau weder meine Dienste noch die eines anderen Arztes benötigten. Beide seien bei bester Gesundheit. Im Notfall würde man Kommissar Gillon unverzüglich informieren. Mit dem Ausdruck vorzüglichster Hochachtung.

Gillon war zu Recht verärgert.

»Nun, Doktor«, sagte er barsch, »was ist passiert?«

»Keine Ahnung.«

»Was ist mit dieser Röntgenuntersuchung, die Sie machen wollten. Ist das wichtig? Dringend?«

»Wichtig schon, natürlich, sonst hätte ich es nicht veranlasst. Dringend nicht unbedingt. Sie ist nötig, damit ich weiß, ob meine vorläufige Diagnose zutrifft oder nicht.«

»Wie sieht die aus? Ein schlimmes Leiden? Sie haben dem Mann nicht zufällig einen Schrecken eingejagt, weil sie ihn beeindrucken wollten?«

»Keineswegs. Von irgendeinem schlimmen Leiden, wie Sie es nennen, war überhaupt nicht die Rede, nicht einmal andeutungsweise. Mir ist nicht klar, womit ich ihn erschreckt haben könnte. Er hat sich sogar nach den Ergebnissen seiner Blut- und Urinproben erkundigt. Natürlich war er nicht begeistert, als ich ihm eine Röntgenuntersuchung des Darmtrakts nahelegte. Es tut zwar nicht weh, aber dem Betreffenden wird dazu ein Bariummittel per Klistier verabreicht, und das ist für niemanden erfreulich. Aber eine bedrohliche Krankheit? Nein. Erkundigt sich der Schreiber des Briefes nach den Untersuchungsergebnissen?«

»Nein. Im Grunde ersucht er uns nur, dass Sie nicht mehr in Les Muettes erscheinen. Das Gesuch kann man natürlich ablehnen.«

»Sie erwarten doch nicht, dass ich mir gewaltsam Zutritt verschaffe?«

»Nicht ganz. Sie werden vorerst nichts unternehmen.«

»Gebe ich Dr. Brissac Bescheid?«

»Nein. Ich habe gesagt, Sie unternehmen nichts. Bis Sie von mir hören.«

»Und wann wird das sein? Heute und morgen habe ich Nachtdienst.«

»Ich werd's mir merken. Aber ich glaube nicht, dass ich Sie nachts stören muss. Angesichts dieser Entwicklung werde ich mit Paris Rücksprache halten müssen. Es dürfte bestimmt zwei Tage dauern, bis wir wissen, wie es weitergeht. Halten Sie sich einfach zur Verfügung.«

»In Ordnung, Herr Kommissar.«

Nachtschwester kam mit Kaffee und einer etwas merkwürdigen Sorte von Olivenzweig. Was würde ich ihr in Bezug auf das Muttermal raten? Ob sie es entfernen lassen solle?

Offensichtlich wollte sie mich auf die Probe stellen. Ich sagte, dass man am besten nichts unternimmt, solange es sich nicht verändert oder zu jucken anfängt. Möglicherweise bleibt eine Narbe, wenn sie es nicht von einem wirklich erstklassigen (und teuren) Chirurgen entfernen lässt.

Wurde mit einem anerkennenden Lächeln belohnt. Spezialist in Fort de France hatte ihr denselben Rat gegeben. Sie hat Dr. Frigo verziehen.

Ich war Gillon gegenüber nicht ganz offen, als wir am Donnerstagvormittag miteinander sprachen, und das beschäftigt mich.

Natürlich war Onkel Pacos Brief eine Überraschung, aber für mich war er nicht ganz so unerklärlich, wie ich getan hatte.

Offenbar hatte ich ihn gekränkt, und der Brief an Gillon war seine Art, sein Missfallen auszudrücken.

Aber war es nur das gewesen?

Hatte er sich vielleicht gesagt, dass es ein Fehler gewesen war, mich in den Kreis der Vertrauten aufzunehmen, und dass der Vorteil, einen gewissen Castillo um sich zu haben, am Ende geringer war als das Risiko, das dieser Mann darstellte?

Zweimal innerhalb von vierundzwanzig Stunden, und in ganz verschiedenen Versionen, erklärt man mir, dass Villegas zum Zeitpunkt des Attentats auf meinen Vater in New York war. Außerdem erklärt man mir, dass es keine eindeutigen Beweise für die Beteiligung eines Parteimitglieds an dem Anschlag gibt.

Warum?

Habe ich Onkel Paco mit meiner aggressiven Art nur ein bisschen vor den Kopf gestoßen, oder habe ich etwas gesagt, das entschieden unangenehmer war?

Vielleicht will man mich deshalb nicht mehr in Les Muettes sehen. Dann kann ich nämlich keine unangenehmen Fragen stellen.

Aber ich kann sie mir stellen.

Muss eine Liste machen – FRAGEN AN MICH, vor allem Fragen, die mir bislang als irrelevant, weil hypothetisch, erschienen sind.

1. Wenn ich herausfinde, wer hinter Papas Ermordung stand, wer der eigentliche Drahtzieher war – wie reagiere ich dann? Angenommen, es gibt einen ganz speziellen Schuldigen, d.h. einen Anführer unter den Verschwörern, würde ich ihn öffentlich anklagen, und wenn ja, wie?

2. Würde ich ihn vor Gericht bringen? Vor welches Gericht?

3. Würde ich versuchen, ihn selber zu ermorden, wenn das irgend ginge?

4. Oder würde ich versuchen, alles zu vergessen, und so tun, als wären meine Informationen lückenhaft, und hartnäckig die Augen vor der Wahrheit verschließen?

Keine Antworten.

Sollte mir welche einfallen lassen.

Bin gespannt, was bei Gillons Konsultationen herauskommt.

Ich bin angreifbar. Umso mehr, wenn sie beschließen, dass ich weiterhin als Villegas' Arzt tätig sein soll.

Wie Monsieur Albert so schön sagte – ein Arzt braucht keine Waffe, wenn er einen Mord begehen will.

Zweiter Teil

Symptome, Zeichen und Diagnose

Rue Racine 11
Fort Louis
Saint-Paul-les-Alizés

Freitag, 16. Mai, vormittags

Die Versuchung, auf morgen zu verschieben, was ich heute Nacht erledigen sollte, ist groß, und einem Patienten, dem es ähnlich ginge wie mir, würde ich raten, dieser Versuchung nachzugeben.

»In den letzten zwei Tagen«, würde ich rigoros erklären, »haben Sie höchstens sechs Stunden geschlafen. Außerdem hatten Sie sehr viel mehr psychischen Stress, als Sie es sonst in Ihrem Beruf erleben. Sie müssen sich mal richtig ausruhen. Keine Diskussion. Schütten Sie den Kaffee weg! Nehmen Sie zwei von diesen Tabletten mit etwas Wasser, und legen Sie sich ins Bett. Sofort!«

Stattdessen werde ich den Kaffee trinken.

Heute ist so viel passiert. Und wenn diese Aufzeichnungen mich überhaupt schützen sollen, müssen sie alles enthalten und möglichst rasch abgeschlossen sein.

Also: starker Kaffee mit reichlich Zucker. Die Schlaftabletten müssen warten.

Heute Morgen um neun rief Kommissar Gillon an.

Meine verschlafene Stimme muss ihm verraten haben, dass er mich geweckt hatte, denn er entschuldigte sich brummend.

»Ich weiß, dass Sie nach mehreren Nachtdiensten normalerweise einen freien Tag haben, tut mir leid.«

»Was gibt's? Hat sich Villegas das mit der Röntgenuntersuchung anders überlegt? Wenn er heute kommen will, muss ich …«

»Nein, nein, wir haben von Les Muettes nichts gehört. Aber aus Paris. Ich muss Sie bitten, heute Nachmittag um fünf bei mir im Büro zu sein. Es ist äußerst wichtig.«

»Nur um mir das zu sagen, wecken Sie mich?«

»Wie gesagt, es ist wichtig. Ich konnte es nicht riskieren, Sie später nicht zu erreichen. Sie wären vielleicht nicht mehr zu Hause gewesen.«

»Selbst an freien Tagen bin ich erreichbar. Das Krankenhaus weiß immer, wo ich zu finden bin.«

»Das wusste ich nicht. Trotzdem …«

»Fünf Uhr. Können wir nicht sechs sagen?«

»Nein. Fünf Uhr!«

»Wenn Sie glauben, dass ich meinen schriftlichen Bericht mitbringe …«

»Nein, das ist heute nicht nötig.«

»Na gut.«

Ich versuchte wieder einzuschlafen, döste aber nur vor mich hin.

Um elf kam die Putzfrau. Ich bin die zweite Adresse auf ihrer Liste, und Freitag ist der Tag, an dem sie meine Wohnung mit der elektrischen Bohnermaschine in Angriff nimmt. Das gehört zu ihren Ritualen, und Abweichungen davon gibt es nur, wenn man bereit ist, sich auf eine lautstarke Auseinandersetzung einzulassen und die anschließende Übellaunigkeit zu ignorieren.

Zum Lunch war ich mit Elisabeth im Hotel Ajoupa verabredet. Um die Zeit totzuschlagen, vor allem aber, um dem lauten Geräusch der Bohnermaschine zu entgehen, brachte ich mein Moped zur längst fälligen Inspektion in die Werkstatt. Der Mann dort erklärte, dass er sein Möglichstes versuchen werde, und wiederholte ansonsten nur die bekannte Diagnose: eine neue Zündkerze könne die Symptome lindern, allerdings nur vorübergehend. Der Schrottplatz rufe. Warum das Unvermeidliche aufschieben. Was ich wirklich brauche, sei dieser Simca dort drüben, wie neu, er habe ihn selber durchgesehen und könne persönlich dafür garantieren. Genau das Richtige für einen viel beschäftigten Arzt, und für mich würde er einen besonderen Preis machen. In Bezug auf mein Moped waren er und Dr. Brissac offenkundig einer Meinung.

Im Ajoupa zu essen ist selten ein uneingeschränktes Vergnügen. Die Küche ist allenfalls mittelprächtig, aber der Service ist immer wieder miserabel. Die tüchtigen Kräfte arbeiten im lohnenderen Barbereich, während man es im Restaurant entweder mit gelangweilten Schönheiten zu tun hat, die sich unablässig in den Spiegeln bewundern, oder mit lauten Dorftrampeln, die sich gegenseitig anschreien und mit den Hüften gegen die Tische stoßen und Geschirr zerdeppern. Eine Aufsicht durch Vorgesetzte findet praktisch nicht statt. Die *chefs de rang* sind mürrisch dreinblickende Frauen, die mit einer ledergebundenen Speisekarte in der Hand auf und ab gehen, aber nicht etwa, um Nachlässigkeiten der Bedienung aufzuspüren, sondern um nach unzufriedenen Gästen Ausschau zu halten, die sie zur Schnecke machen können. Wenn jemand eine Beschwerde vorbringen will, klatschen sie sich mit der Speisekarte auf den Schenkel oder wiegen sie wie einen Gummiknüppel in den Händen.

Natürlich wird Elisabeth aufmerksamer behandelt als ein normaler Hotelgast, aber selbst sie muss sich auf einiges gefasst machen. Einmal fand sie sich an ihrem üblichen Tisch eingekesselt von einer Versammlung von Männern, die zu einem Lunch der örtlichen Sektion von Lions International erschienen waren. Ein andermal wurde ihr aus Versehen die Rechnung für eine vierzigköpfige italienische Reisegruppe präsentiert. Und so erwartete ich auch kein großartiges Essen, freute mich aber auf unser Wiedersehen. In den letzten zwei Tagen hatten wir nur miteinander telefoniert, und obwohl ich ihr über meinen Besuch in Les Muettes und die Folgen nur andeutungsweise berichtet hatte, wusste sie genug, um ahnen zu können, in welcher Situation ich mich befand und mit welcher Sorge mich das erfüllte.

Also erwartete ich Verständnis. Stattdessen wurde ich einer aggressiven Befragung über eben die Themen unterzogen, über die offen zu sprechen ich am allerwenigsten bereit war.

Zunächst wollte Elisabeth haarklein wissen, was in Les Muettes vorgefallen und gesagt worden war. Dann begann sie mit ihrem Kreuzverhör. Misstrauisch zerpflückte sie alles, was ich ihr erzählt hatte.

Da ich die Attacke nicht gleich erkannte, reagierte ich zuerst naiv. Dann, in die Defensive gedrängt, verschanzte ich mich törichterweise hinter der Tatsache, dass Villegas, jedenfalls offiziell, noch immer mein Patient war.

Daraufhin polterte sie prompt: »Aber Onkel Paco doch nicht. War es etwa sein Bauch, auf dem du rumgeknetet hast? Du hättest ihn wegen dieser absurden Alibis doch ausfragen können.«

»Alibis?«

»Etwas anderes war es nicht.« Sie zeigte mit der Gabel auf mich. »Und nach allem, was du mir erzählt hast, bevor du anfingst, mir mit Moral zu kommen, wurden sie dir als genau das präsentiert, schön eingewickelt in Geschenkpapier wie ...« – sie suchte nach Worten – »... wie billiges Parfüm.«

»Ich habe klar gesagt, was ich davon halte. Beweis dafür ist die Tatsache, dass sie mich jetzt loswerden wollen.«

»Wer weiß, warum sie dich loswerden wollen! Vielleicht wollte Madame einen älteren Arzt haben. Du hast die Alibis jedenfalls nicht in Frage gestellt.«

»Ich war als Arzt dort und nicht als Staatsanwalt. Außerdem, was hätte ich denn in Frage stellen sollen? Den Umstand, dass Villegas in New York war?«

»Natürlich nicht. Ist doch völlig egal, wo er war. Als der Erzherzog Franz Ferdinand in Sarajevo ermordet wurde, befand sich der Oberst Dimitrijewitsch, der große Apis der Schwarzen Hand, im fernen Belgrad. Ist er deswegen unschuldig?«

»Das ist doch eine völlig andere Situation, Elisabeth, und das weißt du.«

»Ein bisschen anders, meinetwegen, aber nicht völlig anders. Wer politische Attentate organisiert oder dazu anstachelt, hält sich meist woanders auf, wenn der Anschlag dann stattfindet. Wir sprechen von Verschwörungen, verstehst du, nicht von den Taten verrückter Einzelgänger. Welchen Nutzen hätte ein Alibi für Apis? Keinen. Für die Alibis, die man dir genannt hat, kann es nur drei Erklärungen geben. Die nahe liegendste ist, dass diese Leute dich für einen Trottel halten.«

»Ja, dieser Gedanke ist mir auch schon gekommen.«

»Aber diese Erklärung erschien dir nicht plausibel. Wäre sie mir auch nicht. Und die anderen Erklärungen?«

»Eine scheint mir bedenkenswert. Da Villegas und Onkel Paco wissen, dass ich früher Kontakte zu diesen Spinnern in Florida hatte, denken sie vielleicht, dass ich an diese absurde Verratstheorie glaube, zumindest halbwegs.«

»Du bist nicht davon überzeugt?«

»Nein.« Ich sagte es durchaus entschieden, aber Elisabeth kann ich nichts vormachen. Als sie lächelte, schwächte ich das Nein etwas ab. »Na gut, sagen wir so: Ich habe sie lange Zeit für unglaubwürdig gehalten.«

»Soll das heißen, so lange, bis andere Leute, denen du nicht traust, erklären, dass sie nicht nur absurd, sondern auch unvorstellbar ist?«

»Vermutlich.«

»Solltest du dann nicht die dritte Erklärung prüfen?«

»Wie sieht die aus?«

Elisabeth schob ihren Teller beiseite, als wollte sie eine Karte auf das Tischtuch zeichnen.

»Wenn jemand seine Schuld verbergen will«, sagte sie, »können unsinnige, aber beharrliche Unschuldsbeteuerungen einen Nebelschleier erzeugen – nicht zu massiv, dass man nichts mehr erkennen kann, aber doch so dicht, dass einem die Augen tränen und man in die falsche Richtung starrt.«

Sie blinzelte mit zusammengekniffenen Augen, um zu zeigen, was sie meinte.

»Ich starre nirgendwohin.«

Sie schien ungehalten.

»Innerhalb eines Tages erzählt man dir zweimal, was Villegas vor zwölf Jahren, zum Zeitpunkt des Attentats, getan und gedacht hat. Du musst also in seine Richtung starren. Hat irgendjemand dir ähnlich detailliert erzählt, was Onkel Paco seinerzeit getan und gedacht hat?«

Ich schnaubte.

»Na?«

»Ich weiß, was er getan hat.«

»Aber nicht, was er gedacht hat. Für dich war Onkel Paco immer ein Intrigant. Außerdem ist er reich. Glaubst du, dass Mordanschläge wie der gegen deinen Vater von Amateuren geplant und ausgeführt werden können? Natürlich nicht. Da waren Profis am Werk. Nicht einmal du bestreitest das. Professionelle Verbrecher wurden von anderen Profis angeheuert, die so clever waren, ihre Spuren zu verbergen. Wer hat diese Profis bezahlt? Die Sicherheitskräfte der Junta? Vielleicht. Aber warum eigentlich nicht Onkel Paco?«

»Das ist doch Unsinn, Elisabeth. Onkel Paco! Welches Motiv sollte er denn gehabt haben?«

»Motiv? Das übliche Motiv des Intriganten. Wenn er sieht oder jedenfalls glaubt, dass die Zeit reif ist für eine Entscheidung, löst er eine unentschiedene Situation auf, indem er die Beteiligten durch eine Gewalttat polarisiert. Selbstverständlich in bester Absicht. Welches Motiv hatte Apis, als er den Anschlag von Sarajevo anordnete? Einen Weltkrieg auszulösen? Grotesk! Franz Ferdinand wurde nicht nur deswegen ermordet, weil er ein Habsburger war, sondern weil er außerdem der Thronfolger war und sich mit Plänen zur Aussöhnung mit den Serben trug. Er wollte in seinem Reich einen südslawischen Staat errichten. Apis wusste sehr wohl, und mit ihm viele andere, dass ein solcher Staat die Nordserben sofort ihrer Unzufriedenheit und die serbischen Nationalisten ihrer legitimen Forderungen beraubt hätte. Es war kein sinnloser Terrorakt, sondern politisch genau kalkuliert.«

»Aber falsch kalkuliert.«

»Ja sicher. Die Sache schlug fehl. Aber sie schlug fehl, weil die Dinge eine Wendung nahmen, die ein kleiner Intrigant wie Apis nicht vorhersehen konnte.«

»Zu dumm.«

Sie ignorierte meinen Sarkasmus. »Laut Villegas, sagst du, war das auch bei dem Anschlag auf deinen Vater der Fall. Die Dinge nahmen einen unerwarteten Lauf. Statt die Chance zu ergreifen, die die Situation ihnen bot, verloren die Linken die Nerven und überließen der Junta das Feld. Die Partei deines Vaters hätte einen Cavour oder vielleicht einen Trotzki gebraucht. Doch es gab nur Parteivolk, und der junge Señor Villegas war in New York.«

»Das alles spricht nur gegen deine Theorie, Elisabeth. Der Mann, oder die Gruppe von Männern, die die Fähigkeit und die Mittel haben, die Ermordung meines Vaters zu planen, müssen bereit gewesen sein, die Situation auszunutzen. Die Junta war darauf eingestellt. Das ist die Antwort.«

»Antwort? Unsinn! Die Junta? Ein Haufen ordenbehängter Greise, die auf nichts anderes vorbereitet waren als darauf, ihre Pension und die Segnungen der Kirche entgegenzunehmen. Drei Tage dauerte es, bis sie sich aufrafften, und auch das nur, weil die Großgrundbesitzer und deren Schlägertrupps ihnen die Hölle heiß gemacht haben.«

Sie war laut geworden, sodass wir allmählich Aufmerksamkeit erregten. Ich sagte: »Du brauchst nicht so zu schreien.«

»Ich schreie nicht. Ich versuche nur darauf hinzuweisen, dass Männer, die Attentate planen, natürlich nicht alle Konsequenzen mit einplanen können. Diese Leute sind Taktiker, keine Strategen. Obwohl sie vielleicht eine Schlacht gewinnen, ihre private kleine Schlacht, verlieren sie oft den Krieg. Frag Onkel Paco, wenn du ihn das nächste Mal siehst, was *er* zum Zeitpunkt des Attentats getan hat.«

»Ich hab's dir doch schon gesagt. Ich weiß, was er getan hat. In den Zeitungen war ein Foto von ihm. Er stand auf der Treppe zum Hotel, etwa vier Meter von meinem Vater entfernt, als die Schüsse fielen. Er hatte einen großen Blumenstrauß in der Hand.«

Elisabeth fuhr auf: »Wozu? Als Erkennungszeichen für

die Scharfschützen auf der anderen Straßenseite? Damit sie nicht aus Versehen den netten Mann umlegen, der sie bezahlt?«

»Es war ein Empfang anlässlich der Gründung einer neuen Schnittblumen-Exportgenossenschaft. Mehrere Männer in der Umgebung meines Vaters hatten ihre Sträuße noch in der Hand. Zwei wurden verwundet.«

»Aber nicht Onkel Paco. Welche Farbe hatte sein Strauß?«

»Weiß ich nicht. Es waren Schwarzweißfotos.«

Aber ich wusste es. Einmal hatte ich ein Farbfoto gesehen, das der offizielle Fotograf aufgenommen hatte. Alle Blumensträuße waren rot, meistens Gartenlilien. Nur Onkel Paco hatte einen Strauß aus orangefarbenen Strelitzien.

Ich fuhr rasch fort, um die Lüge zu vertuschen, bevor Elisabeth misstrauisch wurde. »Jedenfalls, Kommissar Gillon starrt nicht durch Nebelwände«, sagte ich. »Einem Geheimbericht zufolge, der seinerzeit an den Quai d'Orsay ging, gab es keine eindeutigen Beweise für die Beteiligung eines Mitglieds der Demokratisch-Sozialistischen Partei an dem Anschlag. Gillon hat mir das offiziell mitgeteilt.«

»Pah! Von wem stammt dieser Geheimbericht? Von S-dec?«

»Ich habe nicht gefragt.«

»Warum nicht?«

»Weil klar war, dass ich keine Antwort bekommen würde.«

»Du bist zu schüchtern.«

»Möglich. Offen gestanden, je weniger ich von Kommissar Gillon sehe, desto lieber ist es mir.« Dann erzählte ich ihr, dass ich für fünf Uhr zu ihm bestellt worden sei. »Es kann nicht lange dauern«, fügte ich hinzu. »Ich dachte, ich reserviere einen Tisch im Chez Lafcadio für heute Abend.«

Überraschenderweise goss sie den restlichen Wein in ihr Glas und trank aus.

»Tut mir leid, Ernesto, heute Abend geht es nicht. Ich hatte nicht damit gerechnet, aber ich muss hier sein.«

»Geschäftlich?«

»Quasi. Ich muss mit einem Emissär meines Mannes essen.«

»Ein Anwalt?«

»Nicht ganz.«

Ich drängte sie nicht weiter. Ich hätte vorschlagen können, dass wir uns am Abend sehen, und vielleicht hätte sie eingewilligt. Aber ich weiß inzwischen, dass Elisabeth lieber allein sein möchte, wenn sie bedrückt ist, und dass man sie besser in Ruhe lässt. Heute Abend, nach einem Gespräch über ihre Ehe, würde sie ganz sicher bedrückt sein und wahrscheinlich auch geladen.

Ich begleitete sie in die Ladenpassage des Hotels, zurück zur Galerie.

Ein Mann spähte durch das Schaufenster und rüttelte an der verschlossenen Tür. Als er Elisabeth sah, richtete er sich auf und sagte: »Ah, Madame.« Dann zeigte er auf die Tür. »Ich wollte nicht einbrechen. Hier steht, Sie machen um halb drei wieder auf.«

Er sprach flüssiges Französisch mit einem Akzent, den

ich nicht einordnen konnte. Kein Amerikaner, dachte ich, obwohl Körpergröße, Kleidung und sein ganzes Erscheinungsbild auf einen Amerikaner deuteten. Er war etwa vierzig, hatte einen strohblonden Haarschopf und sah aus, als würde er Tennis spielen oder schwimmen, um sich fit zu halten. Intelligentes Gesicht, autoritätsbewusste Ausstrahlung. Ein Manager, dachte ich zuerst.

Elisabeth antwortete auf Englisch, während sie die Schlüssel herausholte. »Mr. Rosier, solche Angaben sollte man hier nicht für bare Münze nehmen. Die meisten Leute machen Siesta. Wollten Sie noch mal vorbeischauen?«

»Jetzt wo Sie da sind, gerne. Ich dachte, ich sehe mich ein bisschen um, wenn Sie nichts dagegen haben.« Neugierig musterte er uns.

»Das ist Dr. Castillo«, sagte Elisabeth. »Ein Bekannter, er arbeitet im hiesigen Krankenhaus. Ja, schauen Sie sich ruhig um. Ich bin bloß gekommen, um ein paar Briefe zu schreiben.«

»Dr. Castillo?« Wir gaben uns die Hand. »Ich bin Bob Rosier. Sie wissen es vielleicht nicht, aber Sie genießen hier einen ausgezeichneten Ruf unter den kleinen Leuten. Wer nur ein bisschen krank ist, nimmt ein Aspirin oder ein Entero-Vioform. Wem es wirklich schlecht geht, der nimmt ein Taxi ins Krankenhaus und fragt nach Dr. Castillo.«

Diese Geschichte konnte nur aus einer Quelle stammen.

»Sie haben bestimmt mit dem alten Louis gesprochen. Er ist als junger Mann in den Laderaum eines Bananenfrachters gefallen und hat sich dabei eine Hirnverletzung zugezogen. Er ist völlig harmlos, aber manchmal ein bisschen komisch.«

»Ich werd's mir merken. Viele interessante Arbeiten hier, nicht?« Er sah sich vage um.

»Ja.« Ich wandte mich an Elisabeth. »Telefonieren wir morgen Vormittag?«

Sie saß an ihrem Schreibtisch, kritzelte gerade etwas auf einen Notizblock, riss den Zettel ab, faltete ihn zusammen und drückte ihn mir in die Hand. »Das ist die Adresse, die du haben wolltest«, sagte sie. »Ich ruf dich in der Klinik an.«

Ich wollte schon auf den Zettel sehen, doch sie nahm meine Hand und strahlte mich an: »Vielen Dank für das Essen, Ernesto.«

Dabei hatte sie selbst bezahlt. Ich machte schon den Mund auf, um sie daran zu erinnern, doch sie rollte nur mit den Augen – für mich eine unmissverständliche Aufforderung, zu gehen.

Mr. Rosier stand nachdenklich vor einem der Hibiskusbilder. Als ich die Tür öffnete, sah er sich um.

»Schön, Sie kennenzulernen, Doktor«, sagte er. »Hoffentlich sehen wir uns mal wieder.«

»Ganz meinerseits.«

Elisabeth winkte mir beiläufig nach. Ich wartete, bis ich draußen vor dem Hotel stand, dann faltete ich den Zettel auseinander, den sie mir gegeben hatte.

Darauf stand: *Vorsicht, der Typ ist ein Agent! Aber nicht vom S-dec. Vielleicht CIA.*

Höchstwahrscheinlich meinte sie Rosier. An der Auffahrt stand ein Papierkorb. Ich wollte den Zettel schon hineinwerfen, sagte mir dann aber, dass man Informationen über Agenten nicht einfach so wegschmeißt. Agentenfieber ist ansteckend. Also zerriss ich den Zettel zuerst in kleine Schnipsel.

Nachmittags

In der Werkstatt hörte ich noch mehr über den Simca, versprach, es mir zu überlegen, und hatte es im nächsten Moment schon vergessen. Mit der neuen Zündkerze fuhr mein Moped sehr viel besser. Als ich meine Einkäufe fürs Wochenende erledigt, meine Wäsche abgeholt und auf der Post eine eingeschriebene Sendung mit Kontaktabzügen in Empfang genommen hatte, war es spät geworden. Ich zog mir ein frisches Hemd an und ging zur Präfektur.

Diesmal musste ich nicht warten, sondern wurde sofort zu Gillon vorgelassen.

In seinem Büro war noch ein zweiter Mann, der sich sofort erhob, als ich eintrat. Gillon schien sich nicht ganz wohl in seiner Haut zu fühlen, als er uns bekannt machte.

»Das ist Commandant Delvert.« Er räusperte sich und fügte dann hinzu: »Er kommt aus Paris.«

»Eben erst angekommen«, sagte der Commandant aufgeräumt, »und von Air France ziemlich gemästet. Sehr erfreut, Doktor!«

Gemästet sah er nun überhaupt nicht aus.

Delvert ist groß und schlank und sieht sehr gut aus (in

einem altmodisch militärischen Sinn). In Uniform würde er wahrscheinlich eine eindrucksvolle Figur abgeben. Das Gesicht straff und scharf geschnitten. Zwischen vierzig und fünfzig, braune Haare, stellenweise grau, ein gestutztes Oberlippenbärtchen. Kein Gramm überflüssiges Fett. Er erinnert mich an ein Foto von General Weygand, als er Generalstabschef im Ersten Weltkrieg war. Ich bezweifle aber, dass Weygand ein sonderlich sympathisches Lächeln hatte. Im Gegensatz zu Delvert. Allerdings überzeugt es mich nicht. Nach meiner Erfahrung wird ein sympathisches Lächeln oft kultiviert, um unangenehme Charaktereigenschaften zu überdecken. Außerdem ist Delvert sicherlich ein hoher Beamter von S-dec, vermutlich ein »Führungsoffizier« oder etwas Ähnliches, und wenn von dem, was man über den Dienst alles lesen und hören kann, auch nur ein Bruchteil stimmt – Elisabeth weiß anscheinend doch, wovon sie redet –, zählt ein liebenswürdiges Naturell nicht zu den Eigenschaften, die man für diesen Beruf normalerweise mitbringen muss.

Auf Gillons Schreibtisch stand eine geöffnete Flasche Mineralwasser und ein Glas. Delvert füllte das Glas und kehrte damit zu seinem Stuhl zurück.

Gillon räusperte sich abermals. »Der Commandant ist mit den jüngsten Entwicklungen in der Sache Villegas vertraut«, sagte er. »Es haben sich allerdings ein, zwei Fragen ergeben, die Sie bitte beantworten wollen, und zwar möglichst genau. Die Röntgenuntersuchung, zu der er dann nicht erschienen ist – war das eine Routineangelegenheit?«

»Nein. Sie hatte einen besonderen Zweck.«

»Nämlich?«

»So wie der Patient seine Symptome beschrieben hat, auch wenn ich bei meiner Untersuchung keine direkten Anzeichen bemerkt habe, könnte er an Divertikulose leiden, die sich gelegentlich zu einer Divertikulitis auswächst.«

»Was hat man sich darunter vorzustellen?«

Ich hob schon zu einer Erklärung an, als Delvert mir zuvorkam.

»Verzeihen Sie« – jetzt brachte er sein Lächeln ins Spiel –, »aber ich glaube, dass eine simple, allgemein verständliche Erklärung uns viel Zeit erspart.« Er wandte sich an Gillon. »Ich vermute zwar, dass Ihr Auto inzwischen schlauchlose Reifen hat, aber als es noch Schläuche gab, konnte man auf der Straße gelegentlich Fälle von Divertikulitis sehen. Bei alten und abgenutzten oder beschädigten Reifen kam es vor, dass die Decke manchmal platzte, und dann schob sich der Schlauch durch den Schlitz. Dasselbe kann auch beim Menschen passieren, also bei den Gedärmen. Muss ziemlich unangenehm sein.«

»Sie meinen, die Eingeweide dringen nach außen und platzen?«

Er klang so erschrocken, dass ich beschloss, wieder einzugreifen. »Es kommt nicht sehr oft vor. Der Vergleich, den der Commandant gezogen hat, ist nicht ganz falsch, aber die Druckverhältnisse sind anders. Beim Darm ist es so, dass die Höhlen, diese Blasen im Schlauch, von denen er gesprochen hat, manchmal Infektionsherde sind.«

»Wie ein entzündeter Blinddarm.«

»So ungefähr, aber …«

»Ist das eine ernste Sache?«

»Früher schon. Früher wurde der betreffende Darmabschnitt operativ entfernt. Heutzutage behandelt man normalerweise mit Antibiotika. Der Patient wird außerdem auf Diät gesetzt.«

»Und Villegas hat diese Krankheit?«

»Es könnte sein. Sie kommt in seinem Alter oft vor. Im Grunde eine ziemlich verbreitete Krankheit. Wurde früher als Kolik diagnostiziert.«

»Hochinteressant das alles, Doktor – das war wieder Delvert –, »aber warum vermuten Sie es nur? Können Sie es ohne Röntgenuntersuchung nicht feststellen?«

»Meistens ja, mit ziemlicher Sicherheit. Die Stelle über dem infizierten Darm ist druckempfindlich, und es kommt zu Krämpfen im Unterleib. Es ist praktisch unverkennbar.«

»Aber bei Villegas nicht?«

»Es gab noch andere Faktoren zu berücksichtigen.« Ich erzählte ihnen von Doktor Massot und *constipado*.

»Hätte ein starkes Laxativ bei einem solchen Anfall von Divertikulitis geholfen?«, wollte Gillon wissen.

»Nein, es hätte die Sache womöglich noch verschlimmert. Entscheidend ist, dass die von ihm beschriebenen Symptome eindeutig auf Divertikulitis hinwiesen.«

»Aber Ihre Untersuchung hat das nicht bestätigt.«

»Die Divertikula waren anscheinend nicht infiziert. Das heißt nicht, dass sie es nicht trotzdem waren. Diese Anfälle verschwinden manchmal von ganz allein. Deswegen habe ich eine Röntgenuntersuchung angeordnet.«

Delvert schenkte mir wieder sein Lächeln. »Haben Sie schon mal überlegt, dass Villegas möglicherweise lügt?«

»Meinen Sie in Bezug auf seine Gesundheit oder generell?«

Beide sahen mich scharf an.

Delvert sagte: »Momentan sprechen wir über seine Gesundheit.«

»Mir ist durch den Kopf gegangen, dass er in Bezug auf Dr. Massot nicht unbedingt die ganze Wahrheit gesagt hat.«

»Wieso?«

»Ich konnte mir nicht vorstellen, dass jemand, der sich regelmäßig im Amerikanisch-britischen Krankenhaus in Mexiko-City untersuchen lässt, nicht längst weiß, dass Konstipation kein Katarrh ist.«

»Was haben Sie daraus gefolgert?«

»Dass Dr. Massots Versuche, Spanisch zu sprechen, ihm auf die Nerven gegangen sind und dass ihm das Missverständnis mit dem *constipado* als Vorwand diente, ihn loszuwerden.«

»Und dafür zu sorgen, dass Sie die Stelle von Dr. Massot einnehmen.«

»Darauf konnte er sich nicht verlassen, selbst wenn er es gewollt hätte. Onkel Paco hat mir gesagt, dass er es eingefädelt hat. Ihm zufolge gab es starken Widerstand seitens der Behörden. Ich habe das auf die DST bezogen, auf den Kommissar hier.«

Delvert warf Gillon einen Blick zu. »Würden Sie ihm bitte sagen, was wirklich passiert ist?«

Gillon machte ein verbindliches Gesicht. »Es gab keine offiziellen Einwände«, sagte er. »Wir haben eine einfache Frage gestellt. Wir haben Paco Segura gefragt, ob es ihm, in Anbetracht der Tatsache, dass Ihre Familie über politische Verbindungen verfügt, nicht lieber wäre, Sie in Les Muettes als Freund und nicht als unseren offiziellen Beauftragten zu empfangen. Er meinte, dass man Sie lieber in offizieller Funktion empfangen würde. Er hat dann noch eine Bitte geäußert.« Er blickte fragend zu Delvert.

»Einen Moment noch.« Delvert griff nach einer Aktentasche, die er gegen ein Stuhlbein gelehnt hatte. »Erledigen wir zuerst die medizinischen Dinge.« Er nahm eine dünne Akte aus der Tasche und hielt sie hoch. »Das ist eine Fotokopie von Villegas' Krankenakte im Amerikanisch-britischen Hospital in Mexiko-City. Fragen Sie bitte nicht, wie wir da rangekommen sind, aber es dürfte Sie interessieren, dass Ihre Diagnose Divertikulitis absolut korrekt war. Dieser Verdacht bestand schon vor drei Jahren, er wurde anhand einer Röntgenuntersuchung bestätigt.«

Ich spürte, wie mir die Zornesröte ins Gesicht stieg.

»Ihre Verärgerung ist verständlich, Doktor, aber haben Sie noch ein wenig Geduld mit mir. Ich möchte ein paar Möglichkeiten diskutieren. Dr. Massot hält Villegas für einen Hypochonder. Sie auch?«

»Ich denke, er ist einer von diesen Menschen, die sich Sorgen um ihre Gesundheit machen. Wenn Sie meinen, ob ich ihn für einen eingebildeten Kranken halte – nein.«

»Ist er vielleicht einer von diesen Patienten, die nie

restlos glauben, was ihnen der Arzt sagt? Kann es sein, dass er von Ihnen ein Zweitgutachten haben wollte?«

»Wie wurde er in Mexiko denn behandelt?«

»Er bekam Antibiotika und wurde auf eine leichte Diät gesetzt. Ich vermute mal, dass Sie nicht viel anderes gemacht hätten.« Er blätterte durch die Akte. »Wollen Sie den Namen des Medikaments wissen?«

»Vermutlich war es Ampicillin. Steht da, ob es ihm etwas genützt hat?«

»Offenbar ja. Es gab allerdings drei Anfälle.«

»Drei Anfälle in drei Jahren. Nicht schlecht. Der erste war sicher der schlimmste – Krämpfe, Übelkeit, Fieber –, aber sobald die Diagnose gestellt ist, wird das Antibiotikum sofort gegeben, und deshalb dürften sich die Schmerzen in Grenzen gehalten haben. Wie gesagt, es ist eine ziemlich verbreitete Krankheit. Nichts Geheimnisvolles, Commandant. Wenn das Antibiotikum anschlägt, ohne Nebenwirkungen, wird kein vernünftiger Mensch ein Zweitgutachten haben wollen.«

»Könnte es sein, dass er Sie auf die Probe stellen wollte?«

»Als ich bei ihm war, hat er mich ausgiebig getestet. Er sprach von bestimmten Blutanalysen, die wir, wie er vermutlich ahnte, normalerweise hier nicht durchführen, um zu sehen, ob mir ihre Bedeutung klar war. Er verfügt über gewisse oberflächliche Laienkenntnisse. Wir erleben das hin und wieder, besonders bei Patienten, die sich nach dem amerikanischen Check-up-System alljährlich untersuchen lassen. Sie führen gewissermaßen Buch über sich, vergleichen die Ergebnisse. Aber ob er mich in Bezug auf Divertikulitis getestet hat – das bezweifle ich. Die Symptome, die er beschrieben hat, legen eine Röntgenuntersuchung nahe, ganz klar. Man sieht ganz genau, was los ist. Damit konnte er mich jedenfalls nicht auf die Probe stellen.«

»Dann bleibt uns nur die dritte Erklärung – dass er eine besondere Beziehung zu Ihnen aufbauen wollte.«

Ich lachte. »Indem er mich eine Krankheit diagnostizieren und behandeln ließ, von der er schon längst wusste?«

»Warum nicht? Auf diese Weise konnte er seine Dankbarkeit Ihnen gegenüber zeigen, und Sie konnten sich Ihrerseits durch sein Vertrauen geschmeichelt fühlen. Eine Farce, vielleicht, aber eine hervorragende Grundlage für gegenseitige Wertschätzung, finden Sie nicht?«

»Schon. Nur hat er es sich anders überlegt und mich gefeuert.«

»Das können wir nicht mit Sicherheit sagen.«

»Die übermittelte Botschaft war eindeutig.«

»Aber sie kam nicht von Villegas. Sondern von Ihrem Onkel Paco. Womit haben Sie ihn abgeschreckt? Oder wissen Sie es nicht?«

Ich zögerte.

»Ich möchte Sie um absolute Offenheit bitten«, sagte er. »Ich verlange es sogar.«

Ich dachte eine ganze Weile nach. Es können nicht mehr als zwanzig Sekunden gewesen sein, doch nach zehn Sekunden trommelte Kommissar Gillon mit seinem Kugelschreiber auf den Schreibtisch. Delvert warf ihm einen mahnenden Blick zu.

Schließlich sagte ich: »Ich bin nicht sicher, ob ich es weiß. Es könnte sein, dass ich Onkel Paco gekränkt habe, ja. Er war so herablassend, hat mich wie einen dummen Jungen behandelt, also habe ich entsprechend reagiert.«

»Und zwar?«

»Ich war wohl ein bisschen unverschämt. Ich habe ihn daran erinnert, dass ich gekommen sei, um Villegas zu untersuchen, nicht ihn. Und mein Hinweis auf das Coraza-Ölkonsortium hat ihm überhaupt nicht geschmeckt. Er ging davon aus, dass einer von Ihnen mir davon erzählt hat. Mein Dementi hat er sicher nicht geglaubt.«

»Und von wem haben Sie's nun tatsächlich?«, fragte Gillon überraschend heftig.

Delvert intervenierte beschwichtigend. »Der Doktor hat bestimmt irgendwelchen Klatsch im Hotel Ajoupa gehört.« Er warf mir dabei einen leicht amüsierten Blick zu. »Nein?«

»Doch.«

»Und noch anderes, was ihm nicht gepasst hat?«

»Ich fand es nicht so witzig, innerhalb einer Stunde zum zweiten Mal darauf hingewiesen zu werden, dass Villegas in New York war, als mein Vater ermordet wurde.«

»Nur das?«

»Ich habe ihn auf ein paar Widersprüche zwischen der Darstellung Villegas' und seiner eigenen Version aufmerksam gemacht. Kleinigkeiten, aber er sah darin wohl einen Affront oder tat zumindest so. Dann bin ich gegangen.«

»Das war alles?«

»Ja, das war alles.« Leicht gereizt fuhr ich fort. »Nicht viel, was? Schließlich hätte ich daran erinnern können, dass es seinerzeit völlig uninteressant war, wo sich Villegas gerade aufhielt. Ich meine, wenn mit dem Hinweis auf seine Abwesenheit der Vorwurf der Mittäterschaft entkräftet werden soll.«

»Und warum haben Sie es nicht erwähnt?«

»Es war mir in der Situation nicht eingefallen. Villegas' Darstellung war sehr viel detaillierter. Außerdem sprach er über die politischen Folgen seiner Abwesenheit – dass die Partei es versäumt hatte, einen Generalstreik auszurufen. Das erschien mir ganz überzeugend. Onkel Pacos Beteuerungen haben mich überhaupt nicht überzeugt.« Ich zögerte kurz, beschloss dann aber, es auszuspucken. »Genauso wenig wie Kommissar Gillons feierliche Äußerungen zum selben Thema.«

Ich rechnete mit einer neuerlichen heftigen Reaktion, doch nichts geschah. Gillon sah bloß mit erhobenen Augenbrauen zu Delvert, der ihm zunickte.

»Ich habe Ihnen diese Informationen auf Seguras ausdrücklichen Wunsch hin gegeben«, sagte Gillon umständlich.

»Sie haben mir gesagt, dass Sie sie aus einem französischen Geheimbericht haben. Wollten Sie mir die Sache nur schmackhaft machen?«

»Keineswegs. Segura bat uns, Ihnen gegenüber zu bestätigen, dass es keinen Beweis für eine Beteiligung eines Parteiangehörigen am Anschlag auf Ihren Vater gibt. Wir konnten das anhand unserer eigenen Dokumente tun.«

»Keine *eindeutigen* Beweise«, erinnerte ich ihn, und

dann erschien mir Elisabeths Theorie plötzlich mehr als nur denkbar. Es war die einzige, die überhaupt einen Sinn ergab. Ich machte den Mund auf, um etwas in der Art zu sagen, aber Delvert schien meine Gedanken erraten zu haben.

»Paco Segura«, warf er energisch ein, »ist ein alter Mann, der immer mehr Geld als Verstand gehabt hat. In seiner Eigenschaft als Außenminister der provisorischen Exilregierung von Manuel Villegas neigt er zu Eigenmächtigkeiten. Als alleiniger Geldgeber der Gruppe – jedenfalls bis vor kurzem – konnte er sich immer durchsetzen. Ich glaube, dass er, was Ihre Entlassung betrifft, Villegas nicht einmal gefragt hat. Der Kommissar dürfte mir da zustimmen.«

Gillon nickte.

»Wir können also vermuten«, fuhr Delvert fort, »dass in Les Muettes gegenwärtig gewisse Auseinandersetzungen geführt werden.«

»Wir können das nicht nur vermuten«, sagte Gillon. »Nach einem Bericht, den ich vor einer Stunde erhalten habe, muss es heute Vormittag zu einem heftigen Streit gekommen sein, der mit Unterbrechungen den ganzen Tag andauerte.«

»Sind Sie sicher?«

»Meine Leute sind mit dem Hauspersonal befreundet. Antoine, der Majordomus, ist die Kontaktperson. Er spricht natürlich kein Spanisch, sodass wir nicht über alle Einzelheiten Bescheid wissen, aber offenbar steht Madame Villegas im Konflikt mit Segura auf der Seite ihres Mannes. Selbst wenn man berücksichtigt, dass spanische Streitworte für Antoine heftiger klingen, als sie in Wahrheit gemeint sind, so können wir doch davon ausgehen, dass Seguras Entscheidung scharf kritisiert wurde.«

»Gut.« Delvert lächelte. »Wir müssen Villegas also die Möglichkeit geben, seine Entscheidung rückgängig zu machen. Natürlich mit einem Minimum an Gesichtsverlust für Segura. Einverstanden, Kommissar?«

»Ja. Das Beste wäre wohl, wenn Dr. Castillo so tut, als wüsste er nichts von Seguras Brief, als wäre alles in Ordnung. Sind Sie morgen in der Klinik, Doktor?«

»Ja.«

»Dann vereinbaren Sie bitte mehrere Röntgentermine für nächste Woche und teilen Sie Villegas die Termine schriftlich mit. Sie, oder die Röntgenabteilung, könnten darum bitten, dass ein Termin telefonisch bestätigt wird. Das ist alles. Ganz so, als wäre nichts Ungewöhnliches passiert.«

»Obwohl die Röntgenuntersuchung jetzt gar nicht notwendig ist?«

Gillon sah mich wütend an. »Woher wollen Sie wissen, dass sie nicht mehr notwendig ist?«, bellte er. »Haben Sie Ihre Diagnose verworfen? Sie haben hier nichts gehört, was Sie dazu veranlassen könnte. Sie wissen überhaupt nichts, außer dass Ihr Patient es für notwendig hielt, einen Termin abzusagen. Also gut, tun Sie Ihre Pflicht. Sie schlagen ihm einen neuen vor. Haben Sie mich verstanden?«

»Jawohl.«

Delvert sah auf seine Uhr und nahm seine Aktentasche. »Damit wir möglichst bald eine Reaktion bekommen«, sagte er, »könnte es ratsam sein, ein wenig Druck auf Segura auszuüben. Aber darüber können wir morgen miteinander sprechen, wenn Sie einverstanden sind, Kommissar.«

»Natürlich.«

»Der Doktor und ich« – Delvert stand auf – »haben Sie schon viel zu lange in Beschlag genommen.«

»Es ist mir ein Vergnügen, mit Ihnen zusammenzuarbeiten. Ich freue mich auf unsere nächsten Besprechungen. Im Hotel wird man wissen, wo Sie mich jederzeit erreichen. Und jetzt werden Sie wohl ganz froh sein, wenn Sie nach dem Flug ein wenig ruhen können.«

Gillon konnte nicht ganz verhehlen, wie sehr er sich darüber freute, uns bald los zu sein.

Delvert und ich gingen schweigend über die Seufzerbrücke, doch auf der Treppe, die zum Platz hinunterführte, erklärte ich, dass sich unsere Wege nun bald trennen würden.

»Ich habe leider kein Auto«, sagte ich. »Sonst hätte ich Sie gern in Ihr Hotel gebracht. Aber um diese Zeit müsste vor dem Café an der Ecke noch ein Taxi stehen.«

Er nickte. »Und Sie gehen zu Fuß nach Hause?«

»Ja.«

»Die Leute klagen ja immer über den Jetlag. Hat wohl mit dem Stoffwechsel zu tun. Ich gehöre gottlob zu denjenigen, die mit langen Flugreisen keine Probleme haben. Ich esse vielleicht zu viel, aber ich kann jedenfalls gut schlafen. Hätten Sie was dagegen, wenn ich noch ein Stückchen mitkomme?«

»Nein, nein.« Was hätte ich auch sonst sagen sollen.

»Hübsch hier. Geschmackvoll restaurierte Häuser«, sagte er. »Kann man es einigermaßen darin aushalten?«

»Die Rohrleitungen sind im Urzustand.«

»Sie haben mein Mitgefühl.«

Er bog in die Rue Racine ein, als kennte er sich aus. »Sie wohnen in Nummer elf, stimmt's?«

»Richtig.«

»Das Mineralwasser im Büro des Kommissars war ja nicht schlecht, aber hätten Sie eventuell etwas Stärkeres? Beispielsweise Rum?«

»Sicher.«

Meine mangelnde Begeisterung über die Aussicht, ihn bewirten zu müssen, muss unübersehbar gewesen sein, aber da er nicht reagierte, tat ich, was ich konnte. In der Wohnung nahm ich sein Jackett und hängte es auf einen Bügel. Die Aktentasche wollte er offenbar bei sich behalten. Und dann fragte ich, ob er zu seinem Rum einen Schuss Limejuice haben wolle.

Er antwortete zuerst nicht, sondern starrte ungläubig auf Elisabeths Buchstabengemälde.

»Was um Himmels willen soll das denn sein?«, fragte er.

»Der Prager Fenstersturz.«

»Aha. Ja bitte, etwas Limejuice.«

Als ich wieder zurückkam, starrte er das Bild noch immer an. Geistesabwesend nahm er seinen Drink.

»A E I O U. Alles Erdreich ist Österreich untertan. Stimmt's, Doktor?«

»Der Künstlerin zufolge stehen die Buchstaben für

Austria Est Imperare Orbi Universo. Österreich soll die Welt beherrschen.«

»Nun ja, das kommt darauf an, zu welchem Geschichtsbuch man greift. Aber was für eine lächerliche Art, einen Krieg zu beginnen.«

»Lächerlich? Katholische Abgesandte aus dem Fenster zu werfen? Es war nicht gerade eine versöhnliche Geste!«

»Nun ja, niemand wurde wirklich verletzt, oder? Gedemütigt, vielleicht, aber nicht verletzt. Ich meine, dass da überall Blut herumfließt, ist nicht weiter verwunderlich – schließlich haben die Protestanten sie aus einem Burgfenster zwanzig Meter tief in einen steinernen Graben geworfen –, aber es ist nicht wirklich so passiert, oder?«

»Nein?«

»Natürlich nicht. Der Graben war voller Misthaufen. Übelriechend ja, aber ziemlich weich. Diese armen Herren sind weich gelandet. Der Einzige, der sich eine kleine Verletzung zuzog, war der Baron Martinitz, aber auch nur, weil sein Sekretär auf ihm landete, ein junger Mann namens Fabricius. Seine Entschuldigung wurde akzeptiert, aber der arme Bursche hat sich von der Schande nie wieder erholt. Verstoß gegen die Etikette, wissen Sie. Und das ganze Blut« – er grinste – »hat es einfach nicht gegeben.«

»Da der Zwischenfall den Dreißigjährigen Krieg ausgelöst hat, ist das Blut wohl symbolisch gemeint. Außerdem sind es nur die Buchstaben, aus denen Blut fließt.«

»Wahrscheinlich haben Sie recht. So dürfte es Madame Duplessis jedenfalls sehen.«

»Das Werk ist von E. Martens.«

»Ja ja, so signiert sie ihre Werke, aber ich kenne sie unter dem Namen Elisabeth Duplessis. Ihr Mann Raoul ist ein Mitarbeiter von mir.«

Delverts Tonfall war freundlich, aber seine Augen musterten mich aufmerksam. Ich sagte betont gleichgültig »Aha«, drehte mich um, um meine Verwirrung zu verbergen, und machte mir einen Drink zurecht, den ich eigentlich erst trinken wollte, nachdem Delvert gegangen war.

Als Elisabeth mir erzählt hatte, dass sie über S-dec Bescheid wisse, hatte ich angenommen, dass ihre Kenntnisse darüber – wie über die meisten anderen Dinge, ausgenommen das Heilige Römische Reich – aus den Büchern und Zeitschriften stammten, die sie wöchentlich regelmäßig aus Paris bezog und eifrig las. Die Feststellung, dass weder ihre Einschätzung meiner Lage noch die Dinge, die sie über den Tod meines Vaters gesagt hatte, einfach als laienhafte Spekulationen abgetan werden konnten, verwirrte mich. Die Erkenntnis, dass ich diese Wissenslücke in Bezug auf ihre privaten Verhältnisse eher meiner eigenen Dummheit zuzuschreiben hatte als einer mangelnden Informationsbereitschaft ihrerseits, schockierte mich geradezu. Jetzt erinnerte ich mich, dass sie mir einmal von der Tätigkeit ihres Mannes erzählen wollte. Ich hatte nicht zugehört. Vor lauter Eifersucht wollte ich lieber nichts wissen. Was den Hauptmann Duplessis anging, so wollte ich von ihr nichts anderes hören, als dass sie sich von ihm scheiden lassen wolle.

Jetzt hatte ich es mit dem Vorgesetzten dieses Mannes zu tun. Ich tat noch mehr Eis in mein Glas und drehte mich wieder um.

»Dann müssen Sie der Emissär sein«, sagte ich.

Er sah mich fragend an.

»Elisabeth hat mir erzählt, dass sie heute Abend mit einem Emissär ihres Mannes zum Essen verabredet ist.«

»Hauptmann Duplessis ist nicht nur ein Kollege, sondern auch ein Freund. Es liegt nahe, dass ich seiner Frau meine Aufwartung mache, wo ich einmal hier bin. Haben Sie was dagegen?«

»Ich kann es nicht verhindern, selbst wenn ich es wollte.«

»Aber Sie wollen es gar nicht.«

»Natürlich nicht. Hauptmann Duplessis möchte, dass sich seine Frau von ihm trennt. Das wissen Sie genauso gut wie ich. Ich möchte auch, dass sie sich scheiden lässt. Aber ...« Ich zuckte mit den Schultern.

»Aber Sie glauben nicht, dass ein Emissär, zumal jemand aus dem Dienst, für den ihr Mann arbeitet, große Anstrengungen unternehmen wird, sie umzustimmen.«

»Ich wusste nicht, dass Hauptmann Duplessis für S-dec arbeitet. Das ist doch der Dienst, von dem Sie gesprochen haben?«

»Unsere kritischen Journalisten verwenden diesen Ausdruck und sicher auch Madame Duplessis. Vielleicht mit einem kleinen Unterschied. Meistens hält man uns die Affäre Ben Barka vor. Madame Duplessis vergleicht uns wahrscheinlich mit den Carbonari und spricht dunkel von einer zweiten Schlacht bei Novarra, hab ich recht?«

»Novarra?«

»Die Österreicher schlugen dort 1821 den Aufstand der Carbonari nieder. Hat sie Ihnen nicht davon erzählt?«

»Nein.«

»Auch nicht vom Verrat Napoleons III., der selbst ein Carbonaro war?«

»Nicht in diesem Zusammenhang.«

»Dann besteht ja Hoffnung.« Vorsichtig nippte er an seinem Rum mit Limejuice. »Könnten wir für einen Moment von Villegas reden?«

»Ich dachte, wir haben schon über ihn geredet.«

»Nur ganz allgemein.« Er stellte das Glas ab und griff nach seiner Aktentasche. »Ich habe mir überlegt, dass Sie die Krankenakte aus Mexiko interessieren könnte.«

»Durchaus.«

Er nahm das Dossier und gab es mir. Ich schlug es auf und sah Delvert dann an.

»Das ist ja auf Englisch!«

»Was erwarten Sie denn beim Amerikanisch-britischen Hospital? Können Sie den Ärztejargon lesen?«

»Nicht ohne Mühe. Kann ich das bis morgen behalten?«

»Leider nein. Diese Berichte wurden auf inoffiziellem Weg beschafft und sind daher vertraulich.«

Ich gab ihm die Akte wieder.

»Schade.« Er dachte kurz nach. »Aber ich selbst habe alles gründlich gelesen. Vielleicht kann ich ja Ihre berufliche Neugier stillen.«

»Das bezweifle ich.«

»Ich tippe mal. Sie würden gern wissen, ob in den

Untersuchungsergebnissen von einem Sprachfehler die Rede ist.«

Es gelang mir, ruhig zu bleiben. »Gut getippt. Ich nehme an, dass es zu Ihrer normalen Tätigkeit gehört, sich inoffiziell Fotokopien von vertraulichen Patientenunterlagen zu beschaffen.«

Er tat gekränkt. »Da wir uns hier auf DST-Terrain befinden, würde die Beschaffung von Kopien von Krankenakten in die Zuständigkeit von Kommissar Gillons Büro fallen. Trotzdem kann ich Ihre Verärgerung verstehen. Wenn Sie wüssten, wie weit manche unserer ausländischen Kollegen im medizinischen Bereich gehen, wären Sie wirklich entsetzt. Es gibt einen Dienst – der Name tut hier nichts zur Sache –, der dreißig Leute permanent für solche Aufgaben abgestellt hat.«

»Ach ja?«

»Das ist doch verständlich. Überlegen Sie mal. Zwei große Mächte, sagen wir mal, führen entscheidende Verhandlungen in einem ganz sensiblen Bereich – stufenweise Reduzierung konventioneller Truppen oder etwas Ähnliches. Die beiden Staatschefs und ihre wichtigsten Berater sind schon ältere Männer, bei denen der normale Verfallsprozess bereits eingesetzt hat. Und wenn die körperliche Kraft abnimmt, müssen auch seelische Veränderungen eintreten. Das Ausmaß ist bei jedem Menschen anders, aber die Veränderungen finden statt. Wir alle wissen, welche Rolle die Pest im Mittelalter gespielt hat, aber haben Sie mal überlegt, welche Rolle die Arteriosklerose in den letzten fünfzig Jahren gespielt hat?«

»Wer hat das nicht.«

»Also, dann muss Ihnen klar sein, dass zu dem alten Gebot des ›Kenne deinen Feind‹ ein neues hinzukommt – kenne deinen Freund. Und wir beschränken uns auch nicht auf den Zustand der Arterien. Wir müssen den ganzen Menschen sehen.« Als er diesmal sein Glas hob, nahm er tatsächlich einen Schluck – mindestens zwei Kubikzentimeter. »Also, was ist mit Villegas' undeutlicher Aussprache? Haben Sie einen Verdacht? Ob er vielleicht mal einen kleinen Schlaganfall hatte?«

»Ich habe nichts gefunden, was dafür sprechen würde. Da Sie meinen Bericht gelesen haben, wissen Sie ja, dass er an Bluthochdruck leidet, den man therapieren kann und sollte. Wenn er tatsächlich zur Röntgenuntersuchung erscheint, möchte ich noch ein paar andere Routineuntersuchungen durchführen, beispielsweise ein EKG. Aber ich glaube nicht, dass ich wahnsinnig spektakuläre Dinge finden werde. Für sein Alter ist der Zustand seines kardiovaskulären Apparats recht gut.«

»Und was vermuten Sie tatsächlich?«

»Ich bin mir nicht sicher.«

»Tun Sie nicht so geheimnisvoll, ich bitte Sie.«

»Ich tue nicht geheimnisvoll. Ich habe ihn ja nur einmal gesehen, ich meine, als Patienten. Mir ist ein kleiner Sprachfehler aufgefallen, ein Verschleifen von Konsonanten. In Mexiko-City wurde das nicht bemerkt, sagen Sie. Haben Sie den Eindruck, dass man ihn dort gründlich untersucht hat?«

»Jedenfalls so gründlich wie Sie hier, vielleicht noch gründlicher.«

»Und wann war die letzte Untersuchung?«

»Vor zehn Monaten.«

»Dann ist diese Entwicklung relativ neu. Es könnte eine ganze Reihe von Erklärungen dafür geben.«

»Haben Sie ihn daraufhin angesprochen?«

»Nein. Viele Leute haben leichte Sprachfehler, auch Politiker. Ich habe es vermerkt, das ist alles. Dr. Massot anscheinend auch. Er vermutet, dass Villegas vielleicht Alkoholiker ist.«

»Sie nicht?«

»Nein. Ich habe mich allerdings bei Segura erkundigt.«

»Und was hat er gesagt?«

»Dass Villegas nur sehr wenig trinkt. Er meinte auch, dass dieser Sprachfehler darauf zurückzuführen ist, dass der Mann schneller denkt, als er sich ausdrücken kann. Zuerst hielt ich das für eine Lüge. Segura vermutet wahrscheinlich, genau wie Sie, dass Villegas einen leichten Schlaganfall hatte, und will das natürlich vertuschen. Schlecht fürs Image.«

»Aber dass er wenig trinkt, haben Sie ihm abgenommen?«

»Er bestätigte nur den Eindruck, den ich schon hatte. Villegas ist kein Alkoholiker. Ich glaube allerdings, dass er sich Sorgen um seine Gesundheit macht und Hilfe sucht.«

»Ein Hypochonder?«

»Wie ich in meinem Bericht gesagt habe, ist er sich seines Sprachfehlers anscheinend bewusst und will ihn verbergen. Das war jedenfalls mein erster Eindruck. Später schien er mich geradezu darauf aufmerksam machen zu wollen.«

»Wie denn?«

»Villegas ist ein gesprächiger Patient. Er fragt viel, stellt einen auf die Probe oder versucht es zumindest. Das Thema Schlaganfall interessiert ihn.«

»Er glaubt, dass er vielleicht einen hatte, wie Segura annimmt und ich auch. Sie sagen, dass wir falschliegen. Was ist denn nun Ihre Meinung?«

»Sobald mir alle Ergebnisse vorliegen, weiß ich vielleicht mehr. Das ist auch Villegas klar. Sie werden verstehen, dass die Entscheidung, mich zu entlassen, so überraschend kam.«

»Wir wissen ja inzwischen, dass es Onkel Pacos Entscheidung war, nicht die Ihres Patienten. Das muss Ihnen zu denken gegeben haben, Doktor!« Er setzte sein Glas wieder ab. »Es gibt noch eine Frage, die ich Ihnen besser jetzt stelle.« Er sah, dass ich den Mund aufmachte, und hob abwehrend eine Hand. »Nein, kein medizinisches Ratespiel mehr. Es geht einfach um Folgendes. Glauben Sie, dass Villegas an dem Anschlag auf Ihren Vater beteiligt gewesen sein könnte, trotz oder gerade wegen all dieser Beteuerungen, er sei zu der Zeit in New York gewesen? Haben Sie irgendwelche Vermutungen, dunkle Ahnungen?«

Ich hielt ihn hin. »Das sind viele Fragen.«

»Eigentlich nicht.«

»Der Hinweis, dass er zum Zeitpunkt der Ermordung meines Vaters in New York war, wurde mir gegenüber als aufwendige Vernebelungskampagne bezeichnet.«

»Von wem?«

»Elisabeth.«

»Sie haben mit Madame Duplessis darüber gesprochen?« Er war ungehalten.

»Warum nicht? Das ist doch kein Geheimnis? Sie meinte, dass Apis zum Zeitpunkt der Ermordung des Thronfolgers Franz Ferdinand nicht in Sarajevo gewesen sei, aber trotzdem Mitschuld an dem Verbrechen trage.«

»Ich habe Sie nach *Ihrer* Meinung gefragt.«

»Ausgehend von der Annahme, einer wirklich sehr eindrucksvollen und abwegigen Annahme, dass die Verschwörer möglicherweise aus den Reihen der Partei meines Vaters kamen?«

»Ja. Tun wir für einen Moment mal so, als wäre es tatsächlich so gewesen.«

Ich reagierte mit einem Schulterzucken. »Also, ich glaube nicht, dass Manuel Villegas einer dieser fiktiven Verschwörer gewesen war. Möglicherweise – wir spielen noch immer Ihr Tun-wir-mal-so-Spiel – wusste er im Voraus von der Verschwörung. Vielleicht hat man ihn sogar aufgefordert, mitzumachen.«

»Und er hat abgelehnt?«

»Er hat sich überlegt, dass eine dringende Geschäftsreise nach New York ihn der Notwendigkeit entheben würde, sich dafür oder dagegen zu entscheiden. Vielleicht dachte er auch, dass das Attentat scheitern würde, weil das Unternehmen mangelhaft geplant war oder weil jemand zu viel reden würde. In meiner Heimat ist beides denkbar, entweder oder und sowohl als auch. Als der Anschlag gelang, war Villegas irritiert. Er war zu weit weg. Ich habe ihm natürlich geglaubt, als er mir erklärte, dass die Partei, wenn er seinerzeit da gewesen wäre und die Stimme erhoben hätte, die Initiative hätte ergreifen können. Das scheint mir ziemlich realistisch zu sein.«

»Dann halten Sie nichts von der Vernebelungstheorie?«

»Im Gegenteil. Ich glaube, wenn man diesen ganzen Quatsch von wegen Verschwörung in der eigenen Partei akzeptiert, ist sie sehr einleuchtend. Die Überlegung ist ja die, dass die Nebelwand nicht den Täter verbergen, sondern die Aufmerksamkeit von ihm ablenken sollte.«

Delvert starrte mich an. »Onkel Paco?«

»Sie und der Kommissar sagen doch, dass er vom Funktionieren der Nebelwand offenbar nicht überzeugt ist.«

Er griff wieder zu seinem Drink. »Nun ja, mit Paco werden wir schon fertig. Jedenfalls ist er nicht Ihr Patient. Sondern Villegas. Was halten Sie inzwischen von ihm?«

»Ich bin sein Arzt, er mein Patient. Was soll ich von ihm halten?«

Delvert warf mir einen ungnädigen Blick zu. »Mir ist klar, dass Sie Ihren Ruf zu verteidigen haben, aber bitte spielen Sie hier nicht den Ahnungslosen.«

Da ich ihn bloß störrisch ansah, fuhr er fort: »Sie könnten Grund zu der Annahme haben, dass Villegas zwar nicht unmittelbar an der Ermordung Ihres Vaters beteiligt war, von den Verschwörungsplänen aber Kenntnis besaß. Damit wäre er zumindest partiell schuldig. Ich frage Sie, wie sich diese Vermutung auf Ihre Haltung ihm gegenüber auswirkt, diesem Mann, der an der Spitze einer provisorischen Exilregierung steht, die – und ich kenne mich da aus – sehr bald *de facto* und *de jure* die

Regierung in Ihrer Heimat übernehmen könnte. Würden Sie ihn unterstützen oder würden Sie die erstbeste Gelegenheit nutzen, ihn zu erledigen?«

Ich stand auf. »Mein Gott, das ist ja wirklich absurd!«

»Was soll daran absurd sein? Ich kenne viele Ihrer Landsleute, die, nur auf der Grundlage des vagen Verdachts, den Sie jetzt haben, ernsthaft überlegen, wie man Onkel Paco am besten eine Kugel durch den Kopf jagt. Angenommen, es kommen noch andere, zwingendere Verdachtsmomente ans Tageslicht, die in eine kritischere Richtung weisen – was dann?«

Delvert ging mir jetzt wirklich auf die Nerven. »Verdachtsmomente? Sie meinen psychopathische Phantasien. Bevor diese Leute, Mitglieder der Partei meines Vaters, lauthals erklärten, dass sie mit diesem Mord nichts zu tun hätten, wurde diese Idee nur von ein paar Spinnern geäußert. Ich bin immer davon ausgegangen, und das gilt für jeden halbwegs vernünftigen Menschen, dass die Junta hinter der Sache stand. Aus meiner Sicht ist diese Erklärung noch immer die überzeugendste.«

»Bitte, Dr. Castillo.« Er setzte einen Lieber-Gott-gib-mir-Geduld-Blick auf. »Ihre Fähigkeit, sich etwas vorzumachen, mag groß sein, aber so groß ist sie nun auch wieder nicht.«

Ich sagte so höflich es ging: »Ich weiß, dass Sie heute Abend zum Essen verabredet sind. Wollen Sie noch ein Glas, bevor Sie gehen?«

Er sah zu mir hoch. »Ich gehe, wenn ich fertig bin. Ich habe Sie etwas gefragt.«

»Zwei Antworten also. Erstens: Wenn Sie auch nur

den geringsten Zweifel an meiner professionellen Einstellung zu diesem Patienten haben, sollten Sie ihm einen anderen Arzt besorgen. Zweitens: Villegas könnte mit Ihrer Hilfe und Unterstützung tatsächlich die Macht übernehmen. Die gegenwärtige Regierung ist weiß Gott instabil, und wenn sich die CIA an die Politik der Nichteinmischung hält, die sie in Lateinamerika seit neuestem praktiziert oder zumindest verkündet, würde alles relativ glatt laufen. Hier und da vielleicht ein wenig Blutvergießen, einige Hinrichtungen und Foltersitzungen in den Milizkasernen, nichts Gravierendes. Aber wenn Sie glauben, dass ich das Ergebnis durch meine Unterstützung irgendwie beeinflussen könnte, dann sind Sie leider nicht richtig informiert. Ein eventueller Protest oder Widerstand meinerseits hätte übrigens die gleiche Auswirkung – nämlich keine.«

Delvert musterte mich neugierig. »Mir scheint, Sie glauben das tatsächlich.«

»Warum so überrascht? Natürlich glaube ich das. Wenn Sie so viel Erfahrung mit politischer Dummheit und Unfähigkeit gemacht hätten wie ich, würden Sie es auch glauben.«

»Vermutlich. Aber haben Sie schon mal überlegt, dass Urteile, denen das idiotische Verhalten der Florida-Exilanten aus dem Umkreis Ihrer Mutter zugrunde liegt, nicht unbedingt auch anderswo zutreffen müssen? Alle politischen Systeme und Schulen haben ihre verrückten Randfiguren. Würden Sie Ihren Berufsstand verurteilen, nur weil einige Ärzte nach wie vor auf die Homöopathie oder Orgontherapie schwören?«

»Politische Phantasien sind nicht immer so ungefähr-
lich.«

»Einverstanden. Deshalb müssen wir uns an die Rea-
lität halten. Beispielsweise steht fest, dass Sie, wahrscheinlich aus Unwissenheit, völlig unterschätzen, welche Bedeutung der Name und die Person Ihres Vaters
gegenwärtig in Ihrem Heimatland haben. Er ist so etwas
wie ein Volksheld geworden. Es gibt einen Castillo-
Mythos.«

»Das habe ich in Florida auch schon gehört«, erwiderte
ich bissig.

Genauso gut hätte ich schweigen können. »In einigen
Regionen, wo die Legende geradezu Kultstatus hat, wird
die Anfertigung von fotografischen Erinnerungen an
den Helden gewissermaßen in Heimindustrie betrieben.
Ganz erstaunlich. Ich spreche übrigens von den letzten
Jahren. Dieses Phänomen ist nach der Junta aufgekommen und greift noch immer um sich.«

»Ich ahne schon, wo dieser Kult, wie Sie sagen, praktiziert wird. Nämlich in abgelegenen Bergregionen, wo
nur selten ein Priester auftaucht.«

»Würden Sie die Slumviertel der Metropole als abge-
legene Bergregionen bezeichnen? Verstehen Sie nicht?
Sie müssen akzeptieren, dass es einiges in Ihrem Leben
gibt, wovon Sie nichts wissen. Sie mögen sagen, dass es
Ihnen egal ist, dass Sie sich ohnehin nicht sonderlich dafür interessieren. Das würde ich akzeptieren. Wenn Sie
mir aber erklären, dass die Haltung, die der Sohn von
Clemente Castillo in einer revolutionären Situation ein-
nimmt, keinerlei Bedeutung hat, dann muss ich Ihnen

widersprechen. Für ein neues Regime dürfte Ihre Unterstützung beziehungsweise Ihre Nicht-Unterstützung ein wichtiger Faktor sein. Nicht unbedingt von ausschlaggebender Bedeutung, aber zweifellos nicht zu unterschätzen.« Er stand auf. »Denken Sie mal darüber nach.«

»Ich denke lieber über meinen Patienten nach.«

Das war Doktor Frigo in Bestform, und ich wusste es, bevor ich den amüsierten Ausdruck in Delverts Augen sah. Ich bemühte mich, den Eindruck sofort zu zerstreuen. »Das heißt, wenn Villegas noch mein Patient ist. Übrigens könnten Sie mir bei einer bestimmten Sache vielleicht helfen.«

»Inwiefern?«

»Wenn es möglich wäre, hätte ich gern Schriftproben von ihm. Irgendwelche handschriftlichen Dinge, kurze Notizen, sogar Unterschriften, wenn es nichts Längeres gibt.«

»Wozu denn?«

»Um eine vage Hypothese zu prüfen. Ich möchte seine heutige Handschrift mit der vor einem Jahr vergleichen.«

»Möchten Sie mir das nicht wenigstens kurz erklären?«

»Wie gesagt, es ist nur eine vage Hypothese.«

»Na schön. Ich werd sehen, ob ich etwas beschaffen kann.«

»Fotokopien tun's auch.«

»Danke für den Drink.«

Ich brachte ihn hinunter zur Tür. Das mit den Fotokopien bedauerte ich schon. Es war unnötig kleinkariert. Schließlich war Delvert so etwas wie ein Gast gewesen. Ich hatte ein schlechtes Gewissen, kam mir auch ziemlich dumm vor und verstieg mich am Ende zu einer grenzenlosen Albernheit.

Als ich die Haustür öffnete, sagte ich: »Zu meinem Vater. Wissen Sie, er kann unmöglich ein Volksheld sein. Völlig absurd. Er war Anwalt und Politiker.«

Delvert zuckte mit den Schultern. »Von der *Gettysburg Address* waren seinerzeit auch nur die wenigsten angetan. Sehen Sie mal die Wolke dort.«

Er zeigte in den Himmel, schien das Interesse an mir verloren zu haben. Ich sah einen langen schwarzen Wolkenstreifen, dessen Ränder von der untergehenden Sonne in rotes und goldenes Licht getaucht wurden.

»Hübsch«, sagte er und entfernte sich.

Abends

Ich ging wieder nach oben. Delverts Glas war noch zu zwei Dritteln voll. Ich kippte das Zeug in den Ausguss und gab noch etwas Rum zu meinem Drink.

Als ich mich nach einer Weile etwas beruhigt hatte, beschloss ich, im Chez Lafcadio ein frühes Abendessen einzunehmen. Ich wusste, dass Elisabeth und Delvert nicht dorthingehen würden.

Lafcadio Hearn, Schriftsteller im neunzehnten Jahrhundert, ist vor allem für seine idealisierenden Porträts der Japaner und ihrer Kultur bekannt, doch sein bestes Werk ist ein Reisebericht von den Kleinen Antillen. Für eine Erstausgabe von *Two Years in the French West Indies* muss man ziemlich viel Geld bezahlen. Das Haus, in dem Hearn auf Saint-Paul gewohnt haben soll, wird im offiziellen Führer erwähnt. Heute befindet sich dort ein Restaurant, und obwohl die gerahmten Erinnerungen an seinen kurzen Aufenthalt, die die Wände schmücken, vermutlich nicht echt sind, kann man dort ausgezeichnet essen. Bernard, Inhaber und Koch in einer Person, stammt aus dem Périgord.

Um diese Tageszeit hatte ich keine Mühe, einen Tisch zu bekommen. Es gab nur wenig andere Gäste. Ich bestellte Languste Lafcadio und eine Flasche weißen Hermitage, der einem dazu empfohlen wird, und freute mich auf eine ruhige Stunde, als ich Rosier, Elisabeths »Agenten«, von der Bar her näher kommen sah.

Er strahlte mich an. »Dr. Castillo, dacht' ich mir doch, dass Sie es sind. Ich sah Sie durch den Garten eintreten. Wir sind uns am Nachmittag in der Galerie Martens begegnet, erinnern Sie sich?«

Er sprach ein eigentümliches Französisch. Ich nickte nicht besonders freundlich. »Monsieur Rosier, nicht wahr?«

»Bob Rosier, genau. Das ist aber eine angenehme Überraschung!« Er sah das einzelne Gedeck auf dem Tisch, während er mir die Hand gab. »Allein, wie ich sehe? Darf ich mich einen Moment zu Ihnen setzen?«

Er rückte schon einen Stuhl heran. Der Barkellner tauchte mit seinem halb ausgetrunkenen Campari-Soda auf. Wenn meine Anwesenheit den Agenten Rosier überrascht hatte, so erholte er sich erstaunlich schnell.

»Einen Cocktail, Doktor?«

»Nein danke, ich trinke Wein.«

Er entließ den Kellner mit einer schlenkernden Bewegung des Handgelenks und einem Fünf-Franc-Stück.

»Eine Überraschung, wie gesagt, und ein Zufall.« Verwundert schüttelte er den Kopf über diese erstaunliche Fügung des Schicksals. »Ich habe übrigens versucht, Sie zu Hause zu erreichen. So gegen halb sechs. Niemand ist rangegangen.«

»Ich war nicht zu Hause. Hatten Sie Magenschmerzen, Mr. Rosier?«

Er grinste. »Sie haben von der Mayo-Klinik gehört? Hat wohl jeder. Dort hat man mir mal gesagt, dass ich den Magen einer Ziege habe. Nein, Doktor« – er holte seine Brieftasche aus der Gesäßtasche, nahm eine Visitenkarte und legte sie neben meinen Teller – »nur eine kleine geschäftliche Sache.«

Auf der Karte stand: Robert L. Rosier, Schadenssachverständiger, ATP-Globe Insurance Inc., Montreal. Anschrift: ATP-Globe Building. Darunter standen eine Telegrammadresse und mehrere Telefon- und Telexnummern.

»Sind Sie Kanadier, Mr. Rosier?«

»Meine Mutter war Kanadierin.«

Daher also der Akzent. Kein Wort darüber, welcher Nationalität sein Vater oder er selbst war. Ganz bewusst nicht? Möglicherweise CIA – war Elisabeths Diagnose gewesen. Nun ja ... testen wir mal sein Spanisch.

»*Como podria ayudarlo?*«, fragte ich.

»*Prefiere hablar en español?*«, fragte er mit mexikanischem Akzent zurück.

»Mein Vater war Anwalt. Von ihm habe ich gelernt, über Geschäfte immer nur in meiner Muttersprache zu sprechen. Sie sagten, Sie hätten etwas Geschäftliches mit mir zu besprechen?«

»Ja.«

In diesem Moment kam meine Languste, heiß und köstlich.

»Riecht gut«, sagte er.

»Stimmt.«

»Haben Sie was dagegen, wenn ich mir auch etwas bestelle?«

»Nein, nein.«

Da er ohnehin schon saß, wäre ich ihn nur mit einem unhöflichen »Ja« und mit Bernards Hilfe losgeworden. Außerdem war ich neugierig. Wenn er ein Agent war – und obschon Elisabeths Einschätzungen von Freunden und Bekannten meist sehr abenteuerlich sind, hat sie bei Fremden doch ein gutes Gespür –, wäre es interessant herauszufinden, was er von mir wollte, und zu beobachten, wie er dabei vorging.

Jedenfalls wartete er mein Einverständnis gar nicht erst ab. Fast im selben Moment bestellte er ebenfalls Languste Lafcadio, dazu jedoch den grauenhaften Languedoc statt des Hermitage. Wenn er in Wahrheit doch kein Agent war, überlegte ich, sondern tatsächlich ein frankokanadischer Versicherungsmensch, der mir eine »maßgeschneiderte Police für den jungen, erfolgreichen Arzt« aufschwatzen wollte – so etwas hatte ich schon einmal erlebt –, dann musste ich mich auf eine langweilige Stunde gefasst machen.

»Sie glauben sicher«, sagte er, »dass ich Ihnen eine Versicherung verkaufen will.«

»Stimmt.«

Traurig schüttelte er den Kopf. »Das haben wir uns selbst zuzuschreiben. Zu viele aggressive Topverkäufer, die die letztjährigen Rekordzahlen überbieten müssen. Auf meiner Karte da steht, dass ich Schadenssachverständiger bin. Das nehmen Sie mir natürlich nicht ab. Da Sie schon einmal schlechte Erfahrungen gemacht haben, sehen Sie darin nur eine Taktik, wie ich verhindere, dass Sie mir die Tür vor der Nase zuknallen, bevor ich Ihnen mein Angebot unterbreiten kann.«

»Schon möglich.«

»Es ist immer dasselbe, und nicht nur im Versicherungsbereich. Die Verkäufer geben sich klangvolle Titel – Kundendienstkoordinator, Leiter des Schadenschnelldienstes, Generalrevisor. Wenn sie nämlich von vornherein sagen, was sie tatsächlich sind, können sie einpacken, bevor sie überhaupt angefangen haben.«

Wenn er tatsächlich ein Agent war, der sich als Versicherungsvertreter ausgab, dachte ich, dann besaß er zweifellos Humor. Ich überlegte kurz, ob ich ihn zur Rede stellen sollte. Was immer er in Wirklichkeit war, er würde die beleidigte Leberwurst spielen und mich mit Beglaubigungsschreiben überschütten. Er würde mir den Abend vermiesen, und dazu wollte ich ihm keine Gelegenheit bieten. Also nickte ich und begann zu essen.

»Verstehen Sie etwas von Versicherungen?«, fragte er. »Ich meine den mathematisch-statistischen Aspekt?«

»Was man halt so weiß. Versicherungen sind ein Glücksspiel. Jemand muss die Risiken berechnen. Beim Pferderennen sind das die Buchmacher. Bei Versicherungsfirmen sind es die Statistiker, und der Einsatz heißt Prämie.«

»Na ja« – er grinste nachsichtig –, »so kann man es auch sehen.«

Sein Wein kam. Nachdem er davon gekostet hatte, nahm er den Angriff wieder auf. »Also gut, reden wir über Glücksspiel und Risiken. Beispiel: Jemand schenkt seiner Frau einen Pelzmantel im Wert von zehntausend Dollar. Über den Wert ist man sich einig. Was sind die Verlustrisiken? Kommt darauf an. In erster Linie Diebstahl, Feuer und sagen wir mal versehentliche Beschädigung. Aber wie groß sind die Risiken? Wie oft ist in der Wohnung der Leute schon eingebrochen worden? Sind die beiden viel auf Reisen? Im Ausland? Nimmt sie den Mantel mit? Ist er im Sommer in einem Safe? Und so weiter. Okay, wir haben die statistischen Daten über Pelzmantelrisiken, an denen wir uns orientieren. Aber sie beantworten unsere Frage nicht ganz. Dieser Mann, der mit seiner Frau einen ganz bestimmten Lebensstil führt, möchte eine Wette darüber abschließen, dass sie dieses Zehntausenddollarobjekt nicht verliert. Wie hoch soll sein Einsatz sein? Jemand wie ich schaut sich die Sache an und denkt sich eine Zahl aus und hofft, dass er richtigliegt.«

Er sprach noch immer spanisch, das inzwischen aber schon durchsetzt war mit englischen Fachbegriffen.

»Sie wissen bestimmt viel über Pelzmäntel«, sagte ich.

»Ich? Überhaupt nicht. Es war ja nur ein Beispiel.« Er trank von seinem Wein. »Ich bin Kalkulator. Ich kalkuliere. Aber das Objekt, mit dem ich es zu tun habe, ist das Leben.«

»Dann wissen Sie bestimmt viel über das Leben.«

Er guckte bescheiden. »Eigentlich mehr über diese andere Sache.«

Seine Languste kam. Er studierte sie, zweifellos mit dem Blick des Schadenssachverständigen, und machte sich dann mit einer Sorgfalt ans Werk, als wäre sie ein Fisch, der wegen seiner vielen kleinen Gräten eigentlich hätte filetiert werden müssen. Und während er sich langsam weiterarbeitete und vor jedem Bissen misstrauisch die Sauce studierte, hielt er mir einen kleinen Vortrag über Lebensversicherungen.

»Das Leben ist kein Pelzmantel«, erklärte er. »Bei Pelzmänteln kann man den Wert genau bestimmen, jedenfalls ein erfahrener Gutachter. Beim Leben gibt es kein oberes Limit. Ein Ehemann schließt eine Lebensversicherung für sich ab, sagen wir zugunsten seiner Frau. Über welche Summe er abschließt, hängt davon ab, wie viel er verdient, tatsächlich oder potenziell, wie viel Steuern er bezahlt, wie viele Kinder oder andere unterhaltspflichtige Personen die beiden haben, und vielleicht auch, wie viel oder wie wenig ihm seine Frau bedeutet. Wir haben es mit vielen Variablen zu tun, aber solange unser Vertrauensarzt ihm anstandslos ein Gesundheitsattest ausstellt und er in seiner Freizeit nicht Fallschirmspringen betreibt oder Ähnliches, kann er mehr oder weniger über jede Summe abschließen, für die er zu zahlen bereit ist. Die Lebenserwartungstabellen sind ziemlich präzise. Diese spezielle Versicherung ist kein Problem.«

»In diesem Fall werden Sie nicht gebraucht.«

»Genau.« Er schien etwas überrascht, dass er so schnell

verstanden wurde. »Meine Probleme fangen außerhalb der Familie an, außerhalb des häuslichen Bereichs. Man sagt ja, dass im Geschäftsleben niemand unersetzlich ist. Nun ja, mag sein. Aber nehmen Sie einen großen Elektronikkonzern, der viel Geld in die Entwicklung neuer, winzig kleiner Schaltkreise steckt. Der Abteilungsleiter dürfte ein ganz besonderer Typ sein. Zehn zu eins, dass man ihn ohnehin von der Konkurrenz abwerben musste. Wie auch immer, in ihn und sein Projekt hat man viel Geld der Aktionäre investiert. Er wird von einem betrunkenen Autofahrer erwischt, der bei Rot über die Kreuzung brettert, und stirbt. Die Witwe kriegt seine Lebensversicherung und vielleicht etwas Geld von der Versicherung des Autofahrers. Und der Konzern? Der hat ein Riesenproblem. Niemand ist unersetzlich, aber plötzlich, nur wegen eines blödsinnigen Unfalls, auf einen Topmann verzichten zu müssen kostet viel Geld. Also, wenn der Konzern vernünftig ist, wird er sich gegen das Risiko absichern. In manchen Situationen, ob vernünftig oder nicht, müssen Sie einfach eine Versicherung abschließen. Zum Beispiel ein Filmproduzent. Er nimmt bei einer Bank einen Kredit über drei Millionen Dollar auf, um einen Film zu machen. Dazu muss er einen Star auftreiben, der den Erfolg garantiert. Was passiert, wenn dieser Star mitten bei den Dreharbeiten von einem Gerüst fällt und sich alle Knochen bricht? Verliert die Bank ihr Geld? Nein, denn der Kreditvertrag sieht vor, dass der Star versichert sein muss. Keine Versicherung, kein Kredit.«

»Und die statistischen Tabellen? Gelten die nicht für

den Mann in der Forschungsabteilung oder den Filmstar wie für jeden anderen auch?«

»Nicht ganz. Erstens hat man es fast immer mit großen Summen zu tun, Millionenbeträgen. Zweitens zahlt der Betreffende die Prämien nicht selbst. Drittens, und das ist das Wichtigste, geht das Geld im Schadensfall nicht an Familienangehörige, sondern an eine Firma.«

»Sie meinen, es gibt Spielraum für Mauscheleien?«

»Den gibt es ja immer, nicht wahr. Ich meine, in manchen Fällen ist die Versuchung einfach zu groß. Jemand, der nicht im Traum daran denken würde, bei der Antragstellung falsche Angaben zu machen, weil seine Police dann ungültig wäre und seine Familie nicht in den Genuss des Geldes käme, findet nichts dabei, seine Firma zu schädigen, weil er ohnehin nicht mehr da wäre, um die Konsequenzen zu tragen. Entgegen der landläufigen Meinung macht es Versicherungsgesellschaften wie der ATP-Globe keinen großen Spaß, Leistungsansprüche anzufechten. So etwas ist schlecht fürs Geschäft, es ist aufwendig und kostet viel Geld. Also, bevor wir diese Art Deckung übernehmen, müssen wir uns genau über die Risiken informieren. Über alle Risiken. Okay, der Mann aus der Forschungsabteilung bekommt sein ärztliches Attest, aber was, wenn er anfängt, selber bei Rot über die Kreuzung zu fahren? Vielleicht sagt er sich, dass die ganzen Strafzettel, die er bekommen hat, aus einem anderen Bundesstaat sind, sodass sie nicht zählen, wenn er die Fragen über seine Fahrpraxis hier und jetzt beantworten muss. Und was diesen Filmstar betrifft – woher wollen Sie wissen, dass er nicht Aufputschmittel nimmt? Natürlich nicht am Tag der Untersuchung, er ist ja nicht blöd. Aber wie stellt man das fest? Man überprüft ihn.«

»Das klingt eher nach Detektivarbeit als nach Statistik.«

Ich hatte mir überlegt, dass ihn diese spöttische Bemerkung ärgern würde. So war es auch, doch nun, da er im Begriff war, zur Sache zu kommen, bemühte er sich, seine Irritation hinter weiteren rhetorischen Fragen zu verbergen.

»Sind nicht alle Nachforschungen Detektivarbeit? Ist eine Untersuchung über die mögliche Beziehung zwischen Virusinfektionen und Krebs nicht ein kriminalistischer Prozess?« Er legte seine Gabel beiseite. »Ist nicht jedes Urteil, das auf Informationen beruht, im Grunde eine Art Kalkulation?«

»Vermutlich haben Sie recht, Señor Rosier. Ist es denn so wichtig, wie Sie es bezeichnen?«

Er schluckte seine Verärgerung mit dem Essen hinunter, das noch unzerkaut in seinem Mund war, und schob seinen Teller weg. »Zu viel Estragon in der Sauce, für meinen Geschmack«, sagte er verdrossen.

»Aber Sie sind doch nicht nach Saint-Paul gekommen, um die Saucen zu prüfen. Was führt Sie hierher, Señor Rosier?«

Er wischte sich den Mund ab, trank einen Schluck Wein und zündete sich eine Zigarette an. »Uns liegt der Antrag eines internationalen Konzerns auf Abschluss einer Lebensversicherung für einen gewissen Manuel Villegas oder Manuel Villegas Lopez vor, Wert fünfzig

Millionen Dollar.« Er warf mir einen raschen Blick zu. »Überrascht?«

In der Tat. Ich weiß nicht genau, was ich erwartet hatte, aber das jedenfalls nicht. Ich zuckte mit den Schultern.

»Das ist wirklich eine stolze Summe. Welches Angebot werden Sie diesem Konzern unterbreiten?«

»Das kommt darauf an, wie wir das Risiko einschätzen. Und, wie gesagt, dafür brauchen wir Informationen. Und wir glauben, dass Sie uns genau dabei helfen können.«

»Ich?«

»Nun ja, Sie sind doch sein Arzt, richtig?«

»Er ist seit drei, vier Tagen mein Patient, ja. Aber ich weiß nicht ...«

»Es spricht sich herum.«

»Sicher, aber was ich sagen wollte: Mir ist nicht klar, wie ich Ihnen helfen kann.«

»Ich bitte Sie, Doktor!«

Ich trank einen Schluck Wein, bevor ich antwortete. Auch ich war inzwischen ziemlich sauer, und Doktor Frigo schickte sich wieder an, auf sein hohes Ross zu klettern, aber ich hatte den Eindruck, dass Rosier mit Entrüstung rechnete und darauf eingestellt war. Also versuchte ich es mit mildem Sarkasmus.

»Wenn Sie, wie Sie selber sagen, mit Lebensversicherungen zu tun haben, muss Ihnen dieses Problem doch vertraut sein.«

Er grinste. »Welches Problem?«

»Dass Ärzte nicht über ihre Patienten sprechen.«

»Unsere Vorstellung ist die, dass Sie zur Firma gehören sollten. Nein, lassen Sie mich ausreden. Ich spreche davon, dass Sie von ATP-Globe zum Vertrauensarzt ernannt werden sollten. Alles streng vertraulich und in keiner Weise gegen Ihr Berufsethos. Gibt es irgendein französisches Gesetz oder eine Klausel in Ihrem Arbeitsvertrag mit dem Krankenhaus, wonach eine solche Nebentätigkeit verboten wäre? Wenn Sie es nicht genau wissen – ich kann es Ihnen sagen: Nein. Das Honorar beträgt übrigens fünftausend kanadische Dollar.«

Ein neuer Fotoapparat *und* der Simca.

»Nicht übel«, sagte ich. »Es gibt nur ein Problem, das Ihrer Aufmerksamkeit offenbar entgangen ist. Wenn jemand vom Vertrauensarzt der Versicherung untersucht wird, weiß er doch schon vorher, welchem Zweck die Untersuchung dient und welches Interesse der Arzt verfolgt.«

»Wo ist das Problem? Ich habe doch nicht gesagt, dass Sie Ihr Interesse verhehlen sollen, oder? Natürlich weiß der Betreffende Bescheid. Wir Versicherer haben auch unser Berufsethos, ob Sie's glauben oder nicht. Man kann ohne Wissen des Betreffenden keine Lebensversicherung für ihn abschließen. In vielen Ländern ist das sogar verboten. Ich weiß zum Beispiel von einem Mann, der am Flughafen eine Reiseunfallversicherung für seine Frau abschloss und dann das Flugzeug, in dem sie saß, in die Luft jagte, aber solche Dinge kommen nicht mehr vor, glauben Sie mir. Jedenfalls, wenn eine Firma jemanden versichern will, der nicht einmal ihr Mitarbeiter ist, dann besteht keine Chance, dass er davon nicht erfährt.«

Langsam blickte ich nicht mehr durch. »Sie erwarten tatsächlich, dass ich Señor Villegas darüber informiere, dass ATP-Globe mir fünftausend Dollar für ein ärztliches Gutachten zahlt, damit ein unbekanntes Unternehmen eine Versicherung über fünfzig Millionen Dollar für ihn abschließen kann?«

»Nein, nein. Natürlich würden wir ihn offiziell davon in Kenntnis setzen und um seine Einwilligung in der gesetzlich vorgeschriebenen Form bitten. Wir sind doch nicht verrückt. Und Señor Villegas ist es unseres Wissens auch nicht. Vielleicht kommen Sie diesbezüglich zu einer anderen Meinung. Eine altersbedingte Psychose etwa würde die Prämie ziemlich in die Höhe treiben. Ich gehe aber davon aus, dass insoweit alles in Ordnung ist, und vermute, dass Sie Villegas ausgesprochen kooperationswillig finden werden. Warum sollte er einen fremden Arzt aufsuchen, wenn wir das Gutachten seines Leibarztes akzeptieren? Dass es Unternehmer gibt, für die sein Wohlergehen von allergrößter Bedeutung ist, wird ihn nicht überraschen. Glauben Sie mir.«

»Kein bisschen?«

Rosier lachte leise. »Er wird Ihnen sogar den Namen des Unternehmens nennen, bevor er unsere offizielle Mitteilung erhält. Sie haben es hier mit intelligenten, nüchternen Männern zu tun, Doktor!«

»Vermutlich ein Mitglied des Coraza-Konsortiums.«

»Wer sonst? Sie haben auch bestimmt schon erraten, wer. Na ja, kein Wunder. Der einzige Sohn von Clemente Castillo ist natürlich im Bilde, zumal er, welch merkwürdiger Zufall, auch der Leibarzt des künftigen Regierungschefs ist. Das muss doch alles sehr ermutigend für Sie sein.«

Ich tat, als hätte ich den Mund voll und könnte daher nicht antworten. Meine erhobenen Augenbrauen genügten ihm als Aufmunterung, fortzufahren.

»Nach so vielen Jahren der Männer in Florida, ich meine, der Träumer in Miami. Diese neue Methode ist wirklich nicht zu verachten.«

»Welche Methode, Señor Rosier?«

»Einen Putsch durchzuführen, natürlich.« Er lachte unbeschwert. »Nein, wir müssen nicht aufpassen. Wir wissen alles über den Plan Polymer. Der Staatsstreich neuen Stils, rationalisierte Buchführung, hat es jemand mal genannt. Der Deal wird im Voraus arrangiert – symbolische Demonstration von Stärke, minimale Gewaltanwendung, maximale Höflichkeit, keine Schikanen, ein Flugzeug zum selbst gewählten Bestimmungsort – nirgendwo eine Überraschung, denn Überraschungen bedeuten schlechte Planung. Richtig? Allerdings finde ich Polymer nicht gerade eine glückliche Bezeichnung, aber schließlich bin ich kein Experte. Diese Burschen verwenden gern naturwissenschaftliche Analogien, selbst wenn sie im Grunde nicht stimmen.«

Da ich wirklich nicht wusste, wovon er sprach, antwortete ich ganz vorsichtig.

»Welche Bezeichnung würden Sie denn wählen?«

»Operation Fait accompli.« Er lachte. »Brutal, aber treffend. Na ja, er ist nicht gerade neu. Nichts ist neu. Sie haben bestimmt Ihre Geschichtsbücher gelesen. Erinnern Sie sich an das Telegramm, das die Generäle an Mussolini schickten, vor dem berühmten Marsch auf Rom? *Kommen Sie. Das Essen ist fertig. Der Tisch ist gedeckt. Sie müssen nur noch Platz nehmen.* So macht man einen Staatsstreich. Kommen Sie und greifen Sie zu! All die Straßenkämpfe, die die Schwarzhemden später geführt haben, waren im Grunde irrelevant.«

»Außer für die Toten.«

»Stimmt. Je mehr Blutvergießen, desto mehr Empörung. Ein paar Palastwachen, die man nicht rechtzeitig eingeweiht hat, okay. Der stellvertretende Polizeichef, den ohnehin niemand leiden konnte, auch okay. Aber damit hat es sich. Wenn irgend möglich, unblutig. Weitestgehend unblutig tut's auch. Für die Medien ist das akzeptabel. Immer vorausgesetzt natürlich, der Zeitpunkt ist richtig gewählt.«

»Ja, ja, der richtige Zeitpunkt.«

»Ihre Freunde, die Franzosen«, hob er an und verstummte sofort wieder, offenkundig, um noch einmal neu anzusetzen.

Seine Formulierung fiel mir aber auf. Sie wird mir langsam vertraut. »Mein Onkel Paco« und »Meine Freunde, die Franzosen« zählen zu meinen Kontakten, die inzwischen als unerwünscht gelten. Es riecht stark nach Sippenhaft.

»Ich werde ganz offen zu Ihnen sein«, fuhr Rosier nach einer längeren Pause fort.

Ich wartete geduldig auf die Lügen, die so oft mit diesen Worten eingeleitet werden. Und während Rosier sich immer wieder über Wangen und Kinn strich, kamen sie zögernd daher, unfreiwillige Geständnisse einer schwachen Psyche.

»Sie müssen wissen«, sagte er, »dass unsere Klienten

bestimmte Probleme mit diesem Deal haben. Es gibt dieses Coraza-Ölfeld, okay ... es ist seit langem bekannt, aber niemand hat sich groß dafür interessiert. Investitionen sind viel zu teuer. Dann spielt die OPEC verrückt, und Coraza erscheint wirtschaftlich sinnvoll. Nach wie vor ist viel Kapital notwendig, also gründet man ein Konsortium, um die Lasten zu verteilen. Problem Nummer eins. Die Regierung, mit der man verhandelt, ist, vorsichtig ausgedrückt, instabil. Gut, also bringt man eine neue Regierung rein, bevor man eine Situation wie in Chile hat oder die kubanischen Berater eintreffen. Ein Vorgehen wie in Guatemala scheidet natürlich aus.«

»Warum natürlich?«

»Mein Gott!«, rief er unwirsch. »Was für eine Frage! Wollen Sie ein mittelamerikanisches Watergate?«

»Ich habe nur gefragt.«

»Vergessen Sie's. Heute ist wieder echte Selbstbestimmung angesagt. Taten, nicht bloß Worte. Da wir wissen, dass Veränderungen absolut notwendig sind, einigen wir uns mit denjenigen, die dazu in der Lage sind, und wenn das bedeutet, sich mit der Linken zu arrangieren, auch gut. Wir reiben uns die Gänsehaut, lächeln und atmen ein paarmal tief durch. Aber es gibt noch ein zweites Problem.«

Er schenkte sich den restlichen Wein ein. »Die Veränderungen sind das eine. Etwas ganz anderes ist es, wenn meine Klienten dabei ein gehöriges Stück ihres Vermögens verlieren. Das passt ihnen nämlich nicht.«

»Glaub ich gern.«

»Also haben wir es hier mit zwei Risiken zu tun. Beide

erstrecken sich über neunzig Tage. Das erste kann jederzeit beginnen, wie Sie wissen.«

»Nein, das weiß ich nicht, Señor Rosier.«

»Ach, kommen Sie, Doktor! Um den ersten Juni herum besteigt Ihr Patient, unser guter Freund Villegas eine Maschine und fliegt ab. Für mich steht fest, dass Sie bei ihm sind und Puls und Blutdruck kontrollieren. Richtig?«

»Falsch.«

»Meinetwegen. Der Punkt ist, dass in diesem Moment das Risiko beginnt und ständig wächst. Angenommen, der Putsch wurde sorgfältig und von fähigen Leuten geplant, angenommen, bekannte Oppositionelle wurden neutralisiert, angenommen, seine Verbündeten und die Vorausabteilungen haben loyal und gut gearbeitet – all das vorausgesetzt, nimmt das Risiko trotzdem zu. Unter den Menschenmassen, die den Befreier mit Blumen empfangen, gibt es einen Verrückten mit einer Handgranate. Wo ein Staatsstreich stattfindet, gibt es auch einen Gegencoup. Die Konsolidierungsphase kommt nicht recht vom Fleck, es gibt die eine oder andere falsche Maßnahme, und am Ende haben wir den Schlamassel. Das ist das größte Risiko. Aber sagen wir, dass wir so viel wissen, dass wir es einschätzen und versichern können, okay?«

»Wenn Sie meinen.«

»Aber was ist mit dem zweiten Risiko? Ebenfalls neunzig Tage, schätzen wir, es fängt aber erst später an, in Phase drei. Genauer gesagt, unmittelbar nach der diplomatischen Anerkennung des Regimes der Demokratisch-Sozialistischen Partei und der Bekanntgabe der Gründung der neuen staatlichen Rohstoffbehörde. Es folgt die Aufkündigung der bestehenden Coraza-Konzession, und es beginnen freundschaftliche Gespräche mit dem Konsortium. Natürlich mit dem Ziel, eine neue Vereinbarung zu schließen, eine bessere, freundlichere, gerechtere Beziehung zwischen der sozialistischen Regierung und den ausländischen Förderfirmen herzustellen. Das ist der Moment, in dem für meine Klienten die Gefahr besteht, über den Tisch gezogen zu werden.«

»Kann man sich dagegen versichern lassen?«

»Selbstverständlich. Man kann sich gegen alles versichern lassen. In solchen Fällen greift man auf eine bewährte Methode zurück. Man ›streut‹ die Prämie.«

»Sie meinen, man schützt sich vor Verlust?«

»Nein, das meine ich nicht.«

Seine Stimme hatte auf einmal beiläufig, fast gelangweilt geklungen, und in seinen Augen war ein abwesender Ausdruck. Da ich bislang noch nie bestochen und auch noch gebeten worden war, bei der Bestechung einer anderen Person zu vermitteln, erkannte ich nicht sofort die typischen Hinweise, dass es hier entweder um die eine oder um beide Möglichkeiten ging.

»Dann müssen Sie's mir erklären«, sagte ich.

Der beiläufige Tonfall verschwand ebenso plötzlich, wie er aufgetreten war. Rosier schlug so heftig mit der Hand auf den Tisch, dass das Geschirr klapperte. »Mein Gott«, brach es aus ihm heraus, doch da besann er sich schon und holte tief Luft, als wollte er seine Verzweiflung über so viel Dummheit runterschlucken.

Noch so ein charakteristischer Hinweis, wie mir scheint. Interessent zeigt die Zähne und knurrt. Jeder ablehnenden Reaktion der Zielperson kommt er zuvor, indem er sie ins Unrecht setzt. Präventiver Wutanfall, könnte man das wohl nennen.

Rosier zwang sich erkennbar zur Ruhe. »Also, Schritt für Schritt«, sagte er und trommelte mit dem Fingernagel gegen das Weinglas. »Kennen Sie El Lobo?«

»Natürlich.«

El Lobo ist der Deckname, zumindest für Propagandazwecke, von Edgardo Canales, dem Anführer der Stadtguerilla, die durch ihre Aktionen in der jüngsten Zeit so nachdrücklich auf die Korruptheit und Unfähigkeit der Oligarchie und ihrer Handlanger hingewiesen hat. Sechs Entführungen in sechs Wochen – wobei zwei der Geiseln, deren Firmen oder Familien jede Lösegeldzahlung verweigert hatten, ermordet und kaltblütig vor den Toren der Milizkaserne abgeladen wurden – können nicht einmal die gleichgeschalteten Medien vertuschen. Die offizielle Behauptung, dass diese Verbrechen im Namen der demokratischen Sozialisten begangen wurden und dass El Lobos – erklärtermaßen marxistisch-leninistische – Guerillatruppe den Anweisungen der Partei folge, sind von Villegas nie eindeutig dementiert worden. Immer wieder verkündet er feierlich, dass seine Partei dem Frieden verpflichtet sei, und wenn einige jüngere Mitglieder zu Verzweiflungstaten getrieben würden, so liege die Verantwortung dafür bei denjenigen, die diese Verzweiflung produzierten.

»Dieser El Lobo könnte aus beruflicher Sicht für Sie interessant sein.« Rosier schnipste ungeduldig nach dem Sommelier, der zu Recht keine Notiz von ihm nahm.

»Das heißt, wenn Sie sich für Psychopathen interessieren«, fügte er hinzu.

»Nicht der Fall.«

»Möglicherweise werden Sie sich für ihn interessieren müssen. Ihr Patient Villegas wird gewiss nicht umhinkönnen, wenn er Präsident ist.«

»Falls er Präsident wird.«

»Oh, das wird er schon schaffen.« Rosier schnipste wieder mit den Fingern. Diesmal war der Sommelier zu nahe, als dass er den Mann hätte ignorieren können. Rosier bestellte zwei Brandys.

Er zündete sich wieder eine Zigarette an und hustete. »In der richtigen Situation«, fuhr er fort, als der Anfall vorüber war, »unter den richtigen Bedingungen – die Bevölkerung wirtschaftlich rückständig, die politische Macht in der Hand einiger weniger, kein Risiko, dass eine Großmacht interveniert, die Streitkräfte unzufrieden, der Beamtenapparat apathisch, und eine Hand voll disziplinierter militanter Aktivisten, die die Oberschicht in Angst und Schrecken versetzen – in einer solchen Situation ist ein Staatsstreich kinderleicht. Einverstanden?«

»Wahrscheinlich.«

»Ja. Aber was passiert, wenn die neuen Leute, die die Macht übernommen haben, die letzten Jahre im Exil gelebt haben? Ich sage Ihnen, was passiert. Sobald sich der anfängliche Jubel über die Befreiung gelegt hat, setzt bei den Leuten, die nicht im Exil waren, ein Prozess des Nachdenkens ein. Sie sehen genauer hin. Vor allem die Militanten sehen ganz genau hin, die Untergrundkämpfer, diejenigen, die den Putsch möglich gemacht haben oder es sich zumindest einbilden. In unserem Fall also El Lobo und all die jungen Leute, die intelligenten, entschlossenen, die er an der Universität rekrutiert hat. Wie werden sie wohl reagieren, wenn sie ihre Befreier wie Paco Segura sehen? Okay, Sie brauchen nicht zu antworten.«

»Hatte ich auch nicht vor.«

»Gut. Wir beide kennen die Antwort. Der Untergrundkampf prägt die Gewohnheiten. Dasselbe gilt für Entführungen und Attentate. Der neue Präsident wird zuallererst ein Problem mit seinen Verbündeten haben. Zum Beispiel El Lobo. Wie belohnt er ihn? Macht er ihn zum Chef der Polizei oder des Geheimdienstes? Ausgeschlossen. Die hohen Militärs, die sich bei seiner Machtübernahme still verhielten, müssen versorgt werden. Außerdem ist ein wirklich fähiger Geheimdienstchef viel zu gefährlich. Er könnte bald einen Gegenputsch organisieren. Was bleibt also? Vetternwirtschaft der anderen Sorte. Geben Sie ihm einen Posten, auf dem er reich werden kann.«

»Wenn er mitmacht.«

»El Lobo ist kein Idealist, was immer er seinen begeisterten Anhängern auch erzählen mag. Schnelle Autos, Segeljachten, elegante Freunde und Mädchen. Solche Sachen, dafür schwärmt er.«

Ich war neugierig. »Und die wirklich überzeugten Marxisten-Leninisten unter seinen Anhängern? Sie sagen, es sind intelligente junge Leute. Sie können doch nicht alle korrupt sein.«

»Nicht alle gleich, nein. Einige würden sich die Hand abhacken lassen für den Vorsitz eines Parlamentsausschusses. Das bedeutet Macht, zumindest bilden sie es sich ein.«

»Für *intelligente* junge Männer?«

»Heutzutage natürlich auch Frauen. Glauben Sie mir, jeder Typus ist irgendwie käuflich. Das Problem ist nur, dass das Geld kostet, und das wird das Grundproblem Ihres Patienten sein.«

»Ich dachte, Geld ist das Geringste.«

»Ich spreche von Geld, das er selbst kontrolliert, er ganz allein. Ich kann mir nicht vorstellen, dass die Leute in Paris auf diesem Gebiet besonders hilfreich sind, was meinen Sie? Sie werden auf jeden Sou aufpassen und ihn an der kurzen Leine halten. Was er braucht, sind Verbündete, die seine speziellen Probleme verstehen und bereit sind, ihm bei der Lösung zu helfen. Und wenn ich sage helfen, meine ich nicht mit Verständnis. Sondern mit Geld, bar auf die Hand.«

»Ich bin sein Arzt, Señor, nicht sein Finanzberater.«

»Sie sind der Sohn seines alten Freundes und Parteichefs, stimmt's? Selber mit ihm befreundet? Was spricht dagegen, wenn ein Freund ihm erzählt, dass meine Kunden schon einen Fünf-Millionen-Dollar-Scheck für den privaten Förderfonds des Präsidenten Villegas bereitgestellt haben? Ich könnte mir denken, dass er diese Mitteilung ganz gern hört.«

»Das verstehen Sie also unter ›Prämienstreuung‹?«

»Ja.«

Ich hätte wohl entrüstet reagieren sollen, tat aber

nichts dergleichen. Wie gesagt, mit Bestechung hatte ich noch nie zu tun gehabt. Einer meiner Klinikkollegen wurde im letzten Jahr von venezolanischen Drogenhändlern angesprochen, die sich Narkotika beschaffen wollten. Die Polizei stellte Fallen, es kam zu Festnahmen, und die Zeitungen der Insel machten großen Wirbel, aber damit hatte es sich. Der betreffende Kollege fand die Sache wohl eher amüsant. Ich an seiner Stelle hätte wahrscheinlich ähnlich reagiert. Doch jetzt, im Chez Lafcadio, während Rosier beiläufig erklärte, dass er mit meiner Hilfe Villegas für fünf Millionen Dollar einkaufen wollte, fühlte ich mich ziemlich unwohl in meiner Haut. Dazu kam, plötzlich und offensichtlich psychisch bedingt, das dringende Bedürfnis, meine Blase zu entleeren. Ich unterdrückte es so gut ich konnte und rief nach der Rechnung.

Rosier sah mich erstaunt an.

»Wird Zeit, dass ich gehe«, sagte ich.

»Aber ich habe gerade zwei Brandys bestellt.«

»Müssen Sie ohne mich trinken, tut mir leid.«

Er sah mich scharf an. »Wir haben etwas zu bereden, Geschäftliches. Ich habe Ihnen einen Vorschlag gemacht, erinnern Sie sich?«

»Vertrauensarzt von ATP-Globe auf Saint-Paul?«

»Das auch natürlich, als offizieller erster Schritt.«

»Ohne mich, Señor Rosier. Ich empfehle Ihnen dringend Dr. Massot. Er hat hier eine Praxis.«

Er fing an zu protestieren. »Doktor, wenn ich Ihnen auf den Schlips getreten bin ...«

»Nein, nein. Und Dr. Massot hat aus Ihrer Sicht noch

eine zusätzliche Qualifikation. Er kann Señor Villegas nicht leiden. Für Gutachterzwecke könnte das ausschlaggebend sein. Dr. Massot würde Ihnen eine streng objektive Einschätzung liefern.«

Meine Rechnung kam. Ich hatte das Geld schon parat. Ich legte es auf den Tisch und stand auf.

»Er könnte dem Patienten auch Ihr anderes Angebot übermitteln. Wahrscheinlich würde er diskreter vorgehen als ich.«

Ich hatte noch weiteren Protest erwartet. Doch Rosier protestierte nicht. Er grinste, was mich irritierte.

»Doktor Frigo ist wieder unterwegs«, sagte er auf Englisch.

»Pardon?«

»Wir sehen uns, Doc!« Er grinste noch immer.

Ich ging hinaus.

Auf dem Nachhauseweg beschloss ich, Gillon anzurufen.

Hatte er mich nicht gebeten, ihm alle Kontaktversuche von Fremden zu melden? Es war zwar schon spät, und er würde wahrscheinlich zu Hause bei der Familie sein. Sei's drum! Sein Anruf heute früh hatte mich völlig unnötigerweise aus tiefstem Schlaf gerissen. Pech für ihn, wenn ich ihn ebenfalls aus tiefstem Schlaf riss.

Gillon war ausgesprochen wach.

Er hatte Delvert gesagt, dass er seine Privatnummer an der Rezeption des Hotels Ajoupa erfahren könne, und dort versuchte ich es also. Das Telefon klingelte eine ganze Minute, bis jemand abnahm. Es war eine Französin, vermutlich seine Frau, aber das war schwer zu sagen, weil gleichzeitig eine alte Piaf-Schallplatte in voller Lautstärke lief. Bevor er ans Telefon ging, brüllte er, jemand solle den Ton leiser stellen. Die Lautstärke wurde auch tatsächlich reduziert, aber nicht sehr viel. Gillon brüllte noch immer.

»Was gibt's, Doktor?«

Ich erzählte ihm von Rosier. Als ich auf die Versicherungspolice zu sprechen kam, kicherte er. Als ich das Fünftausend-Dollar-Honorar für die Tätigkeit als Vertrauensarzt erwähnte, lachte er schallend.

»Großartig! Ich hoffe, Sie haben angenommen.«

»Was?«

»Ich habe gesagt, hoffentlich haben Sie angenommen.«

Ich erklärte, dass ich natürlich nicht angenommen hätte, aber Gillon lachte schon wieder. Im Hintergrund stöhnte die Piaf.

»Was wollte er sonst noch?«

Ich erzählte von dem Fünf-Millionen-Dollar-Scheck, den ich Villegas anbieten sollte.

Abermals Lachen.

»Sie hatten ja wirklich einen lohnenden und amüsanten Abend!«, sagte er, als er sich wieder gefangen hatte.

»Schön, dass Sie es so sehen.«

»Noch etwas?«

»Reicht das nicht? Wer ist dieser Rosier eigentlich?«

»Ich dachte, er hat es Ihnen gesagt. Versicherungen.«

»Das heißt nicht, dass ich ihm glaube.«

Gillon gluckste wieder. »Sollten Sie aber, Doktor, sollten Sie!«

»Was sollte ich?«

»Ihm glauben. Seine Tätigkeit ist mit dem Wort Versicherung ganz präzise beschrieben.«

Er lachte noch einmal und legte auf.

Mir schien, dass Gillon getrunken hatte.

Wenn er nach diesem verrückten Auftritt einen schriftlichen Bericht von mir erwartet, dann täuscht er sich.

Samstag, 17. Mai, vormittags

Habe doch noch ein paar Stunden geschlafen.

Ich vereinbarte mit der Röntgenabteilung mehrere neue Untersuchungstermine für Villegas und ließ mir die schriftliche Benachrichtigung mitgeben.

In der Mittagspause fuhr ich selbst nach Les Muettes hinaus – die neue Zündkerze funktioniert noch immer – und händigte Monsieur Albert den Brief am Tor aus. Er versprach, sich darum zu kümmern, dass Antoine ihn persönlich an Villegas weiterleitete.

Monsieur Albert, der mit einem Lunchkorb in seinem 2CV saß, bot mir von seinem Essen an. Ich ging nicht darauf ein, da er sich aber offensichtlich langweilte, blieb ich ein paar Minuten und plauderte mit ihm.

»Haben Sie von den Gästen gehört, die nächste Woche kommen sollen?«

»Gäste? Hier?«

Er nickte. »Der Kommissar wird Sie vermutlich informieren. Landsleute von Ihnen, wenn ich richtig verstanden habe. Drei Personen. Ganz wichtige Leute.«

Sehr viel mehr bekam ich nicht aus ihm heraus. Er

warnte mich, dass ab nächsten Montag die Bewachung der Villa verstärkt werde. Zusätzliche Leute aus Martinique sollen abgestellt werden. Das bedeutet eine Änderung des Dienstplans und unbekannte Gesichter.

Nachmittags

Zu meiner Überraschung rief Doña Julia mich an. Der Röntgentermin am Montag würde ihrem Mann passen. Ob ich dabei sein würde, wollte sie wissen. Ich sagte, ja und dass ich mich darum kümmern würde, dass es möglichst wenig unangenehm für ihn würde.

Überrascht war ich deswegen, weil ich, trotz Gillons Optimismus und Delverts vager Andeutung, dass man Onkel Paco unter Druck setzen würde, eine so prompte Reaktion auf meinen Brief nicht erwartet hatte. Ich rief Gillon an, um ihm von Doña Julias Telefonat zu berichten. Sein Assistent sagte, dass er in einer Besprechung sei. Ich hinterließ also eine Nachricht und wandte mich wieder meiner Arbeit zu.

Ich hatte meinen Dienst gerade beendet, als Delvert anrief. Ja, er habe gehört, dass die Röntgenuntersuchung nunmehr am Montag stattfinde. Er wolle aber über etwas anderes mit mir reden. Ob ich auf dem Nachhauseweg im Hotel Ajoupa, Zimmer 406, vorbeischauen könne?

Die Fahrt zum Hotel bedeutete einen Umweg von zwanzig Minuten, und ich war um sieben bei Elisabeth verabredet. Doch Delvert ließ mir keine Chance, darauf hinzuweisen. Kaum hatte ich angehoben, unterbrach er mich: Er erwarte mich also, und legte auf.

Zimmer 406 stellte sich als eine Suite heraus. Teuer. Oder bekommt S-dec Sonderpreise?

Delvert öffnete die Tür. Im Zimmer war schon ein uniformierter Leutnant, aber Delvert machte keinerlei Anstalten, uns bekannt zu machen. Stattdessen winkte er mich zu einem Beistelltisch, auf dem eine Flasche Whisky, ein Eiskübel und mehrere Gläser standen.

»Bitte bedienen Sie sich. Ich bin gleich wieder da.«

Es war eine merkwürdige Situation. Den Leutnant kannte ich nämlich. Er heißt Billoux und leitet den Fernmeldeposten im Fort. Außerdem ist er Mitglied im Tennisclub Savane, der über zwei gute Sandplätze verfügt. Gelegentlich haben wir dort als Partner Herrendoppel gespielt. An diesem Abend schien er meinem Blick jedoch auszuweichen, mich überhaupt nicht kennen zu wollen. Er schob ein Bündel Papiere sorgfältig in eine amtlich aussehende Aktenmappe, die mit einer Kette an seinem Handgelenk befestigt war. Er schwitzte ein wenig, als wäre er im Begriff, den Zünder eines hochexplosiven Sprengsatzes einzustellen. Vielleicht war er das in gewisser Weise sogar. Wie es aussieht, verlassen sich Delvert und S-dec lieber auf Militärkanäle als auf die Telexverbindungen von Präfektur oder Post.

Nachdem militärische Höflichkeiten ausgetauscht waren und Billoux mit der Tasche unter dem Arm gegangen war, noch immer ohne die Andeutung eines Wiedererkennens in meine Richtung, ließ Delverts Anspannung sichtlich nach.

»Entschuldigen Sie, dass ich Sie warten ließ.« Er blickte auf mein Glas, schenkte noch etwas Whisky nach und goss sich dann selber ein Glas ein.

»Sie scheinen den jungen Mann ja zu kennen«, bemerkte er.

»Wir haben Tennis zusammen gespielt, ja.«

»Ach so. Ich habe gesehen, wie Sie versucht haben, seinem Blick zu begegnen. Warum haben Sie nicht einfach guten Tag gesagt?«

»Weil er das offenkundig nicht wollte.«

Delvert seufzte. »Den Eindruck hatte ich auch. Ich fürchte, dass Sie in Ihrem Tennisclub jetzt mit dem Makel des S-dec behaftet sind. Ich hätte Sie vorstellen und sagen sollen, dass Sie gekommen sind, mir eine Typhusspritze zu geben oder so. Tut mir leid. Sie sehen jetzt, wie die Dinge bei uns liegen. Wir sind suspekt und unbeliebt.«

»Mir kommen gleich die Tränen.«

Er schmunzelte und nippte an seinem Glas, bevor er die Schreibtischschublade aufschloss und seine Aktentasche herausholte.

»Ich weiß, dass Sie mit Madame Duplessis verabredet sind«, sagte er. »Ich werde Sie also nicht lange aufhalten.«

Er nahm Papiere aus der Mappe. »Gestern haben Sie mich um Handschriftproben von Villegas gebeten. Hier habe ich etwas. Im Allgemeinen diktiert er auf ein Tonbandgerät, und seine Frau oder eine Sekretärin schreiben es ab. Aber wir haben uns wirklich angestrengt. Hier sind zwei Schriftproben. Das eine sind Vortragsnotizen, das andere ist der Entwurf eines Artikels für sein Parteiblatt. Beide sind reichlich mit handschriftlichen Korrekturen versehen.« Er gab sie mir. »Die Daten am oberen Rand stammen von uns. Sie sehen also, dass die Vortragsaufzeichnungen über ein Jahr alt sind. Der Artikel wurde vor drei Monaten geschrieben. Ob Sie damit etwas anfangen können?«

Ich ging mit den Papieren zu einem Stuhl am Fenster, setzte mich und verglich sie.

Es waren Fotokopien, aber sehr gute. »Sind Sie sicher, dass das seine Schrift ist und nicht die seiner Frau oder seiner Sekretärin?«, fragte ich.

»Völlig.« Er war mir ans Fenster gefolgt.

Ich gab ihm die Papiere.

»Na? Sie sehen nicht sehr zufrieden aus.«

»Mir war in den Sinn gekommen, dass Villegas' Sprachfehler ein frühes Symptom von Parkinson sein könnte. Wissen Sie, was das ist?«

»Ja.«

»Die etwas starre Mimik wäre ebenfalls charakteristisch. Aber im Frühstadium ist das schwer zu erkennen. Manchmal liefert die Handschrift einen Hinweis. Sie wird kleiner, und die Zeilen fallen nach rechts ab. Das kann passieren, bevor das typische Zittern auftritt. Bei frühzeitiger Diagnose kann man für Parkinsonpatienten heutzutage schon einiges tun.«

Auch Delvert verglich die beiden Proben. »Die Tatsache, dass die Schrift *nicht* kleiner geworden ist – beweist das etwas?«

»Nur so viel, dass man auf der Grundlage von unzulänglichen Informationen keine Spekulationen anstellen sollte. Tut mir leid, dass ich die Zeit von S-dec umsonst in Anspruch genommen habe.«

»Die tröstliche Erkenntnis, dass dieser Patient nicht an Parkinson leidet, entschädigt uns.«

»Ich habe nicht gesagt, dass er nicht Parkinson hat. Ich habe nur gesagt, dass seine Handschrift keinen Hinweis darauf liefert. Und überhaupt habe ich den Mann nur ein einziges Mal gesehen.«

»Nun ja, Sie werden ihn bald ein zweites Mal sehen.«

»Ja.« Da ich keine Lust hatte, mit ihm weiter über meinen Patienten zu reden, wechselte ich das Thema. »Kommissar Gillon schien meine Begegnung mit diesem Rosier ja amüsant zu finden. Fanden Sie es auch amüsant?«

»Ein bisschen.« Er schenkte mir sein betörendes Lächeln.

»Dürfte ich erfahren, was so witzig ist?«

»Nichts. Es ist nur so, dass die Kontaktaufnahme zwar erwartet wurde, aber doch etwas vorzeitig stattfand.«

»Sie haben also erwartet, dass er mir ein Angebot macht, Villegas zu bestechen?«

Delvert zuckte mit den Schultern. »Diese internationalen Konzerne sind immer bereit, politischen Einfluss zu kaufen, wenn sie glauben, dass die Betreffenden käuflich sind. Man kann es ihnen nicht verübeln. Meistens sind die Leute käuflich.«

»Und in diesem Fall?«

»Das können Sie leicht feststellen. Versuchen Sie einfach, das Angebot an Villegas weiterzuleiten, dann werden Sie sehen, wie er reagiert. Ich versichere Ihnen, er weiß, von wem das Angebot kommt.«

»Woher denn?«

»Weil Rosier als Agent auftritt und weil es um eine so große Summe geht. Es sind zwei Millionen mehr als beim letzten Mal, verstehen Sie, und dieses Angebot wurde so taktlos unterbreitet, dass er nur ablehnen konnte.«

»Welches Angebot und wofür?«

»Vorteilsnahme, natürlich. Wenn alles gut geht, werden bald mehrere Verträge umformuliert. Die Prozente, die den diversen Konsortiumsmitgliedern versprochen wurden, müssen neu ausgehandelt werden, damit die Mitglieder der neuen Regierung versorgt werden können. Es wird zu einem großen Feilschen kommen. Villegas' Stimme wird im Streitfall den Ausschlag geben.«

»Aber dieser Rosier, wen vertritt er?«

»Viele Multis besitzen Versicherungsgesellschaften. Wenn Sie es wirklich wissen wollen, finden Sie heraus, wem ATP-Globe gehört! In der Bibliothek der Handelskammer gibt es sicher entsprechende Unterlagen. Es ist kein Geheimnis.«

»Wollen Sie damit sagen, dass Rosier tatsächlich Gutachter ist?«

»Um Himmels willen, nein. Er ist ein Agent, ein überaus erfahrener Mann. Wir würden ihn natürlich nicht verwenden – er spielt seine Doppelrolle zu oft und zu mühelos, ich meine, er arbeitet für beide Seiten –, aber er ist sehr tüchtig. Seine Annahme, dass Sie schon Bestandteil des Pakets sind, mag etwas voreilig gewesen sein, aber Sie sehen ja, wie rasch er sich an Sie herangemacht hat.«

»Paket? Sie meinen den Plan Polymer?«

»Ach, er hat es erwähnt?« Delvert grinste. »Das geheime Codewort.«

»Für ihn schien es kein großes Geheimnis zu sein. Er hat darüber gesprochen, als wüssten alle Bescheid.«

»So ist es wohl auch, in einigen Zirkeln jedenfalls. Jede Verschwörung produziert ihre Codewörter. Sie vermehren sich wie Fliegen auf einem Misthaufen.«

»Dieses fand er unpassend. Er selbst hätte Fait Accompli bevorzugt.«

Delvert nippte an seinem Glas. »Da bin ich mal seiner Meinung. Wissen Sie, was ein Polymer ist?«

»Ja, ich habe nachgeschlagen. Polymerisation ist ein chemischer Prozess, aber keine Reaktion, sondern eine Veränderung des Status, eine Neuordnung der Moleküle. Aus Rohgummi etwa wird vulkanisiertes Gummi, dieselbe Substanz, aber mit anderen Eigenschaften. Letzteres ist ein Polymer des ersten.«

»Entscheidend ist ja, dass dieser Umbau normalerweise durch einen Katalysator herbeigeführt wird. Sehen Sie, ein albernes Spiel mit Worten. Umbau, also wirklich! Na ja, wenn es ihnen Spaß macht …«

»Ihnen?«

»Rosiers Firma und den Geschäftskollegen.«

»Über die ich mich in der Handelskammer informieren kann?«

»Wenn Sie einigermaßen interessiert sind, könnte ich Ihnen auch das ersparen.«

»Und S-dec ist der Katalysator.«

Wieder dieses Lächeln. »Wenn man uns so sehen will,

haben wir nichts dagegen. Uns interessiert der Umstand, dass die Polymer-Planer noch immer nichts über Ihre Rolle wissen.«

»Ich spiele keine Rolle.«

»Das wissen wir, aber diese Leute mit ihrer Menschenkenntnis werden das kaum glauben.«

»Mit der Zeit werden sie sich an den Gedanken gewöhnen.«

»Wenn Sie Ihren Patienten besser kennenlernen, werden Sie sich vielleicht an den anderen Gedanken gewöhnen.«

Ich setzte mein Glas ab. »Ist das der Zweck der Übung? Hat man mir diese Aufgabe übertragen, um mich zu einem politischen Engagement zu kriegen?«

»Das dürfte Villegas' Absicht sein.« Delvert zuckte mit den Schultern. »Niemand kann Sie zwingen, sich zu engagieren. Natürlich würden wir es begrüßen, wenn Villegas jede nur denkbare Unterstützung erhält. Ihre Hilfe, Ihr Name wäre für seine Partei, für die Partei Ihres Vaters von großem Nutzen. Sie glauben das zwar nicht, jedenfalls haben Sie sich dahingehend geäußert. Es ist aber tatsächlich so. Ich werde ganz offen zu Ihnen sein. Wir sind der Ansicht, dass man Sie viel früher und auf sehr viel direktere Weise hätte ansprechen sollen. So lautete jedenfalls unsere Empfehlung. Nun ja, man hat sie nicht beherzigt. Wir wissen inzwischen, warum. Paco Segura war dagegen. Er hat es geschafft, dass die Sache auf Eis gelegt wurde. Natürlich hat er sich jetzt übernommen, aber seine Hinhaltetaktik scheint funktioniert zu haben. Finden Sie nicht?«

Sein Tonfall war beiläufig. Genauso gut hätte er über

einen langweiligen Film sprechen können. Ich hatte das starke Bedürfnis zu gehen. Ich murmelte etwas von meiner Verabredung mit Elisabeth und stand auf.

Er machte keinen Versuch, das Gespräch fortzusetzen oder mich festzuhalten. Meine Verwirrung muss deutlich erkennbar gewesen sein. Für Delvert waren die letzten fünf Minuten überaus lohnend gewesen.

Er sagte noch, dass wir uns in der kommenden Woche öfter sehen würden.

Abends

Es war schön, Elisabeth zu sehen. Jedenfalls fing es schön an.

Ihre Haushälterin machte uns etwas Leichtes zu essen, und wir verbrachten eine ruhige Stunde damit, die neuen Kontaktabzüge durchzusehen und die Bilder auszusuchen, von denen wir Vergrößerungen bestellen würden. Sie erzählte nichts über ihr Treffen mit Delvert, und ich stellte auch keine Fragen. Ich wusste aus Erfahrung, dass sie nicht bereit ist, mit mir über ihre Ehe zu diskutieren.

Als wir mit den Fotos fertig waren, erzählte ich ihr deshalb von Rosiers Annäherungsversuch. Immerhin hatte sie mich vor ihm gewarnt. Doch sie schien überhaupt nicht mehr interessiert. Sie reagierte ähnlich wie Gillon.

»Du hättest das Geld nehmen sollen«, sagte sie. »Ich bin sicher, diese Versicherungsgesellschaft würde zumindest das Honorar zahlen. Das wäre bestimmt arrangiert worden.«

»Ich bin davon ausgegangen, dass es nur seine Tarnung war.«

»Seine angebliche Tarnung, ja. Natürlich solltest du ihn durchschauen und dir clever sagen, dass er in Wahrheit für eine amerikanische Firma des Konsortiums arbeitet.«

»Denkbar ist es doch, oder?«

Sie sah mich mitleidig an. »Nicht, wenn er die Sache so offensichtlich präsentiert. Ernesto, Schatz, diese Leute, ich meine die Profis, sagen dir nie, für wen sie arbeiten. Oder für wen du arbeiten wirst, wenn du ihr Geld nimmst. Sie tarnen sich doppelt und dreifach. Er könnte für jeden arbeiten – für die Russen, Engländer, Venezolaner, Araber, Israelis, Chinesen –, für jeden. Du brauchst überhaupt nicht zu lachen. Er könnte sogar für die Leute arbeiten, die bei dem wunderschönen Coup, von dem er geredet hat, auf der Verliererseite stehen. Vielleicht arbeitet er auch für zwei Seiten gleichzeitig.«

»Delvert hält das durchaus für möglich.«

Ich hatte eine empfindliche Stelle getroffen.

»Delvert! Dieser Typ ist selbst unglaublich korrupt!«

Da ich nicht reagierte, stand sie auf und lief im Atelier auf und ab.

»Ich hatte dir doch erzählt, er ist ein Emissär meines Mannes.«

»Ja.«

»Wie sich herausstellte, war das nur die halbe Wahrheit.«

»Dann kann es ja kein so schlechter Abend gewesen sein.«

»Er hat die meiste Zeit über dich gesprochen.«

»Oh.«

»Willst du nicht wissen, was er gesagt hat?«

»Nur, wenn du es mir erzählen willst. Als Emissär hat er vermutlich nichts Neues übermittelt.«

»Nur dass die Geliebte meines Mannes gerade Zwillinge bekommen hat.« Sie sah mich vorwurfsvoll an. »Ist das für dich keine Neuigkeit?«

Es war die beste Nachricht, die ich seit langem gehört hatte, aber ich antwortete vorsichtig: »In gewissem Sinne schon.«

»In gewissem Sinne? Frechheit!«

»Ich ...«

»Ein vorsätzlicher Affront!«

»Ich bitte dich, Elisabeth, von vorsätzlich kann kaum die Rede sein.«

»Doch! Die Frau hat ein Mittel zur Steigerung ihrer Fruchtbarkeit genommen.«

Ich tat medizinisch interessiert. »Weißt du das definitiv?«

»Es wurde mir zu verstehen gegeben.«

»Dann hat dein Mann aber Glück. Es hätten Drillinge sein können.«

Elisabeth sah mich scharf an. »Machst du dich lustig über mich?«

»Überhaupt nicht. Mir ist nur nicht klar, warum du dich so aufregst. Die Geliebte deines Mannes wollte ein Kind von ihm. Jetzt hat sie zwei. Solche Dinge passieren eben.«

»Und das gefällt dir. Du glaubst, genau wie Delvert,

dass diese beiden Bastarde zu einer Gehirnerweichung bei mir führen, wie?«

»Gehirnerweichung? Nein, bestimmt nicht.«

»Aber vielleicht zu einem Sinneswandel. Ist es das?«

Sie hatte recht, und sie wusste es. Ich konnte nur mit den Schultern zucken.

»Dann wollen wir doch mal sehen, welche Art Sinneswandel Delvert sich für dich ausgedacht hat.« Elisabeth neigt dazu, einem auch die kleinste Beleidigung sofort heimzuzahlen.

»Ich weiß, was er mit mir vorhat.«

»Das bezweifle ich, Ernesto, das bezweifle ich stark.«

»Dann verrat ich's dir.«

Ich gab ihr eine knappe Schilderung der beiden privaten Gespräche, die ich mit Delvert geführt hatte.

Elisabeth unterbrach mich nicht und hörte nach einer Weile auf herumzulaufen.

»Das sind die Schmeicheleien«, sagte ich schließlich. »Deine Aufgabe war es vermutlich, mir zu einer richtigen Einschätzung zu verhelfen.«

Sie seufzte. »Ich habe gesagt, er ist korrupt. Ich habe nicht gesagt, dass er ein Idiot ist. Er hat mich um Rat gefragt, weil ich dich kenne.«

»Rat? Was für einen Rat?«

»Offenbar müssen sie bald entscheiden, ob sie dich in dieser Angelegenheit einsetzen können oder ob sie dich sofort fallen lassen.«

Jetzt hatte sie bei mir einen Nerv getroffen. Ich glaube, ich stotterte ein wenig. »Fallen lassen! Und in welcher Eigenschaft wollen sie mich fallen lassen, wenn ich fragen darf? Als Arzt, als friedlicher Spion oder als Sohn einer Kultfigur?«

Sie lächelte selbstzufrieden. »Ihm war natürlich klar, dass ich mit dir darüber spreche. Er hat das Wort ›fallen lassen‹ mehrmals verwendet. Offensichtlich dachte er, dass ich dir davon erzähle und genau diese Wirkung eintritt – dass du ausflippst.«

»Natürlich …«

»Nein, überhaupt nicht natürlich, Ernesto. Ob du nun bereit bist, es dir einzugestehen oder nicht – du stehst kurz davor, deine Entscheidung zu treffen. Delvert wollte von mir wissen, wie er dir am besten den nötigen Anstoß geben kann.«

»Und darf ich fragen, was du ihm geantwortet hast? Oder ist das ein Staatsgeheimnis?«

»Lass diesen plumpen Sarkasmus, bitte. Ich habe ihm gesagt, dass du nicht der Typ bist, der sich drängen lässt, und dass er dich vergessen kann, wenn es ihm nicht gelingt, deine Sympathie für diese großmäulige, von der CIA tolerierte S-dec-Verschwörung mit anderen Methoden als den bereits praktizierten zu wecken – nämlich billigen Erinnerungen an die Person deines Vater und armseligen Appellen an andere, verblasste Loyalitäten.«

»Aha, das war also dein Rat.« Ein dümmlicher Kommentar, aber ich kam mir auf einmal sehr dümmlich vor.

»Ja.«

»Und wie hat er reagiert?«

»Er hat kein Wort akzeptiert. Er schien eher total belustigt. Er sagte … Willst du wissen, was er gesagt hat?«

»Ja.«

»Es wird dir nicht gefallen. Er hat gesagt, dass ich nicht über Dr. Castillo spreche, sondern über Dr. Frigo, und dass Frigo bloß ein langweiliger Schutzanzug sei, so löcherig, dass es einen jammern könne.«

»Reizend. Findest du, er hat recht?«

Sie musterte mich aufmerksam. »Ich hoffe nicht.«

»Sonst noch was?«

»Zu dir? Nein. Er weiß jetzt, dass er von mir keine Hilfe erwarten kann. Ich habe ihn aber gefragt, warum sie sich eine so farblose Galionsfigur wie Villegas ausgesucht haben.«

»Du hast bestimmt eine plausible Antwort bekommen. Villegas ist der einzige demokratische Parteichef, der, ob im In- oder Ausland, überhaupt so etwas wie Renommee und Anhänger hat. Für eine Mehrheit in der OAS wird er politisch akzeptabel sein, links, aber nicht zu links. Für einen modernen Staatschef hat er genau das richtige Alter – nicht zu jung, aber energisch und sympathisch. Er ist Ingenieur, hat in den USA studiert. Er ist ein scharfsinniger, politisch erfahrener Technokrat, genau der Mann, der in diesem Teil der Welt an der Spitze einer Regierung stehen sollte. Ich wünschte, es gäbe mehr Leute wie ihn. Und was meinst du mit farblos? Dass er sich von den Öldollars keine rosamarmornen Paläste bauen lässt? Gut. Weniger Farbe und mehr effektive Landreform ist genau das, was das Land braucht.«

»Du vergisst die Bewässerungs- und Kanalisationsprojekte und Agrarschulen auf dem Land.«

»Wovon redest du?«

»Delvert hat nicht nur von Landreform, sondern auch

von diesen Dingen gesprochen. Aber er hat nicht so getan, als wüsste er nicht, was ich mit farblos meine. Muss ich dir von deinen Landsleuten erzählen, Ernesto? Villegas mag all das sein, was du sagst, auch wenn ich es bezweifle, aber nehmen wir es einmal an. Was interessieren sich deine Landsleute für Technik und Vernunft? Technik bedeutet Maschinen, die die Männer arbeitslos machen, und Vernunft ist nur ein anderes Wort für Feigheit. Von einer Revolution erwarten sie Blut in den Straßen, das Blut der Generäle, Polizisten und Großgrundbesitzer.«

»Unsinn.« Ich fing an, mich über sie zu ärgern.

»Wenn das Unsinn ist, warum bezeichnet sich El Lobo, der Wolf, nicht als El Moderador, der Mäßigende, und warum ist der Sohn des Märtyrers Castillo dann ein so begehrenswertes Aushängeschild für die technokratische Bewegung? Weil deine Landsleute abergläubische, primitive Menschen sind, deshalb.«

»Dann sollte man sie möglichst bald umerziehen.«

»So wie bei Castro? Spinnst du, Ernesto?«

»Ich rede nicht von Castro. Ich rede auch nicht von einer Rückkehr zu den Batistas, den Somozas, den Trujillos oder der Militärjunta. Du ziehst offenbar den Status quo vor, diesen Verein von fettarschigen Großgrundbesitzern mit ihren Kaffeefincas, ihren Rinderfarmen, ihren Zuckerfabriken und ihren wackeren, antikommunistischen Freunden im US-Kongress.«

»Don Ernesto, der große Rhetoriker!«

»Scheiße!« Ich war jetzt völlig außer mir.

Elisabeth lachte. »Delvert hatte also recht. Der Schutzanzug ist durchlöchert. Frigo-Castillo hat angebissen.«

»Mein Gott, Elisabeth!«

»Warum rufen Agnostiker nur so oft Gott an? Mir ist Scheiße lieber.«

»Na gut. Scheiße!«

Sie fuhr sich mit den Fingern durch die Haare. Diese Geste ist mir sehr vertraut. Sie bedeutet, dass sie das Habsburg-Orakel befragt und Präzedenzfälle sucht.

»Als Erzherzog Max die Krone von Mexiko angetragen wurde«, sagte sie, »hat man ihm viele Unwahrheiten und viel dummes Zeug erzählt. Gutierrez d'Estrada, der Mexikaner, der ihn davon überzeugte, dass seine Landsleute sich nach einem Habsburger sehnten, war zwanzig Jahre lang nicht in Mexiko gewesen.«

»Ich glaube nicht, dass man mir eine Kaiserkrone anbietet, Elisabeth.«

»Man bietet dir Respekt und Zuneigung. Zumindest lockt man dich mit diesen Dingen, so wie man Maximilian und Charlotte damit gelockt hat. Die beiden glaubten, was man ihnen erzählte. Das Ergebnis? Er ging in den Tod, wurde erschossen von Bauern in schäbigen Uniformen, und sie verfiel dem Wahnsinn, rutschte vor dem Papst auf den Knien herum und wurde schließlich von Ärzten weggezerrt, die als Priester verkleidet waren.«

»Ich dachte immer, dass sie die Geschichten geglaubt haben, weil sie daran glauben wollten.« Ich merkte, dass ich mich wieder aufregte. »Meine Liebe, ich bin kein romantischer Erzherzog, kein zweiter Sohn mit imperialen Ambitionen. Und ich bin auch kein unzurechnungsfähiger Träumer, der sich von Exilpolitikern umgarnen lässt.«

Sie wischte meinen Einwand beiseite. »Napoleon der Dritte und seine lächerliche Eugenie wollten in Mittelamerika eine französische Kolonie mit einem Marionettenherrscher haben. Es war ein finanzielles Abenteuer, von dem sie und andere Parvenus – etwa dieser ordinäre Herzog von Morny – zu profitieren hofften. Und was ist passiert? Sobald Napoleon feststellte, dass am Ende weder Profit noch Ehre in Aussicht stand, zog er die französische Armee aus Mexiko ab – unter großem Bedauern und vielen Krokodilstränen – und überließ Kaiser Maximilian seinem Schicksal. Wo ist hier der Unterschied? S-dec und ein Ölkonsortium mischen mit, weil sie sich etwas davon versprechen – Ruhm für S-dec, Öl für die freie Welt, Profit für das Konsortium. Ja, ja, ich weiß schon, was du darauf antworten wirst!«

»Na, was antworte ich? Würde mich aber interessieren!«

»Diesmal, wirst du sagen, sind nur Subsidien im Spiel. Diesmal sind keine französischen Soldaten dabei, kein General Bazaine, kein Präsident Juarez mit einer Armee in den Provinzen. Diesmal berufen sich die Amerikaner nicht auf die Monroe-Doktrin, sondern geben dem Projekt ihren Segen, weil auch sie mehr karibisches Öl brauchen und nichts dabei finden, die politische Drecksarbeit zur Abwechslung mal jemand anderem zu überlassen. Aber …« – sie machte eine heftige Bewegung mit dem Handrücken – »… es ist trotzdem ein finanzielles Abenteuer, und es müssen trotzdem Marionetten an die Macht gebracht werden. Marionetten, Ernesto!«

»Ich bin doch nicht taub, Elisabeth. In Wahrheit hätte

ich nichts von alledem gesagt. Ich wollte vielmehr sagen, dass Delvert nicht Napoleon der Dritte ist und dass ich weder Kaiser Maximilian bin noch die arme, verrückte Charlotte, die vor dem Papst auf der Erde herumrutscht.«

Sie tat, als habe sie nicht zugehört, regte sich jetzt aber ihrerseits furchtbar auf. »Wenn du herausfinden willst, wer deinen Vater umgebracht hat«, rief sie laut, »wäre das natürlich eine Möglichkeit.«

»Wovon redest du?«

»Du könntest so tun, als wärst du einverstanden, den Pulcinella zu spielen, eine Marionette abzugeben, könntest so tun, als wärst du bereit, diese noble politische Geste zu machen.« Sie rauschte durchs Zimmer zur Brandyflasche und zog den Korken heraus, als wäre es ein napoleonischer Hals, den sie im nächsten Moment umdrehen wollte.

»Tu so, als würdest du dich bedingungslos auf ihre Seite schlagen, Ernesto. Versuch ihr Vertrauen zu gewinnen. Finde ihre Geheimnisse heraus und verrate sie.« Sie goss reichlich Brandy in ein Bierglas. »Deine Mutter, Gott hab sie selig, wäre entzückt.«

»Sie vielleicht. Im Gegensatz zu Delvert.«

»Delvert! Er hat dich beeindruckt, wie?«

»Ein bisschen.«

»Ich werd dir was sagen.« Sie nahm einen Riesenschluck von dem Brandy. »Ich werd dir was sagen. Delvert wird alles glauben, was er von dir hören will.«

»Ich bezweifle, dass er einem plötzlich bekehrten Doktor Frigo glaubt.«

»Warum versucht er dann, dich dazu zu bringen? Dieser eingebildete Kerl wird alles glauben, was seiner Eitelkeit schmeichelt. Er hat ja sogar mir geglaubt, als ich ihm etwas erzählte, was er hören wollte.«

»Was denn?«

»Dass ich es mir mit der Scheidung noch einmal überlege. Er hat mir bestimmt geglaubt. Er war so überzeugt von sich und seinem Taktgefühl.«

»Warum hast du ihn belogen?«

»Ich wollte einen angenehmen Abend haben. Warum sonst?«

Sie wandte sich wieder der Brandyflasche zu.

Ich ging früher als sonst nach Hause.

Sonntag, 18. Mai

Tagsüber Klinikdienst.

Erfuhr, dass Rosier um möglichst baldigen Rückruf bat – es sei dringend. Beschloss, nicht zu reagieren.

Elisabeth entschuldigte sich beiläufig für den gestrigen Abend. Schob alles auf Delvert und S-dec, verzichtete zu meiner Erleichterung aber darauf, den Streit fortzusetzen.

Keinerlei politische Diskussion. Im Bett war es wunderbar. Habe ich mir den gestrigen Abend eingebildet?

Nein. Bin immer noch ein bisschen verletzt. An »Doktor Frigo« habe ich mich gewöhnt. Die Vorstellung, dass er von einem »Doktor Pulcinella« ersetzt wird, finde ich nicht sehr reizvoll.

Villegas traf mit nur fünfzehn Minuten Verspätung zu seinem Untersuchungstermin ein. Doña Julia war nicht mitgekommen.

Dr. Brissac hatte sich eingefunden, um Villegas zu begrüßen, was mein Patient höflich, aber ohne erkennbare Befriedigung zur Kenntnis nahm.

Ich blieb bei ihm, während die Röntgenaufnahmen gemacht wurden. Anschließend machte ich ein EKG. Er war kooperativ, aber sichtlich gelangweilt. Ich wies ihn nochmals darauf hin, dass sein Blutdruck noch immer entschieden zu hoch sei, besprach mit ihm die Untersuchungsergebnisse – keines war besonders interessant – und konnte mir schließlich die Röntgenbilder ansehen.

Die Divertikel waren, wie der Radiologe sofort erklärte, deutlich zu erkennen. Nun stand mir also die Farce bevor, Villegas zu erklären, worum es sich dabei handelte und wie die Therapie aussah, und er musste so tun, als höre er das alles zum ersten Mal.

Interessant war für mich in diesem Moment nur, ob Villegas ein guter Schauspieler war. Ich fand ihn sehr gut. Die anfängliche Überraschung und Besorgnis waren nicht übertrieben, er stellte die naheliegenden Fragen und reagierte auf die Antworten einigermaßen beruhigt. Er sprach dem Radiologen seine Anerkennung aus. Ich erwähnte die drei Produktnamen, unter denen das Breitbandantibiotikum Ampicillin bekannt ist, und fragte ihn, ob er gegen eines allergisch sei. Er sagte, dass er das nicht wisse. Eine wohl überlegte Darbietung.

Aber ich hatte noch andere, gezieltere Fragen an ihn. Ein Nicken und ein Wort des Dankes, und der Radiologe zog sich zurück.

Einen Moment sahen wir uns an, dann bedankte sich Villegas überschwänglich für meine Hilfe. Ich erinnerte mich an Delverts Bemerkung, dass Villegas mit gespielter Dankbarkeit gegenseitiges Vertrauen schaffen wolle, schob den Gedanken aber beiseite. S-dec hatte mich in privaten Angelegenheiten schon einmal beeinflusst. In meinem beruflichen Urteil wollte ich mich nicht auch noch beeinflussen lassen.

Ich sagte: »Sich nach dem Befinden eines Patienten zu erkundigen, der statt eines Frühstücks ein Barium-Klistier bekommen hat, dürfte Ihnen ziemlich absurd vorkommen, Don Manuel.«

Er lächelte – etwas misstrauisch, wie mir schien. »Sie werden mich also nicht fragen?«

»Ich würde gern wissen, wie es Ihnen ganz allgemein geht, abgesehen von den Unterleibschmerzen, für die wir jetzt eine Erklärung haben.«

»Sie sind der Arzt, Ernesto.« Wieder dieser misstrauische Blick. »Sie haben doch nichts dagegen, wenn ich mir in meinem Alter die Freiheit nehme, Sie mit Vornamen anzureden?«

»Ganz und gar nicht, Don Manuel. Ich nehme es als Kompliment.«

»Nun gut, Ernesto, Sie haben mich untersucht. Was wollen Sie noch von mir wissen?«

Er musterte mich jetzt ganz aufmerksam. Es war der Blick, den ich inzwischen so gut kenne: der Blick eines

Menschen, der sich Sorgen um sich macht und beruhigt werden möchte. Diesen Ausdruck in Villegas' Augen zu sehen war für mich einigermaßen schockierend.

»Mir fällt auf«, sagte ich leichthin, »dass Sie manchmal etwas Mühe mit dem Sprechen haben. Kommt das oft vor?«

»Aha, es ist Ihnen also aufgefallen. Wann?«

»Letzte Woche, als ich Sie untersucht habe, war es deutlich zu bemerken. Heute nicht.«

»Das liegt vermutlich daran, dass heute Vormittag meistens Sie und die anderen geredet haben.«

Ich lächelte. »Ja, aber würden Sie mir das bitte ein wenig erklären? Als ich Sie in der Villa sah, hatte ich den Eindruck, dass Ihnen manche Wörter Mühe bereiten, dass Sie das wissen und sich bemühen, die Sache in den Griff zu bekommen.«

»Manchmal schaffe ich es.«

»Verstehe. Aber nach einer Weile schien mir, dass Sie sich nicht mehr anstrengten. Richtig?«

»Nein, das ist es nicht.«

»Sondern?«

Er dachte einen Moment nach. »Haben Sie in der Schule viel Sport getrieben?«, fragte er schließlich.

»Das Übliche, ja.«

»An Wettläufen teilgenommen?«

»Manchmal.«

»Erinnern Sie sich noch, wie es ist, wenn Sie bei einem schweren Lauf kurz vor dem Ziel sind, Sie haben den Sieg vor Augen, und dann taucht neben Ihnen ein anderer Läufer auf, der ebenfalls glaubt, dass er gewinnt?«

»Ich war kein besonders guter Läufer, aber ich glaube, ich weiß, was Sie meinen.«

»Sie mussten in der Situation etwas tun, was Ihnen völlig unvorstellbar erschien – Sie mussten noch einmal die allerletzten Reserven mobilisieren.«

»Um zu gewinnen.«

»Oder zu verlieren, denn auch der andere holte nun alles aus sich heraus, mit mehr Erfolg. Es war ein Wettkampf, der nicht nur durch körperliche Kraft und Training, sondern auch durch Willenskraft entschieden wurde.«

»Ich verstehe.«

»Aber das war absehbar. Man hatte das Gefühl, dass einem die Brust platzt, oder die Füße fühlten sich wie Gummi an, aber man kam entweder als Erster oder als Zweiter ins Ziel.« Er hielt inne, um sorgfältig seine Worte zu wählen. »Man ist nicht vor dem Endspurt zusammengebrochen, man hat nicht plötzlich aufgehört.«

»Sie sprechen jetzt über diese allerletzte Anstrengung?«

»Ja. Ich kann dann nicht mehr weiter. Ich weiß genau, was ich sagen möchte und will es auch sagen, aber irgendetwas passiert hier« – er berührte sein Gesicht – »und hindert mich daran. Ein Zittern der Zunge. Unangenehm.«

»Aha.« Um mir Zeit zum Nachdenken zu verschaffen, schrieb ich etwas auf den Notizblock vor mir. Darunter lag die Akte mit meiner raschen Interpretation der Anzeichen und Symptome, die mir in der Villa aufgefallen waren. Hochtrabend hatte ich Delvert erklärt, dass man aufgrund von unzulänglichen Informationen keine Spekulationen anstellen sollte. Nun ja, genau das hatte ich getan. Jetzt musste ich die Situation wieder in den Griff kriegen. Es würde Villegas nichts nützen, ihm zu erklären, dass mich meine eigene Unfähigkeit schockierte.

»Wann hat das angefangen, Don Manuel?«

»Vor drei, vier Monaten, als wir noch in Mexiko-City waren. Ich habe es mir seinerzeit mit Erschöpfung erklärt. Wir hatten lange und kritische Diskussionen mit ziemlich ermüdenden Leuten. Sie wissen ja über diese Dinge Bescheid, vielleicht können Sie es sich vorstellen.«

»Ja. Aber momentan sind Sie nicht überanstrengt, und diese Anfälle treten trotzdem immer wieder auf?«

»Für mich sind es keine Anfälle mehr, sondern Beschwerden. Die sind geblieben, ja. Sie sind mittlerweile auch etwas stärker. Ich kann sagen, dass es mir inzwischen ganz gut gelingt, sie zu verbergen.«

»Wie denn?«

»Indem ich im richtigen Moment aufhöre zu sprechen. Ich könnte es vor Ihnen verbergen, wenn ich jetzt sofort aufhörte.«

Seine Aussprache war noch ziemlich deutlich. Mir fiel ein leichtes Verwischen der Labialkonsonanten auf, aber er hatte schnell gesprochen.

»Tun Sie das bitte nicht.«

»Nein. Da ich hoffe, dass Sie mir helfen können, wäre es töricht.«

»Wie oft passiert das inzwischen?«

»Jedes Mal, wenn ich zu lange spreche.« Er sah auf seine Uhr. »Sagen wir, der Wettlauf, den ich heute Vormittag vor mir habe, geht über achthundert Meter. Ich bin jetzt bei etwa fünfhundert Metern. Bei siebenhundert Metern werde ich außer Puste sein. Verstehen Sie?«

»Sprechen Sie weiter, Don Manuel.«

»Wir haben diese Woche Gäste in der Villa. Vielleicht haben Sie schon davon gehört.«

»Ja.«

»Doña Julia wird Ihnen eine Einladung schicken. Hoffentlich können Sie kommen, Ernesto.«

»Mit Vergnügen, Don Manuel.« Ich zögerte. »Kann ich davon ausgehen, dass Don Paco mir meine Indiskretion verziehen hat?«

Villegas machte eine unwillige Handbewegung. »Paco verhält sich außerordentlich töricht. Ich habe ihm das auch gesagt. Er war es, der letzte Woche meinen Untersuchungstermin abgesagt hat. Ich wurde nicht einmal gefragt.«

»Ich weiß, Don Manuel.«

»Diesen Franzosen entgeht aber auch nichts, wie? Es war ja dieser Aspekt, der ihm so viel Sorge bereitet hat. Seit unserer Ankunft hier ist er in Sorge. Er hat auf Personenschutz bestanden.«

»Was erfüllt ihn denn mit Sorge?«

»Ihre Kontakte zum französischen Geheimdienst. Er hatte Angst, dass man Ihnen zu viel erzählt und dass Sie die falschen Schlüsse ziehen. Wissen Sie, er glaubt, gegen alle Beweise, im Gegensatz zu allem, was wir von Ihnen wissen, dass Sie, wie er sagt, vom Florida-Virus befallen sind.«

»Von einer solchen Krankheit ist mir nichts bekannt.«

»Ich glaube doch, Ernesto. Diese unsinnige Verschwörungstheorie im Hinblick auf den Tod Ihres Vaters.«

»Ach so.«

»Ja.«

»Aber wenn es Unsinn ist, Don Manuel, was hat er denn zu befürchten? Was sollte denn herauskommen? Man hat mir gegenüber kürzlich angedeutet, dass Don Paco bei dem Anschlag auf meinen Vater möglicherweise beteiligt war. Angesichts seines Verhaltens in der jüngsten Zeit ist das kaum überraschend. Wenn er sich vor diesen idiotischen Anschuldigungen schützen wollte, hat er sich aber eine seltsame Verteidigungsstrategie ausgedacht.«

Er sah mich fast mitleidig an. »Ernesto, er wollte nicht sich schützen, sondern mich.«

Seit kurzem hatte sich die Aussprache der Labiallaute merklich verschlechtert, und ich bemerkte einen vermehrten Speichelfluss.

Ich sagte: »Don Manuel, wer hat den Anschlag auf meinen Vater organisiert?«

Er antwortete ohne Zögern: »Eine Sondereinheit der Sicherheitskräfte unter Major Pastore, der seine Anweisungen direkt von einem so genannten ›Aktionskomitee‹ der Junta erhielt. Das ist alles, was wir seinerzeit wussten. Später hatten wir Grund zu der Annahme, dass ein Oberst Escalon, der dem Komitee angehörte, die Sache persönlich in die Hand nahm. Er hat Pastore nicht ersetzt, sondern nur beaufsichtigt.«

»Sie sagen ›Wir wussten‹. Wer ist ›wir‹?«

Er seufzte: »Ach, das ist ja der Jammer, Ernesto. Die

Partei hatte seinerzeit eine Nachrichtenabteilung, klein, aber sehr tüchtig. Es war sogar gelungen, die Sicherheitskräfte auf ziemlich hoher Kommandoebene zu unterwandern. Einen Monat vor dem Tod Ihres Vaters wurde bekannt, dass ein Attentat auf ihn geplant war.«

»Haben Sie davon erfahren, Don Manuel?«

»Ich und ein paar andere. Nur sehr wenige, denn wir mussten unseren Informanten schützen, und außerdem hofften wir, mehr über den Plan und vor allem über den Zeitpunkt zu erfahren. Das ist uns leider nicht gelungen.«

»Aber Sie wussten, dass ein solcher Plan existierte.«

»Ein paar von uns wussten davon, ja.«

»Aber niemand hat meinen Vater gewarnt.«

»Wovor sollten wir ihn warnen, Ernesto? Vor der Teilnahme an einer Veranstaltung im Nuevo Mundo und davor, den Saal durch den Haupteingang unter dem Flutlicht zu verlassen? Dazu wussten wir nicht genug.«

»Also hat er keinerlei Warnung erhalten.«

Er seufzte wieder. »Verstehen Sie doch, Ernesto. Geheimhaltung war das oberste Gebot. Ja, nicht einmal Don Clemente konnten wir einweihen. Wir waren nie eine monolithische Partei. Außerdem gab es Fraktionen, und eine der stärksten Gruppen waren die Antiklerikalen.«

»Und die Mitglieder dieser Fraktion, die von dem geplanten Anschlag wussten, beschlossen, dass er stattfinden sollte.«

»Stattfinden ja, aber nicht gelingen.« Er beugte sich vor, in seinem Gesicht arbeitete es, die Zunge begann zu zucken. »Das war das Versprechen, Ernesto. Ein misslungener Anschlag würde Don Clemente zusätzliche Unterstützung ... zusätzliche Stimmen einbringen. Ein Kompromiss, ein Zusammengehen mit den Reaktionären in der Versammlung wäre dann nicht mehr notwendig.« Er unternahm eine letzte Anstrengung. »Es kam nun alles darauf an, dass wir weitere Informationen ... über die Absichten der Junta erhielten, um die Sache scheitern lassen zu können. Darauf habe ich ... immer wieder hingewiesen. Hatte in New York geschäftlich zu tun. Dreimal die Reise verschoben ... weil keine Informationen aus dem Sicherheitsapparat kamen ... dann konnte ich die Reise nicht mehr, nicht noch weiter verschieben, und ...«

In diesem Moment hörte er auf zu sprechen. Sein Unterkiefer bewegte sich zweimal, dann schloss er den Mund und sah auf seine Uhr. Er presste die Lippen aufeinander.

Ich warf ebenfalls einen Blick auf die Uhr. Er hatte siebzehn Minuten fast pausenlos gesprochen.

»Fängt es meistens so an?«, fragte ich. »Sie haben jetzt dieses Zittern der Zunge.«

Er nickte.

»Weiß Doña Julia von diesem Problem?«

Er griff nach meinem Notizblock, und ich reichte ihm einen Kugelschreiber.

Ich glaube nicht, schrieb er. *Bin manchmal nicht sehr mitteilsam. Außerdem habe ich gelernt, sparsam mit meinen stimmlichen Möglichkeiten umzugehen.* Er hielt inne und schrieb dann weiter: *Kann man da etwas tun? Gibt es ein Medikament?*

»Natürlich kann man etwas tun«, sagte ich.

Ich konnte nur hoffen, dass das keine Lüge war.

Ich begleitete ihn zu seinem Auto. Antoine saß am Steuer. Hinter dem Wagen stand der 2CV von Monsieur Albert. Er hob die Hand zum Gruß, den ich erwiderte.

Durch das offene Fenster sagte ich zu Villegas: »Vielen Dank, Don Manuel, dass Sie so geduldig waren. Ich werde mich, sobald es geht, mit Ihnen in Verbindung setzen.«

Er nickte und versuchte wohl auch ein Lächeln, aber sein Gesicht war inzwischen fast maskenhaft starr.

»Zurück zur Villa, bitte«, sagte ich zu Antoine.

Nachmittags

Verbrachte die Mittagspause in der Krankenhausbibliothek. Dann rief ich Gillon an.

»Etwas Wichtiges hat sich ergeben«, sagte ich. »Ich muss Sie sofort sprechen.«

»Wo sind Sie gerade, Doktor?«

»Im Krankenhaus.«

»Sind Sie allein?«

»Ja.«

»Das ist ein abhörsicherer Anschluss. Können Sie mir nicht sagen, worum es geht?«

»Nein, unmöglich. Die Sache verlangt Erklärungen und Entscheidungen. Es ist dringend. Ich muss Sie unbedingt sehen. Und ich halte es für sinnvoll, Commandant Delvert hinzuzuziehen.«

»Das werde ich entscheiden, wenn ich weiß, worum es geht.«

»Ich habe Ihnen gesagt, es ist ernst und dringend«, sagte ich scharf. »Wenn Sie auf diese protokollarischen Mätzchen nicht verzichten können, sollte ich mich vielleicht direkt an Commandant Delvert wenden.«

Es entstand ein bedrohliches Schweigen, dann sagte Gillon ruhig: »Um drei hier in meinem Büro, wenn ich nicht in der nächsten Viertelstunde zurückrufe.«

»Gut.«

»Und ich mache Sie darauf aufmerksam ...«

Ich legte auf. Er wollte sagen, dass ich zusehen sollte, einen guten Grund für meine Unverschämtheit zu haben. Mich kratzte das nicht. Mir gingen zu viele andere Dinge durch den Kopf, und es war alles viel zu plötzlich gekommen, als dass mir Kommissar Gillons Amtswürde sonderlich wichtig war.

Delvert betrat gerade Gillons Zimmer, als ich eintraf. Beide begrüßten mich kühl. Gillon hatte Delvert offensichtlich von meinem Benehmen am Telefon erzählt. Beide waren es nicht gewöhnt, sich nach eigenwilligen Zivilisten zu richten. Sie saßen nebeneinander und sahen mich wie zwei Richter an.

»Dr. Castillo«, begann Gillon, ohne jemand Bestimmten anzureden, »hat offenbar eine dringende und wichtige Mitteilung zu machen.«

Ich bemerkte jetzt, dass auf seinem Schreibtisch ein kleiner Kassettenrecorder stand, dass das Gerät lief und dass Gillon in Richtung Mikrophon gesprochen hatte. Er wollte mich natürlich einschüchtern; dass ich einfach aufgelegt hatte, wurmte ihn mehr, als ich vermutet hätte. Ich ignorierte das Mikrophon und Gillon und richtete den Blick auf Delvert.

»Heute Vormittag habe ich den Patienten Manuel Villegas Lopez ein zweites Mal und sehr viel gründlicher untersucht. Vor allem habe ich mich mit der Sprachstörung beschäftigt, die im vertraulichen Bericht über den Patienten erwähnt wurde. Ich gehe davon aus, dass Kommissar Gillon und Commandant Delvert sich dieses vertrauliche ärztliche Gutachten beschafft und gelesen haben.«

Delvert lächelte dünn.

Gillon sagte: »Weiter!«

»Nachdem ich mit dem Patienten ausführlich über die Behinderung gesprochen hatte, bin ich zu einer Reihe von Schlussfolgerungen gekommen. Erstens könnte es sich, wohlgemerkt: könnte, um erste Anzeichen einer schweren Erkrankung handeln. Zweitens: Bevor eine endgültige Diagnose gestellt werden kann, müssen noch umfangreiche und komplizierte Untersuchungen durchgeführt werden. Drittens: Ich selbst bin nicht imstande, diese Untersuchungen durchzuführen und die Diagnose zu stellen. Es muss daher ein hoch qualifizierter Neurologe hinzugezogen werden, der den Patienten möglichst bald untersuchen sollte.«

Ich hielt inne und wartete.

»Sie haben gesagt, dringend.« Das war natürlich Gillon.

»In der Tat. Für den Patienten ist die Sache einigermaßen dringend. Aus Ihrer Sicht ist sie außerordentlich kritisch.«

»Weshalb?«

»Aus zwei Gründen. Erstens, weil es hier vor Ort keinen Neurologen gibt. Es sei denn, Sie wären bereit, den Patienten per Flugzeug zu einem Neurologen zu schicken. Das ist anstrengend und würde ihm vielleicht Angst machen.«

»Sie hätten in Fort de France anrufen können. Der Mann könnte schon längst unterwegs hierher sein.«

»Ja, es gibt einen Neurologen in Fort de France. Ein guter Mann, aber in diesem Fall wird er vermutlich einen zweiten Fachkollegen hinzuziehen wollen.«

Delvert schaltete sich ein: »Sie haben gesagt, dass die Situation aus unserer Sicht aus zwei Gründen kritisch ist. Was ist der zweite Grund?«

Sorgfältig wählte ich meine Worte. »Wenn meine Vermutung, wohlgemerkt es ist nur eine Vermutung, sich als zutreffend herausstellen sollte, müssten Sie Ihre Pläne eventuell ganz erheblich ändern.«

Delvert lehnte sich plötzlich zurück, sah Gillon und dann das Tonbandgerät an.

»Kommissar, ich finde, wir sollten dieses Ding abschalten und das Vorhandene löschen, wenn Sie nichts dagegen haben.«

Gillon zögerte, zuckte dann mit den Schultern und machte sich ans Werk. Delvert wandte sich wieder an mich.

»Sie haben da von einer schweren Krankheit gesprochen ...?«

»Ich habe von der Möglichkeit gesprochen.«

Er schloss die Augen. »Na schön, meinetwegen. Sie

wollen sich nicht festlegen, weil Sie noch nichts Genaues wissen, aber Sie machen sich Sorgen.« Er machte die Augen wieder auf. »Also, weshalb die Besorgnis? Von welcher Krankheit sprechen Sie?«

»Solange ich nicht sehr viel mehr weiß, als mir zum gegenwärtigen Zeitpunkt bekannt ist, von keiner speziellen.«

»Dann werden wir uns jemanden holen, der sich auskennt und den Mund aufmacht«, rief Gillon ärgerlich.

»Genau das schlage ich Ihnen ja vor«, erwiderte ich. »Wie gesagt, es sollte ein hoch qualifizierter Neurologe sein.«

Delvert hob die Hand in gespielter Demut. »Ein kleines bisschen ausführlicher, bitte. Sie wollen einen Neurologen hinzuziehen. Heißt das, dass Ihre Besorgnis mit dem zu tun hat, worüber wir neulich Abend diskutiert haben?«

Gillon warf ihm einen erstaunten Blick zu. Dass Delvert und ich ohne ihn über Villegas gesprochen hatten, war ihm offensichtlich neu. Es gefiel ihm nicht.

»Sie meinen die parkinsonsche Krankheit?«

»Was sonst?«

»Ich brauche keinen Neurologen, um Parkinson zu diagnostizieren, aber jawohl, man könnte sagen, dass meine Sorge irgendwo in diese Richtung zielt. Da es aber ein ziemlich großes und teilweise recht unklares Gebiet ist, möchte ich keinen Alarm schlagen, der sich am Ende als unbegründet herausstellt.«

»Aber Sie schlagen Alarm.«

»Aus meiner beschränkten Erfahrung mit Erkrankungen des Nervensystems kann ich sagen, dass es sich hier um einen Fall handelt, der von einem überdurchschnittlich kompetenten Neurologen untersucht und diagnostiziert werden sollte. Außerdem weise ich darauf hin, dass die Sache angesichts der tatsächlichen und potenziellen Bedeutung dieses Patienten außerordentlich dringend ist.«

»Das Nervensystem sagen Sie.« Das war wieder Gillon. »Sie meinen, er tickt irgendwann nicht mehr richtig?«

»Nein, das meine ich nicht.« Ich hörte die Schärfe in meiner Stimme, sagte also nichts weiter dazu.

»Also gut, ein Neurologe. Denken Sie an einen bestimmten?«

»An mehrere.« Ich holte die Liste, die ich mitgebracht hatte, aus der Tasche. »Eingedenk des Zeitfaktors habe ich den nächstgelegenen ganz oben an die Spitze gesetzt. Es gibt in New Orleans einen hervorragenden Mann.«

»Nein«, sagte Delvert prompt. »New Orleans kommt nicht in Frage.«

»Wie wär's mit Philadelphia oder Boston? Es gibt gute Anschlussflüge via Antigua.«

»Keinen Amerikaner. Wen gibt es in Paris? Darf ich mal sehen?« Er nahm mir die Liste schon aus der Hand und studierte sie. »Dieser Dr. Grandval. Sie haben ihn an die erste Stelle gesetzt. Aus einem bestimmten Grund?«

»Professor Grandval, genauer gesagt. Ich habe bei ihm studiert. Er ist jetzt Direktor des Instituts für Neurologie.«

»Kennen Sie ihn?«

»Ich habe vor zehn Jahren etliche Vorlesungen besucht, zusammen mit vierzig, fünfzig anderen Studenten. Wenn

Sie wissen wollen, ob ich ihn persönlich kenne – nein. Jedenfalls lässt sich der Kontakt nur über Dr. Brissac herstellen, den Direktor des hiesigen Krankenhauses.«

»Was würde er tun?«

»Ihn offiziell um eine besondere Untersuchung bitten. Falls Professor Grandvals Terminkalender es erlaubt, könnte der Patient nach Paris geflogen werden. Einfacher wäre es natürlich, den Mann aus New Orleans kommen zu lassen. Es gäbe auch keine Sprachschwierigkeiten, da Villegas englisch spricht. Onkel Paco kann sich das leisten.«

»Nein!« Delvert sah Gillon an. »Sie stimmen mir sicher zu, dass dieser Vorschlag völlig inakzeptabel ist.«

Gillon nickte. Mir war klar, wovor sie Angst hatten. Die CIA könnte von der Sache erfahren, und dann würde es Fragen hageln. Was führen die Franzosen im Schilde? Was ist mit der Schlüsselfigur vom Polymer-Plan los? Weitere Alarmglocken würden läuten.

»Sie könnten den Patienten als Señor Garcia ausgeben«, schlug ich vor.

Delvert schenkte mir ein Lächeln. »Leider gibt es ein hervorragendes Foto von Señor Garcia und einen Artikel im *Time,* und darin heißt der Mann Villegas. Nein. Man wird Professor Grandval überreden müssen, seine Termine ein wenig umzustellen und herzukommen.«

»Entschuldigen Sie, ich weiß nicht, wie Sie das erreichen wollen.«

»Entschuldigen Sie, Doktor, das brauchen Sie auch nicht zu wissen. Dr. Brissac ebenso wenig. Haben Sie mit ihm über die jüngste Entwicklung gesprochen?«

»Dazu war keine Zeit. Ich habe nicht einmal meine Notizen über diesen Fall für die Patientenakte aufgeschrieben.«

»Dann behalten Sie Ihre Aufzeichnungen für sich, jedenfalls diejenigen, die sich auf dieses spezielle Problem beziehen.«

»Er wird natürlich die Akte sehen wollen. Er ist mein Vorgesetzter. Ich verstehe zwar, dass Geheimhaltung notwendig ist, sonst säße ich schließlich nicht hier, aber ich möchte Dr. Brissac keine Lügen erzählen.«

Delvert sah Gillon an. »Sie kennen Brissac doch.«

»Ja, ich kümmere mich darum. Er wird sich da raushalten.«

Delvert nickte. »Gut. Das wär's dann fürs Erste.«

Ich sagte: »Nein, noch etwas. Was soll ich dem Patienten sagen?«

»Was haben Sie ihm denn bislang gesagt?«

»Dass ich etwas unternehmen werde. Wahrscheinlich glaubt er, dass ich eine Wunderbehandlung anfange oder jedenfalls die Symptome lindere. Als wir uns heute Vormittag verabschiedeten, war ihm nicht nach Fragen zumute. Er wird das bestimmt nachholen.«

»Wenn er ein gewöhnlicher Patient wäre, was würden Sie tun?«

»Ihn nach zwei Tagen noch einmal besuchen. Ihm ganz ruhig und sachlich erklären, dass diese Beschwerden ein bisschen ungewöhnlich sind und dass ich gern einen Spezialisten hinzuziehen würde. Die Ergebnisse seiner Untersuchung würden uns dann genau sagen, was los ist und was man am besten unternimmt. Dann würde ich alles mit dem Neurologen in Fort de France arrangieren.«

»Der ein Zweitgutachten anfordern würde.«

»Der, wenn es ein ungewöhnlicher Fall ist, Wert darauf legen würde, die Meinung eines zweiten Kollegen zu hören, richtig. Aber bei einem, wie Sie sagen, gewöhnlichen Patienten würden wir den üblichen Weg einschlagen. Man müsste nicht aus politischen Gründen irgendwelche Abkürzungen nehmen oder rasche Entscheidungen treffen und den Fall geheim halten. Aber was sage ich dem Patienten?«

»Was Sie dem gewöhnlichen Patienten sagen würden, nur, dass sich der Spezialist herbemühen wird.«

»Wann?«

»Ziemlich bald. Wahrscheinlich noch in dieser Woche.«

»Gut. Diesen Part muss ich Ihnen überlassen. Sagen Sie mir bitte Bescheid, sobald Sie etwas vereinbart haben. Professor Grandval sollte wissen, dass es um einen Fall von Sprachbehinderung geht, wenn er überhaupt bereit ist, herzukommen.«

Ich stand auf.

Gillon unternahm noch einen letzten Versuch. »Doktor, diese Sprachbehinderung, über die Ihr Patient klagt. Könnten Sie sie ganz allgemein definieren?«

»Ganz allgemein würde ich es so formulieren: Der Patient gibt an, dass er bei einem schnellen Achthundertmeterlauf nur noch siebenhundert Meter schafft.«

Eisiges Schweigen. Die beiden nahmen begreiflicherweise an, dass ich einen Witz machte.

Sie schwiegen noch immer, als ich das Zimmer verließ.

Ich hätte Elisabeth gern erzählt, was heute passiert ist, aber es gab fast nichts, was ich ihr hätte erzählen dürfen, außer dass sie sich in Bezug auf Onkel Paco geirrt hat, und selbst das hätte ich ihr nicht erklären können. Ebenso wenig hätte ich erklären können, warum mir dieser dumme alte Mann inzwischen fast ein bisschen leidtut.

Seine hartnäckigen Versuche, Villegas vor dem vermeintlichen Florida-Virus zu schützen, waren unglaublich plump.

Wer hat den Tod des Jesus von Nazareth geplant? Die Römer oder die Juden? Pilatus oder Herodes oder Judas? Die Ältesten, die Hohenpriester, die Schriftgelehrten, die Tempelwächter oder andere, sehr viel geschicktere Leute, die das Volk auf sehr viel raffiniertere Weise aufgehetzt haben? Alle oder nur einige? Wer weiß das schon.

Onkel Paco war kein Risiko eingegangen. Aus seiner Sicht waren weder Simon von Kyrene noch Joseph von Arimathia über jeden Verdacht erhaben. Aber eines stand fest für ihn. Schuldig war nur, wer am endgültigen Beschluss mitgewirkt hatte; wer seinerzeit nicht in Jerusalem gewesen war, konnte also nicht schuldig sein.

Dass Villegas sich als Joseph von Arimathia sieht, der zu spät von einer Geschäftsreise heimkehrt, als dass er den Kurs, den seine Berater während seiner Abwesenheit eingeschlagen haben, noch ändern könnte, der nun aber die Herausgabe des Leichnams fordert und ihn in Tücher hüllt, ist schon überzeugender – ein bisschen.

Elisabeth hat wieder Streit mit der französisch-schweizerischen Hoteldirektion wegen der Miete.

Wir spielten eine Stunde lang Pikett mit ihren Karten, die aus dem achtzehnten Jahrhundert stammen. Stelle fest, dass die Notwendigkeit, diese kostbaren alten Spielkarten mit Vorsicht zu behandeln, mich am Denken hindert. Elisabeth weiß das vermutlich. Habe neun Francs verloren.

Dienstag, 20. Mai, vormittags

Rief in Les Muettes an, sprach mit Antoine. Erklärte, dass ich Villegas morgen in der Villa sprechen wolle, und bat um einen Termin. Er versprach zurückzurufen.

Rosier rief im Krankenhaus an. Ich ließ ihm ausrichten, dass ich nicht zu sprechen sei.

Antoine rief zurück. Villegas will mich morgen Vormittag um elf sehen.

Schrieb meine Notizen für die Patientenakte mit den von Delvert vorgeschlagenen, besser gesagt *angeordneten* Auslassungen. Unerwartet starke Schuldgefühle. Mein Verhalten ist wirklich unprofessionell.

Um ein Zusammentreffen mit Dr. Brissac zu vermeiden und eventuell (verbal und schriftlich) etwas simulieren zu müssen, ging ich über Mittag nach Hause.

Im Briefkasten eine Nachricht von Doña Julia, per Boten zugestellt.

Verehrter Dr. Castillo,

Ich weiß, dass Sie im Krankenhaus sehr eingespannt sind und kaum Zeit haben, aber ich würde mich sehr freuen, wenn es Ihnen ausnahmsweise möglich wäre, uns zu besuchen.

Zum Wochenende erwarten wir drei Landsleute, die ein paar Tage bei uns logieren werden. Mit Don Manuel werden sie zweifellos über die gegenwärtige Lage in unserer Heimat diskutieren, aber hoffentlich auch über erfreulichere Dinge. Und unsere Gäste würden Sie bestimmt gern kennenlernen! Versuchen Sie also, wenn Sie es irgendwie einrichten können, am Montagabend zu kommen. Bei uns wird zu den üblichen Zeiten gegessen, aber wenn es geht, kommen Sie etwas früher, kurz nach neun Uhr.

Don Manuel war gestern Abend voll des Lobes über Sie. Wir alle sind zuversichtlich, dass die Müdigkeit und die anderen Beschwerden, die ihm in der letzten Zeit zu schaffen gemacht haben, dank Ihrer Hilfe bald der Vergangenheit angehören.

Mit den besten Empfehlungen,
Julia Heras de Villegas.

Den ersten Absatz finde ich komisch. Ahnungslose Leser müssen annehmen, dass ich Doña Julias Einladungen schon seit Wochen ausschlage.

Den letzten Absatz finde ich überhaupt nicht komisch.

Nachmittags

Begegnete Dr. Brissac auf dem Flur von Station C. Bemerkenswert freundlich, verlor aber kein Wort über Villegas. Seine Freundlichkeit schien mir etwas gezwungen. Gillon muss ihm geraten haben, »sich da rauszuhalten«.

Dr. B. mag von Toten mehr verstehen als von lebenden Patienten, aber er ist liebenswürdig und hat mich stets gut behandelt. Außerdem ist er ein fähiger Administrator. Es gefällt mir nicht, dass er so gedemütigt wird.

Gegen fünf rief Delvert an, um zu fragen, wann ich wieder zu Hause sei, er wolle kurz vorbeischauen. Sagte, gegen sechs.

Abends

Er kam um halb sieben, wollte keinen Drink. Sehr kühl und sachlich.

Professor Grandval wird Donnerstag mit der Mittagsmaschine eintreffen und noch am selben Tag mit der Spätmaschine von Cayenne nach Paris zurückfliegen. Verspätungen einkalkuliert, könnte er ab 16 Uhr zur Verfügung stehen. Mein Tennispartner vom Militärnachrichtenwesen muss alle Hände voll zu tun gehabt haben.

Ich glaube, dass Delvert meine anfängliche Skepsis nicht unsympathisch war, aber er versteckte seine Befriedigung hinter gespielter Ungeduld.

»Sie wollten Grandval, Sie bekommen ihn für vier Stunden. Reicht Ihnen das nicht?«

»Doch, doch.«

»Was hat er zu tun?«

»Eine Untersuchung durchführen, Fragen stellen, Gewebeproben entnehmen. Aber das muss er selbst entscheiden.«

»Was braucht er?«

»Ein Untersuchungszimmer im Krankenhaus.«

»Irgendwelches Personal?«

»Nein. Ich kann assistieren und dolmetschen. Allerdings muss Dr. Brissac informiert werden. Sie können nicht einen Mann wie Grandval kommen lassen und ihm nichts davon sagen.«

»Wieso denn nicht?«

»Das wäre für beide ein Affront.«

»Sie werden feststellen, dass Professor Grandval nichts an Höflichkeiten liegt. Das Einverständnis von Dr. Brissac ist bereits erteilt. Sie können sich an sein Büro wenden, wenn Sie irgendetwas brauchen. Was haben Sie wegen des Patienten in der Zwischenzeit unternommen?«

»Wir sehen uns morgen. Natürlich muss auch er mitmachen. Er könnte sagen, dass ihm der Donnerstag nicht passt.«

»Dann werden Sie ihn eben umstimmen müssen!«

»Er bekommt Gäste.«

»Aber erst Freitag oder Samstag.«

»Wer ist es?«

»Neugierig?« Er sah mich wieder zufrieden an.

Ich zeigte ihm Doña Julias Brief. Er überflog ihn.

»Soll ich übersetzen?«

»Ich kann lesen. Ein Anwalt, ein Gangster und ein Priester. Interessante Mischung.«

»Ein Gangster, sagen Sie?«

»Vermutlich hält er sich für einen Revolutionär, aber in Wahrheit ist er ein Gangster. In gewisser Weise gilt das auch für den Priester. Wie gesagt, Sie werden die Gruppe interessant finden. Dürfte lange her sein, dass Sie mit Leuten gesprochen haben, die tatsächlich in Ihrer Heimat leben.« Er schaute wieder auf den Brief. »Montag. Sie geht wohl davon aus, dass ihre Gäste nach der beschwerlichen Anreise etwas müde sind. Vielleicht hat sie recht.«

»Sie empfehlen mir also hinzugehen?«

»Wenn Sie Kommissar Gillon diesen Brief zeigen, wird er es bestimmt verlangen. Außerdem, wie Doña Julia sagt, wollen die Gäste Sie sehen. Sie dürfen sie nicht enttäuschen.« Er gab mir den Brief zurück. »Aber vorher müssen Sie alles für Donnerstag vorbereiten. Das Militär wird sich um Professor Grandval kümmern. Man wird ihn ins Krankenhaus bringen, nachdem er sich erfrischt und etwas gegessen hat, und ihn zum Flugplatz zurückbringen, sobald Sie mit ihm fertig sind.«

»Oder er mit mir.«

Immer dieses Lächeln. »Keine Sorge, Doktor. Wir werden ihn so aufmerksam behandeln, als wäre er der Minister höchstpersönlich, vielleicht sogar noch respektvoller.«

Er ging.

Mit Elisabeth im Chez Lafcadio. Rechnete halb mit Rosier und hatte fest vor, ihn zu ignorieren. Er war nicht da.

Fuhr nach Les Muettes hinaus, da ich um elf Uhr mit Villegas verabredet war. Von Onkel Paco oder Doña Julia nichts zu sehen. Antoine brachte mich sofort zum Zimmer des Patienten.

Villegas begrüßte mich munter, legte die Brille auf das dicke Manuskript, das auf seinem Schreibtisch lag, und zeigte geringschätzig auf den Papierstapel.

»Schauen Sie mal, Ernesto! Wissen Sie, wie viele Verfassungen es in Amerika gibt, seit die Spanier uns unserem Schicksal überlassen haben?«

»Seit achtzehnhunderteinundzwanzig? Keine Ahnung, Don Manuel.«

»Ich komme auf sechsundvierzig, bis heute. Vielleicht habe ich die eine oder andere Eintagsfliege übersehen, aber sechsundvierzig dürfte ungefähr hinkommen. Das hier ist die siebenundvierzigste.«

»Hoffentlich hält sie länger als die anderen.«

»Wenn man sie liest, und nicht nur die Juristen, die immer nach Schlupflöchern suchen, dann ist das durchaus möglich.«

»Wie geht es Ihnen heute, Don Manuel?«

»Besser, entschieden besser.«

Er meinte natürlich, dass er nun, da er die Verantwortung für seine Gesundheit abgegeben hatte, nicht mehr so viel darüber nachdachte. Sein Sprachproblem hatte er im Griff.

»Fein. Ich würde gern Ihren Blutdruck messen, wenn Sie gestatten.«

Prompt rollte er den rechten Hemdsärmel auf. »Ich habe das deutliche Gefühl, dass er runtergegangen ist.«

Irrtum – er lag bei 175 zu 99.

»Immer noch ein bisschen zu hoch für meinen Geschmack, Don Manuel. Aber das kriegen wir schon hin.«

»Medikamente?«

»Nichts Drastisches, es hat keine Eile. Ich möchte mir die Sprachstörung gern ein bisschen genauer ansehen.«

»Heute ist alles in Ordnung.«

»Ja. Aber ich denke an dieses Außer-Puste-Geraten, von dem Sie mir erzählt haben. Ich möchte genau wissen, wo der Grund dafür liegt, bevor wir entscheiden, was wir dagegen unternehmen.«

»Ich habe Ihnen alles gesagt. Ich habe es Ihnen sogar vorgeführt. Sie wollen hoffentlich keine zweite Kostprobe.«

»Nein, nein. Aber es gibt Leute, Neurologen, die sich speziell mit diesem Problem beschäftigen und es sehr viel schneller und eindeutiger erkennen können als ich hier. Sie haben besondere Methoden zur Untersuchung von Gewebe, für die es hier einfach nicht die Möglichkeiten gibt.«

Das behagte ihm nicht. »Sie wollen mich zu einem Spezialisten schicken? Wohin?«

»Nur in unser Krankenhaus. Wie gesagt, wir haben normalerweise nicht die Apparate, um diese Untersuchungen durchzuführen. Normalerweise. Zum Glück gibt es einen renommierten französischen Neurologen, einen der besten überhaupt, der uns im Moment zufällig zur Verfügung steht. Er hat sich bereit erklärt, morgen auf dem Rückflug nach Paris für ein paar Stunden auf Saint-Paul Zwischenstation zu machen, um Sie zu untersuchen.«

Villegas musterte mich scharf: »Haben Sie das arrangiert, Ernesto?«

»Ja.« Ich sah ihm in die Augen. »Ja. Ich hatte von offizieller Seite Hilfe, aber es war ganz allein meine Idee, Sie einem Spezialisten vorzustellen.«

»Ein Spezialist aus Paris?« Er starrte mich unverwandt an.

»Es gibt einen tüchtigen Arzt in Fort de France, der ebenfalls in Frage gekommen wäre. Aber warum sich mit dem Guten zufriedengeben, wenn man den Besten haben kann?«

Er tippte sich ans Gesicht. »Sie selbst können mir da nicht helfen?«

»Ich könnte es versuchen, Don Manuel, aber warum sollte ich an Ihnen herumexperimentieren, wenn Sie einen Spezialisten brauchen, der Ihnen sofort zur Verfügung steht.«

»Na schön, ich gebe mich in Ihre Hände.«

Er machte keine weiteren Schwierigkeiten, erklärte sich sogar bereit, spätestens um vier Uhr im Krankenhaus zu sein. Ich wies darauf hin, dass Professor Grandval noch am selben Tag seinen Anschlussflug erreichen musste.

»Aha«, sagte er mit einem verschmitzten Blick, »den darf er natürlich nicht verpassen. Muss ein sehr entgegenkommender und liebenswürdiger Mann sein, dieser Professor!«

Das hoffe ich, aber ich bezweifle, dass sich seine Liebenswürdigkeit bis nach Saint-Paul-les-Alizés erstreckt.

Ins Krankenhaus zurückgekehrt, traf ich mit Dr. Brissacs Verwaltungsassistenten die notwendigen Vorbereitungen für den morgigen Tag.

Dann schrieb ich Doña Julia einen Brief, um ihr für die Einladung für Montagabend zu danken. Der Akt des Schreibens erschien mir eigentümlicherweise wie eine abergläubische Handlung, so als wollte ich mich vor dem bösen Blick schützen. Vielleicht war das tatsächlich so.

Abends

Besuchte Elisabeth, erzählte ihr aber nichts. Das meiste kann ich ihr ohnehin nicht erzählen. Hätte Doña Julias Einladung erwähnen können, wollte mir aber nicht schon wieder flammende Reden über Kaiser Maximilian anhören müssen.

Donnerstag, 22. Mai, nachmittags

Um 15.30 Anruf irgendeines Flugplatzbeamten, der mir mitteilte, dass Professor Grandval unterwegs zum Krankenhaus sei. Ging hinunter zum Personaleingang, um dort auf ihn zu warten. Er saß in der Limousine des Garnisonskommandeurs, die von einem Soldaten gefahren wurde.

Der alte Grandval ist eine schlanke, eindrucksvolle

Gestalt, bestens erhalten. Kaum gealtert, seit ich ihn das letzte Mal sah. Wirkte jedoch müde und machte ein mürrisches Gesicht. Verständlich. Es zeigte sich auch, dass er schlechte Laune hatte.

Ich stellte mich vor, erklärte ihm, welche Position ich im Krankenhaus bekleide, und bot ihm an, seine Instrumententasche zu tragen.

Er ging auf mein Angebot nicht ein. »Wer leitet das Krankenhaus?«, fragte er.

»Dr. Brissac ist der Ärztliche Direktor. Ich habe gehört, dass Sie ihn nicht zu sehen wünschen.«

»Von wem haben Sie das gehört?« Er fuhr fort, ohne eine Antwort abzuwarten. »Wenn er für dieses Gangsterstück verantwortlich ist, wenn er Geheimagenten losschickt, die mich unter Druck setzen, kaum verhüllte Drohungen in Bezug auf die Finanzierung meiner Forschung äußern, plump an meinen Patriotismus appellieren und sich in geheimnisvollen Andeutungen über das nationale Interesse ergehen, dann möchte ich ihn allerdings sprechen.«

»Für diese Dinge ist niemand in unserem Krankenhaus verantwortlich, das kann ich Ihnen versichern.«

»Ach ja? Ausgezeichnet! Ich sag Ihnen was, junger Mann. Man hat mich aus meiner Arbeit gerissen, praktisch entführt, weil ich eine reine Routineuntersuchung durchführen soll, wie ich den spärlichen Informationen entnehmen muss, die man mir gegeben hat. Ich möchte hinzufügen, dass dies nicht passiert wäre, wenn der General noch leben würde. Ich hätte mich direkt bei ihm beschwert. Diese Geschichte wäre natürlich verhindert worden.«

Der Pförtner hörte aufmerksam zu. Wir mussten unbedingt weg vom Eingang.

»Der Fall ist keineswegs reine Routine, Herr Professor. Wenn wir nach oben gehen könnten, würde ich es Ihnen erklären.«

Er starrte mich an. »Ist es Ihr Fall?«

»Ja.«

»Na schön«, sagte er grimmig. »Dann schauen wir mal.« Die Posaunen des Jüngsten Gerichts hätten beruhigender geklungen. Im Aufzug fuhr ich mir mit der Zunge über die Lippen und versuchte mich zusammenzureißen. Ich sah, dass er mich mit kalter Befriedigung musterte.

Im Untersuchungszimmer setzte er sich, warf einen prüfenden Blick auf die Instrumente und sagte: »Und nun?«

Ich erklärte ihm kurz, wer Villegas war und dass unser Vorschlag, den Patienten nach Paris zu schicken, höheren Orts abgeschmettert worden war. Ich bemühte mich gar nicht erst zu erklären, von wem und warum.

»Und was ist Ihrer Meinung nach mit ihm los?«

Ich berichtete ihm von meiner vorläufigen Diagnose.

»Was wissen Sie von dieser Materie?«, fragte er barsch. »Haben Sie schon mal mit einem solchen Fall zu tun gehabt?«

»Nein. Was ich darüber weiß, habe ich bei Ihnen an der Universität gelernt.«

»Wo? Wann?«

Ich erzählte es ihm. »Sie haben den Fall eines protestantischen Pfarrers vorgestellt«, fügte ich hinzu. »Ich erinnere mich noch, Sie sagten, er habe nicht mehr richtig predigen können.«

»Und dieser Politiker hat auch Probleme beim Predigen?«

»Ich glaube, es ist dasselbe Problem, ja.«

»Wie war Ihr Name gleich? Ich habe ein furchtbares Namensgedächtnis.«

»Castillo.«

Er dachte einen Moment nach. »Ach ja, ich hab's. Der Student aus Lateinamerika. Ihr Name stand in den Zeitungen. Wo ist Ihr Patient?«

Ich sah auf meine Uhr. »Er müsste jeden Moment eintreffen. Ich habe hier seine Akte und noch andere Aufzeichnungen von mir, wenn Sie einen Blick hineinwerfen wollen.«

Er wollte. Er las alles sehr aufmerksam. Während er die Notizen ein zweites Mal durchging, rief der Pförtner vom Haupteingang an, um zu melden, dass Villegas eingetroffen sei. Ich sagte dem Professor Bescheid.

Er nickte. »In Ordnung. Er soll hochkommen. Eine Frage noch. Wie war das genau, als er mit Sprechen aufhörte? Hat er erst gestottert, oder hat er einfach langsamer gesprochen und dann aufgehört?«

»Seine Aussprache wurde stockend, dann hat er aufgehört. Er hat es wie ein Aus-der-Puste-Geraten beschrieben. Offenbar tritt ein deutliches Zucken der Zunge auf. Ein unangenehmes Zittern, wie er sagt.«

»Sind noch andere Muskeln betroffen?«

»Der Unterkiefer schien ihm Schwierigkeiten zu machen.«

»Na schön.«

»Möchten Sie allein mit ihm sein?«

»Spricht er Französisch?«

»Nicht besonders gut, nein.«

»Dann sollten Sie bleiben und dolmetschen. Sie könnten auch assistieren, falls ich Hilfe brauche.«

Das Erstaunliche war, dass Professor Grandval in dem Moment, als Villegas eintrat, sich in einen völlig anderen Menschen verwandelte – er lächelte, sprach sanft und einfühlsam und war überaus höflich. Villegas taute auf. Auch wenn sie die Sprache des jeweils anderen nicht sehr gut sprechen konnten, verhielten sie sich binnen kurzem wie zwei alte Freunde. Um ein solches Verhältnis zu einem Patienten herzustellen, dachte ich, würde Doktor Frigo Stunden oder Tage brauchen – oder eine Ewigkeit. Die beiden achteten auch nicht weiter auf mich, wenn sie nicht gerade meine Dolmetscherdienste benötigten.

Die Befragung begann fast unmerklich, wie im Plauderton, war aber sehr gründlich. Wie oft treten die Beschwerden auf? Meistens wann? Zu welcher Tageszeit? Wann legen sie sich wieder? Wie lange lassen sich die Beschwerden durch kräfteschonendes Verhalten hinausschieben? Treten gleichzeitig andere Empfindungen auf? Taubheitsgefühle? Andere besondere Wahrnehmungen? Arme und Beine? Die Hände? Probleme an anderen Körperstellen?

Nach etwa einer halben Stunde fielen mir an Villegas leichte Ermüdungserscheinungen auf. Er hatte zwar nicht ununterbrochen geredet, da ich immer wieder gedolmetscht und er sich in dieser Zeit erholt hatte, aber die Konsonanten waren nicht mehr so deutlich. Einmal schien mir, als wollte Grandval sehen, wie weit er mit ihm gehen könne, doch dann hörten seine Fragen plötzlich auf und die eigentliche Untersuchung begann.

Auch sie war sehr gründlich. Schließlich sagte Grandval zum Patienten: »Ich muss kleine Proben von Muskelgewebe untersuchen, und zwar von Gesicht, Schultern, Armen und Beinen. Winzige Partikel. Es wird nicht wehtun, ich gebe Ihnen eine Spritze, wie beim Zahnarzt, nur dass ich nicht bohre. Sie werden nichts spüren. Vielleicht morgen ein leichtes Wundgefühl, weil ich die kleinen Einstiche mit Laser verschließen werde.«

Noch einmal vierzig Minuten, dann war es vorbei. Ich hatte nichts anderes getan, als die speziellen Dosen für die Proben bereitzuhalten, luftdicht zu verschließen und das jeweilige Etikett nach Anweisung zu beschriften.

»Fertig«, sagte Professor Grandval schließlich.

Villegas setzte sich auf. »Was meinen Sie, Professor?« Wegen der Injektionen im Gesicht hatte er noch große Mühe mit der Aussprache, aber Grandval verstand.

»Es gibt mehrere Möglichkeiten«, sagte er verbindlich. »Sobald ich mir eine Meinung gebildet habe, werde ich Dr. Castillo Bescheid geben. Es kann ein paar Tage dauern.«

»Ich komme mir wie ein Nadelkissen vor. Können Sie Ihre Tests nicht hier machen?«

»Ich möchte die Gewebeproben lieber in meinem Pariser Institut untersuchen. Es ist besser so. War mir ein Vergnügen, Sie kennengelernt zu haben, Monsieur Villegas.«

Ich brachte den Patienten hinunter zu seinem Wagen. Dabei fiel mir auf, dass zwei Männer im Wagen der DST saßen. Wie Monsieur Albert schon vorhergesagt hatte, waren die Sicherheitsmaßnahmen für Villegas verstärkt worden.

Als ich wieder zu Professor Grandval zurückkehrte, schloss er gerade seine Instrumententasche.

Ich fragte ihn nicht, welchen Eindruck er gewonnen hatte. Wenn er mir etwas sagen wollte, würde er es von alleine tun.

»Ich habe ihm gesagt, dass es ein paar Tage dauert«, bemerkte er, »damit er Sie wegen der Ergebnisse nicht bedrängt. Meistens fängt es in den Händen und Unterarmen an. Der Pfarrer, von dem ich in meiner Vorlesung sprach, war auch in dieser Hinsicht ungewöhnlich. Im Anfangsstadium sehr schwer zu erkennen. Gut gemacht!«

Im Lift wandte er sich wieder an mich: »Nein, es war nicht Ihr Name, der in den Zeitungen stand. Es war Ihr Vater. Er hatte irgendeinen Unfall.«

»Er starb bei einem Attentat.«

»Nun ja, bei Politikern ist das sicher eine Art Unfall. Ich hoffe, dass Sie spätestens Samstag von mir hören.«

Der Wagen des Garnisonskommandeurs wartete vor dem Diensteingang. Professor Grandval lächelte mir noch zu, während das Auto losfuhr.

Er hat mich gelobt. Das ist kein Trost. Jetzt ist klar, was er von dem Fall hält. Ich hätte mich lieber geirrt.

Freitag, 23. Mai

Noch immer keine Nachricht von Grandval. Delvert rief an, wollte wissen, wann damit zu rechnen sei. Ich erklärte ihm, dass ich es nicht wisse, ihn aber informieren würde, wenn es so weit sei. Er sagte, dass das nicht nötig sei. Alle Nachrichten von Professor Grandval an mich würden über die Funkstation der Armee laufen.

Wahrscheinlich ist der Professor im Bild. Gestern Abend vor dem Abflug hatte er bestimmt noch eine Begegnung mit der »Geheimpolizei«. Kann nur hoffen, dass es ihm nicht den Appetit verdorben hat.

Samstag, 24. Mai, abends

War gerade nach Hause gekommen, als ein Militärjeep vorfuhr. Ein Gefreiter bat um meinen Ausweis und übergab mir dann gegen Quittung einen versiegelten Umschlag.

Er enthielt ein Telegramm von Professor Grandval. Es bestand aus sechs Wörtern:

AMYOTROPHE LATERALSKLEROSE
SCHRIFTLICHER BERICHT FOLGT
GRANDVAL

Ich goss mir einen ziemlich starken Drink ein. Ich hielt die Flasche noch in der Hand, als das Telefon klingelte.

»Haben Sie das Telegramm?«, fragte Delvert.

»Ja.«

»Was bedeutet es?«

»Das erzähle ich Ihnen nicht am Telefon. Ich habe mir gerade einen Drink eingeschenkt.«

Eine Pause. »Ich schaue kurz vorbei.«

Fünf Minuten später war er da. Ich hatte ihm ein Glas eingeschenkt. Er würde es vermutlich gebrauchen können. »Also, was hat dieser Quatsch zu bedeuten? Ist es was Ernstes?«

»Für meinen Patienten ist es sehr ernst. Was es für Sie heißt, müssen Sie selbst wissen. Ich kann Ihnen aber so viel sagen, dass Villegas für Sie oder andere Leute kaum mehr von Nutzen sein wird, dafür hat er nicht mehr genug Zeit.«

Delvert setzte sich und nahm das Glas, das ich ihm anbot.

»Alle Einzelheiten, bitte«, sagte er.

»Die Krankheit ist auch als fortschreitende Muskelatrophie bekannt, und das beschreibt es schon ziemlich genau. Es ist eine Erkrankung des zentralen Nervensystems. Ursache unbekannt. Es gibt verschiedene Theorien, dass es sich dabei möglicherweise um Spätfolgen von Syphilis oder Bleivergiftung handelt, aber das ist nur eine Theorie und aus unserer Sicht von keinerlei praktischem Wert.«

»Aber sie ist heilbar.« Es war eine Feststellung.

»Nein, sie ist nicht heilbar. Man kann den Patienten begleitend therapieren, die schlimmsten Beschwerden etwas lindern, aber das ist auch schon alles. Der Tod tritt in ein, zwei Monaten ein, vielleicht auch in zwei, drei

Jahren, aber er tritt ein. Aus Sicht des Patienten könnte man sagen, je früher, desto besser.«

»War das die ernste Geschichte, an die Sie gedacht haben?«

»Nein. Ich hatte an etwas weniger Schweres gedacht.«

»Nämlich?«

»Muskeldystrophie. Bei einem Erwachsenen sind meist nur die Gesichts- und Halsmuskeln betroffen. Ernst, aber nicht unheilbar. In gewissem Maße kann man die Krankheit behandeln und in den Griff bekommen.«

»Wie denn?«

»Hauptsächlich Massagen. Der Patient muss sich bewegen. Als Medikament wird Glyzin verwendet.«

»Aber diese Atrophie, die er hat, ist weder heilbar noch einzudämmen?«

»Richtig. Natürlich wird Ihnen für diese Feststellung mein Wort allein nicht genügen, aber Sie dürften kaum einen Arzt finden, der mir widerspricht.«

»Könnte sich der Professor mit seiner Diagnose irren?«

»Möglich, aber ich glaube nicht, dass er sich irrt. Sie können sich natürlich ein Zweitgutachten besorgen. Vielleicht wäre das sogar empfehlenswert. Ich bin mir sicher, dass der Patient ein Zweitgutachten haben will.«

»Darüber können wir später sprechen. Gesetzt den Fall, Professor Grandval hat recht, welchen Verlauf nimmt diese Krankheit? Was passiert? Ich vermute, er wird immer größere Probleme mit der Aussprache haben.«

»Ja, aber wie schnell sich das entwickelt, kann man kaum sagen. Dieser Fall ist insofern ein bisschen ungewöhnlich, als die Diagnose ziemlich früh gestellt werden konnte, weil die Krankheit schon so früh zu erkennen war. Meistens ist der Beginn heimtückischer. Erst sind die Muskeln von Händen und Unterarmen betroffen, dann die Schultern. Später werden die Beine schwach und spastisch. Überall schrumpfen Muskeln und fibrillieren, das heißt, sie zittern und zucken. Wenn die Krankheit das Gehirn erfasst, hat der Patient große Mühe mit dem Kauen, Schlucken und Sprechen. Auch die Zunge zuckt. Die Lippen bleiben geöffnet, der Betreffende sabbert. Jeder Versuch, die Gesichtsmuskeln gezielt zu bewegen, führt zu einer heftigen Verzerrung des ganzen Gesichts.«

Delvert seufzte schwer. »Reizend. Sonst noch etwas?«

»Nichts Angenehmes. Der Patient bricht ohne erkennbaren oder besonderen Grund häufig in Lachen oder Weinen aus. Es wird immer wichtiger für ihn, sich auszuruhen. Am Ende muss er durch einen Nasentubus ernährt werden.«

Delvert stand abrupt auf und nahm einen großen Schluck von seinem Drink. Dann nickte er. »Vielen Dank. Kann es sein, dass Sie etwas übertreiben?«

»Nein, es ist wirklich eine grauenhafte Krankheit.«

»Und man kann nichts tun.«

»Nein.«

»Wie lange?«

»Wie gesagt, ich weiß es nicht. Das Sprechproblem wird sich verschlimmern, aber wie schnell, kann ich unmöglich sagen. Neulich hatte ich das Bild vom Mittelstreckenläufer verwendet. Es stammt nicht von mir, Villegas selbst hat es verwendet. Irgendwann kann er nicht mehr laufen. Wann genau, bleibt abzuwarten. Und natürlich werden noch andere Dinge passieren.«

»Könnte er noch einen Monat leben, in seiner Verfassung?«

»Vielleicht. Vielleicht auch zwei. Aber in diesem Frühstadium ist wirklich nicht absehbar, wie rasch sich sein Zustand verschlimmert.«

»Verstehe. Was werden Sie Ihrem Patienten erzählen?«

»Die Wahrheit natürlich, früher oder später. Ich weiß nicht wann. So weit war ich noch nicht. Da Sie Professor Grandvals Nachricht gelesen haben, werden Sie wissen, dass er einen schriftlichen Bericht schickt. Wahrscheinlich werde ich diesen Bericht abwarten. Kommissar Gillon wird natürlich informiert werden müssen.«

»Wieso das?«

»Ich bin ihm gegenüber zumindest teilweise rechenschaftspflichtig.«

»Das Telegramm, das Sie erhalten haben, ist eine streng geheime Mitteilung. Ich möchte sie gern wiederhaben.«

Ich gab es ihm.

»Kommissar Gillon wird alles erfahren, was er wissen muss – dass es sich um eine ernste Erkrankung handelt. Und ich werde es ihm persönlich mitteilen. Sie hatten ursprünglich ja wohl Muskeldystrophie vermutet.«

»Ja.«

»Dann bleibt es auch dabei, solange Sie von uns nichts anderes hören.«

»Wollen Sie, dass ich meinem Patienten die Unwahrheit sage?«

»Wäre es in diesem Fall nicht ein Akt der Barmherzigkeit? Schließlich können Sie ihm nichts anderes bieten als Barmherzigkeit. Aber diese Entscheidung überlasse ich Ihnen.«

Er ging hinaus.

Nach einer Weile beschloss ich, Elisabeth zu besuchen.

Später erzählte ich ein wenig von dem, was vorgefallen war. Mir ist klar, dass Ärzte nicht über ihre Patienten reden dürfen – Frigo hatte stärkste Bedenken –, aber ich musste mir einfach etwas Erleichterung verschaffen. Außerdem hatte ich schon mit Delvert geredet.

Auch Elisabeth reagierte geradezu brutal nüchtern.

»Ein Monat oder so dürfte reichen«, sagte sie nachdenklich. »Es würde natürlich Fernsehauftritte geben und Radioansprachen, aber die könnte man in Zehn-Minuten-Portionen aufnehmen und zusammenschneiden.«

»Ja, vermutlich.«

»Die Livepressekonferenzen wären schon schwieriger. Aber mit ein wenig Phantasie und sorgfältiger Vorbereitung müsste man es hinkriegen. Die ersten beiden Wochen werden entscheidend sein.«

»Und dann? Eine offizielle Rede vor der Organisation Amerikanischer Staaten etwa oder vor dem neugewählten Parlament – wie soll das funktionieren?«

Sie dachte eine Weile nach und fuhr sich dann mit den Fingern durch die Haare. »Man sucht nach Auswegen.«

»Welchen Auswegen?«

Sie sah mich ernst an. »Wie war das mit Kaiser Ferdinand?«, fragte sie.

Ich wusste es nicht, und da es mir in diesem Moment auch ziemlich egal war, erkundigte ich mich nicht.

Dann ging ich nach Hause, und jetzt, nachdem ich die obigen Zeilen geschrieben habe, werde ich eine Schlaftablette nehmen.

Später

Habe noch eine zweite Tablette genommen, da die erste nichts genützt hat.

Während ich auf das Einsetzen der Wirkung wartete, schlug ich in meinen Handbüchern über die Habsburger nach.

Kaiser Ferdinand III. litt an Rachitis und epileptischen Anfällen und war offenbar geistesgestört. »Ich bin der Kaiser, ich will Nudeln haben«, soll er bei einem Staatsbankett seinen Kämmerer angeschnauzt haben.

Auf Betreiben Metternichs wurde Ferdinand nach ein paar Wochen, dem so genannten Vormärz-Interregnum, durch den Erzherzog Ludwig ersetzt.

Erzherzog Ludwig war anscheinend nur dumm.

Dritter Teil

Die Behandlung

Rue Racine 11
Fort Louis
Saint-Paul-les-Alizés

Montag, 26. Mai, abends

Doña Julia hatte in ihrer Einladung darauf hingewiesen, dass in Les Muettes zu den üblichen Zeiten gegessen wird. Abendessen also um halb elf, womöglich noch später. Machte mir daher ein Omelett, bevor ich aufbrach. Da ich meinen dunklen Anzug und Krawatte trug, beschloss ich, nicht mit dem Moped zu fahren, sondern mir ein Taxi zu nehmen. Antoine konnte mir für den Rückweg einen Wagen bestellen.

Ein Fehler. Ich hätte lieber das Moped nehmen und riskieren sollen, durchnässt anzukommen.

Am Tor standen dieselben DST-Männer, die Villegas zur Untersuchung durch Professor Grandval ins Krankenhaus begleitet hatten. Da sie mich also vom Sehen kannten, kontrollierten sie meinen Ausweis nur flüchtig. Der Taxifahrer hatte weniger Glück – er und sein Fahrzeug wurden durchsucht. Er beklagte sich lautstark, allerdings bei mir und nicht bei den DST-Agenten.

Auf dem Vorplatz stand ein zweites Auto, in dessen Rückfenster ich die Plakette einer lokalen Autovermietung entdeckte, und ich überlegte schon, ob Delvert ebenfalls eingeladen war. Gillon schied aus, weil er mit dem eigenen Wagen gekommen wäre.

Es gehörte keinem der beiden. Delvert hatte gesagt, dass ich dort einen Anwalt, einen Priester und einen Gangster vorfinden würde. Der Letzte, den ich außerdem im Haus erwartet hätte, war Rosier.

Ich sah ihn nicht gleich. Alle schienen draußen auf der Terrasse zu sein, doch als Antoine mich hinausbringen wollte, kam Doña Julia herein, um zu sagen, dass die Gläser einiger Gäste aufgefüllt werden müssten.

»Wie schön, dass Sie kommen konnten.« Sie klang etwas atemlos.

»Es ist mir ein Vergnügen, Doña Julia.«

Sie nahm meinen Arm und dirigierte mich zu der Nische, in der die Stereo-Anlage stand. »Ich würde Sie gern noch privat sprechen, bevor ich Sie unseren Gästen vorstelle.«

Ich wollte etwas Belangloses erwidern, doch sie hob schon an.

»Doktor, ich mache mir Sorgen um Don Manuel, große Sorgen.« Sie musterte mich scharf, als hätte ich ihr widersprechen wollen.

»Gibt es einen bestimmten Grund?«, sagte ich. Es war keine beiläufige Frage. Vor vier Tagen hatte ich ihn zuletzt gesehen, und bei einem Mann in seiner Verfassung konnten rasch unerwartete Entwicklungen eintreten.

»Weil er selbst so besorgt ist«, sagte sie und warf die

Hände theatralisch in die Höhe. »Seit er mit diesem Professor gesprochen hat, ist er jeden Tag unruhiger. Ich habe ihn gebeten, Sie anzurufen, aber er wollte nicht. Sie würden ihm Bescheid sagen, sobald Sie das Ergebnis haben.«

»Ja, das stimmt. Professor Grandval hat seine Arbeit im Labor und muss den Bericht schreiben. Gestern war Sonntag. Er kann den Bericht kaum vor heute Morgen per Luftpost abgeschickt haben. Vielleicht Mittwoch ...«

»Aber hat dieser Professor denn gar nichts zu Ihnen gesagt? Kein Wort?«

»Diese renommierten Spezialisten sind peinlichst auf ihren Ruf bedacht, Doña Julia. Sie spekulieren nicht und geben keine vorschnellen Urteile ab, schon gar nicht gegenüber Ärzten eines Provinzkrankenhauses. Bevor sie Stellung nehmen, informieren sie sich gründlich. Dafür werden sie schließlich bezahlt.«

»Ach ja, apropos, wer bringt eigentlich das Honorar für diesen berühmten Mann auf?«

Wahrheitsgemäß hätte ich sagen müssen, dass ich es nicht weiß und dass ich Delvert auch nicht danach gefragt hatte. Wahrscheinlich Delverts Büro. Ich sagte: »Das Krankenhaus hat ihn kommen lassen, Doña Julia. Ich bin sicher, die Kosten werden vom Gesundheitsministerium übernommen.«

»Das ist ja alles furchtbar beunruhigend.«

»Ungewissheit beunruhigt immer. Sobald mir der schriftliche Bescheid von Professor Grandval vorliegt, melde ich mich bei Don Manuel.«

»Sie sehen ja selbst, dass er nichts hat. Er ist nur erschöpft wegen der vielen Arbeit und weil er sich um die Zukunft unseres Landes so viele Sorgen macht. Wenn diese dumme Untersuchung doch nie stattgefunden hätte!«

Mir wäre das auch lieber gewesen. Zum Glück beschloss sie, sich wieder um ihre Gäste zu kümmern.

»Aber wie Sie selbst sagen, wir können nur warten und an schönere Dinge denken. Sie müssen unsere Gäste kennenlernen!«

Sie führte mich hinaus auf die Terrasse.

Die Gruppe, die dort im Kerzenlicht saß, erinnerte auf den ersten Blick an einen Kriegsrat unter dem Vorsitz von Villegas, und vermutlich handelte es sich auch genau darum. Doch als ich mit Doña Julia näher kam, verflüchtigte sich der erste Eindruck von Förmlichkeit. Die sechseckigen Flächen der drei zusammengerückten Tische waren mit modischen Kacheln verziert, und die weißlackierten, gusseisernen Stühle mit ihren dunkelroten Sitzkissen sahen sehr dekorativ aus. Halb leergeräumte Teller mit Häppchen, volle Aschenbecher und Eiskübel mit geöffneten Champagnerflaschen erzeugten eine gelöste Stimmung. Der einzige Mann in der Gruppe, der kein Sporthemd trug, war der Priester, dessen weiße, schweißfleckige Soutane ihm über die Knie hochgerutscht war. Die Atmosphäre erinnerte eher an die Vorstandssitzung eines Tennisclubs, dessen Schatzmeister gerade einen Vortrag über die vorzügliche finanzielle Situation gehalten hatte, als an einen ernsten Kriegsrat.

Villegas und Onkel Paco erhoben sich, um mich zu begrüßen. Don Manuel legte den Arm um meine Schulter und stellte mich mit einem strahlenden Blick in die Runde als Doktor Ernesto Castillo Reye vor. Dann setzte er sich wieder und überließ es Onkel Paco, mich mit den einzelnen Gästen bekannt zu machen. In diesem Moment erkannte ich Rosier, der an einem der Tische saß und mir leise zulächelte.

Ich stand einen Moment wie ein Idiot da, dann nahm Paco meinen Ellbogen und führte mich an Villegas vorbei zu dem Mann, der links neben ihm saß, einem gut aussehenden, maskulinen Kreolen mit einem aristokratischen, scharfgeschnittenen Gesicht, das mir bekannt vorkam. Ich schätzte ihn auf etwa fünfzig. Sein Händedruck war trocken und fest, sein Lächeln ungezwungen und sympathisch.

»Don Tomás Santos Andino«, intonierte Onkel Paco, »unser treuer Verbündeter und Experte in allen Verfassungsrechtsfragen.«

Delvert hatte gesagt, dass ein Jurist anwesend sein würde, es aber nicht für nötig befunden, darauf hinzuweisen, dass es sich dabei um den gegenwärtigen Erziehungsminister der Oligarchie handelte. Der Mann bekleidet den Posten seit vier Jahren und ist verantwortlich für das Dorfschulsystem, das einzige fortschrittliche Reformprojekt in dieser Zeit. Paco hatte ihn als Verbündeten bezeichnet und nicht als Bundesgenossen, weil Santos bis zu dem Zeitpunkt, da die Oligarchie sämtliche Parteiorganisationen aufgelöst hatte, Christsozialist gewesen war, jedenfalls auf dem Papier. Ein Mann, der durchaus für seine politischen Überzeugungen eintritt, sich in einer Partei allerdings nie ganz heimisch fühlt – in gewisser Hinsicht ein unpolitischer Mensch. Manche würden sagen, dass ihn allein schon seine Anwesenheit hier zum Verräter an der Regierung machte, der er angehörte.

»Don Tomás hat auch beträchtlichen Einfluss unter den Studenten und Oberschülern der Hauptstadt«, fügte Onkel Paco hinzu.

»Er meint damit«, erklärte Don Tomás gleichmütig, »dass ich sie auf die Straße holen kann, wenn das nützlich ist, so wie Pater Bartolomé die Volksmassen in den Slums mobilisieren kann.«

»Das stimmt, Ernesto.« Das war Villegas. »Die Regierungen vieler anderer Staaten haben das schon festgestellt. Das Verteidigungs- und das Innenministerium sind nicht mehr die Einzigen, die über organisierte Kräfte verfügen. Sie mögen bewaffnet sein, aber das heißt nicht unbedingt, dass sie die Situation immer im Griff haben. Fragen Sie Ihre französischen Freunde. Nein, heutzutage sind auch die Erziehungsministerien wichtige Machtfaktoren.«

»Aber nicht alle verfügen über so lebhafte und entschlossene Studentengruppen wie Don Edgardo Canales Barrios«, sagte Onkel Paco. Er gestattete sich ein leises Lachen, während er mich weiterdirigierte. »Don Edgardo kennst du vermutlich unter dem Namen El Lobo.«

El Lobo, der Wolf, reagierte nicht auf Onkel Paco und dessen Bemerkung. Er musterte mich vom Scheitel bis zur Sohle und ließ sich viel Zeit dabei.

El Lobo ist achtundzwanzig, wenn ich recht informiert bin, sieht aber jünger aus. Er hat einen massigen Körper, einen runden Kopf, blasse, aufgedunsene Backen, aber die Stirn ist fast faltenlos. Er sieht aus wie ein großes, aufgeschwemmtes und verwöhntes Baby.

Die Haut über dem Unterkiefer ist etwas heller als das übrige Gesicht, vielleicht, weil er sich gerade einen Bart abgenommen hat, aber selbst mit Bart hätte er nie und nimmer wie ein Wolf gewirkt. Die meisten Guerillakämpfer suchen sich Tarnnamen aus, die natürlich ein falsches Bild produzieren sollen, aber ich bezweifle, dass ihnen das oft gelingt. Es gibt wohl nur wenige Sicherheitsbeamte, die nicht ahnen, dass ein gewisser El Flaco (»Der Dünne«) außerordentlich dick sein dürfte. Gleichwohl hat El Lobo nichts von einem Lamm. Die kleinen nachdenklichen Augen sind die eines extrem gefährlichen Fischs. Kann man das Opfer sofort verschlingen oder muss man es erst rasch töten?

Er gab mir nicht die Hand. Vielleicht ist er einer von diesen Menschen, denen körperlicher Kontakt unangenehm ist. Wahrscheinlicher ist, dass er sofort meine Abneigung spürte. Solche Reaktionen dürften ihm vertraut sein, ja vielleicht genießt er sie sogar.

Um das Schweigen zu brechen, sagte ich als Antwort auf Onkel Pacos Feststellung: »El Lobo kennt jeder.«

Die Fischaugen sahen mich noch immer prüfend an. Lohnte es sich, mich zu fressen, oder war eventuell mit schützenden Körperteilen, scharfen Widerhaken vielleicht, zu rechnen?

»Ihr Problem ist«, sagte er langsam, »dass Sie ein zu weiches Herz haben. Mir ist das schon seit einiger Zeit aufgefallen.«

»Ach ja?«

»Diese Gauner in Florida. Sie hätten ihnen die Haut vom Leibe ziehen sollen.«

Seine Stimme ist flach und ausdruckslos, sodass man, wenn er eine Redensart verwendet, nicht recht weiß, ob man sie wörtlich nehmen soll oder nicht.

Ich umging das Problem. »Unsere kubanischen Freunde haben mir das auch gesagt. Ich habe ihnen erklärt, dass es uns wichtiger war, das Geld zurückzubekommen.«

Onkel Paco lachte. »Seht ihr, wie gewandt unser Doktor Ernesto ist?«, rief er den anderen zu. »Das hat er von seinem Vater.«

El Lobo stimmte in das amüsierte Gemurmel ein, zwinkerte mir aber kaum wahrnehmbar zu. Ihm hatte ich nichts vormachen können.

»Señor Roberto Rosier kennst du vermutlich schon«, sagte Paco inzwischen.

»Aus einem anderen Zusammenhang, ja.«

Rosier grinste. »Wir haben uns in der Galerie von Madame Martens kennengelernt. Wir hatten eine sehr konstruktive Diskussion, nicht wahr?«

»Konstruktiv? Ich würde eher sagen weitschweifend.«

»Und worüber haben Sie diskutiert?« Das war der Advokat Santos, der sich mit einem etwas eisigen Lächeln zu uns herüberbeugte. »Darf man das erfahren? Don Roberto ist ein Experte in vielen Dingen, aber ich hätte nicht gedacht, dass er auch von Kunst etwas versteht.«

»Nein, nicht Kunst, Don Tomás.« Rosier winkte lässig ab. »Wir haben über Leben und Tod gesprochen, stimmt's, Doktor?«

»Unter anderem.« Ich sah Santos an. »Über den Wert

von Leben und Tod, Don Tomás, über den Geldwert genauer gesagt.«

Ich hatte in scharfem Tonfall gesprochen und merkte, dass Villegas Santos einen wissenden Blick zuwarf, der alles bedeutete – »Ich hab's dir gleich gesagt, aufgeblasen und ermüdend«, wenn er mich meinte, oder »Wir müssen auf ihn aufpassen«, wenn er Rosier meinte. Mir war es egal, wer gemeint war. Ich wünschte nur, Onkel Paco würde die Sache rasch hinter sich bringen.

»Don Roberto«, fuhr er erbarmungslos fort, »ist als unser Verbindungsmann zum Konsortium auch ein geschätzter Wirtschaftsexperte. Preise, Wertschwankungen und Zugang zu Märkten, besonders solchen, die von ausländischen Organisationen kontrolliert werden – das ist sein Tätigkeitsfeld. Er befasst sich mit Fakten, Zahlen, den fiskalischen Realitäten unseres Kampfes. Pater Bartolomé dagegen« – ich wurde nun in Richtung des Priesters weitergeschoben – »beschäftigt sich mit den Seelen und anderen, vielleicht nicht ganz so spirituellen Realitäten. Auch er ist ein einflussreicher Mann, aber sein Einfluss ist von anderer Art, unmittelbarer. Eine Macht, die El Lobo ergänzt, nicht wahr, Pater?«

»Mit den Seelen beschäftigt sich nur Gott«, sagte Pater Bartolomé vage.

In dem flachen, stark indianisch geprägten Mestizengesicht wirkte die Pfeife, an der er zog, reichlich deplatziert. Es war eine von diesen komplizierten europäischen Pfeifen mit einem Aluminiumrohr, in dem ein Nikotinfilter steckte, und einem durchlochten Deckel auf dem Kopf.

Pater Bartolomé war mir nicht ganz unbekannt. Er ist

einer dieser »Arbeiterpriester«, dessen enorme Beliebtheit in den Slums der Hauptstadt nach Ansicht einiger Kirchenoberen eher seiner Großzügigkeit in Bordellen und Bars zuzuschreiben war als seinem frommen Sozialismus und seiner mitreißenden Rhetorik. Angeblich mischt er in einem Gangstersyndikat mit, das den kleinen Kaufleuten in seiner »Gemeinde« Schutzgelder abpresst.

»Gott allein«, wiederholte er dogmatisch.

»Ganz recht, Pater.« Onkel Paco schaute wie ein Bischof, der in einem belanglosen theologischen Streitfall nachgibt. »Aber Sie befassen sich mit Menschen, die nach dem Bilde Gottes geschaffen sind.«

»Es sind keine Menschen«, sagte Pater Bartolomé. »Bloß Tiere in Menschengestalt.«

»Diese Formulierung«, warf Villegas rasch ein, »stammt übrigens von Ihrem Vater, Ernesto. Er hat sie im Parlament verwendet. Tiere in Menschengestalt. Es war eine Sensation damals, und alle waren empört. Jetzt verwenden diejenigen, die er gemeint hat, die Unterprivilegierten, diese Bezeichnung voller Stolz für sich selbst. Habe ich recht, Pater?«

»Jawohl.« Pater Bartolomé griff nach seinem Glas, trank einen großen Schluck und atmete schwer.

Aus gut einem Meter Entfernung war der Geruch unverkennbar. Pater Bartolomés Weinglas enthielt Rum, puren Inselrum. Er war schon ziemlich hinüber.

»Pater Bartolomé ist noch etwas erschöpft von der Reise«, erklärte Paco ruhig.

Der Priester wollte aufstehen, was ihm aber nicht gelang, grinste mich an und murmelte einen Segen. Aus den Augenwinkeln sah ich, wie El Lobo ihn beobachtete, als schwimme gerade ein mundgerechter Fisch vorbei.

»Kaffee für Pater Bartolomé!«, rief Doña Julia mit lauter Stimme.

Sichtlich angewidert musterte sie ihren betrunkenen Gast, was mich überraschte. Immerhin plante ihr Mann einen Putsch. Es wäre vernünftig gewesen, diesen Mann, so unsympathisch er auch sein mochte, der aber den grölenden, mit Molotowcocktails bewaffneten Pöbel mobilisieren konnte, mit einem Minimum an Takt zu behandeln. Ein leises Wort zu Antoine hätte genügt. Pater Bartolomé hätte man dann auf sein Zimmer gebracht, wo er die Flasche ungestört hätte austrinken können. Onkel Paco hatte gesagt, sie mache sich Feinde. Sie hatte sich gerade einen gemacht. Pater Bartolomé war beleidigt.

»Kaffee ist Gift!«, röhrte er.

Paco nahm mich beiseite und dirigierte mich wieder zu Villegas.

»Nun ja, Ernesto«, sagte mein Patient liebenswürdig, »es ist wirklich ein bisschen viel auf einmal. Legen Sie doch Jackett und Krawatte ab. Wir kennen uns hier alle, können also ganz zwanglos sein. Setzen Sie sich irgendwo hin und trinken Sie ein Glas Wein mit uns.«

Ich war froh, Jackett und Krawatte ablegen zu können, wusste aber nicht, wo ich mich hinsetzen sollte. El Lobo zog sofort einen Stuhl heran, sodass ich zwischen ihm und Santos saß. Letzterer unterzog mich sofort einem Kreuzverhör über die Situation des französischen Gesundheitswesens auf den Inseln. Leider stellte sich heraus, dass er weniger an Apotheken und mobilen Kliniken interessiert war, über die ich gut Bescheid weiß, als an statistischen und finanziellen Daten, worüber ich sehr wenig weiß. Ich war erleichtert, als Doña Julia verkündete, dass die Tische umgestellt werden müssten, da Don Manuel beschlossen habe, dass das Essen auf der Terrasse eingenommen würde.

Die Hausangestellten rollten Servierwagen heran, und alle, außer Pater Bartolomé, standen auf, während noch weitere der kleinen sechseckigen Tische zu einem Oval arrangiert wurden. Ich fand mich schließlich mit El Lobo an einem für zwei Personen gedeckten Tisch wieder. Selbst Pater Bartolomé wäre mir lieber gewesen, doch El Lobo schien ganz erfreut.

»Ein alter Langweiler«, sagte er mit einem Seitenblick auf Santos, »aber fähig und nützlich. Fanden Sie nicht? Unangenehme Fragen hat er gestellt.«

»Unangenehm nur für mich. Der Verwaltungschef meiner Klinik hätte die Antworten parat gehabt. Aber er ist Administrator, kein Arzt.«

»Na los, Doktor, spucken Sie's schon aus!«

»Was soll ich ausspucken?«

»Was Sie in dem Moment gedacht haben – dass es nicht in jedem Fall ein Zeichen von großer Intelligenz ist, unangenehme Fragen stellen zu können.«

»Ich fand es eher seltsam, ihn in dieser Runde zu finden.«

»Wir brauchen ein paar vorzeigbare Leute.« Er klang amüsiert.

»Finden Sie Don Manuel nicht vorzeigbar?«

»Doch, doch. Als Chef einer bürgerlichen Zentrumspartei im Exil hat er seine Sache erstaunlich gut gemacht. Wenn man es nicht besser wüsste, könnte man fast glauben, dass die Partei wirklich existiert.«

Ich wusste nicht recht, was ich darauf sagen sollte. Er lächelte.

»Sie haben den gleichen irritierten Gesichtsausdruck wie in dem Moment, als Sie dieser kleinen Predigt zum Thema Studentenmacht lauschten. So wohlinformiert, nicht wahr? Weiß er nicht, dass Sie im Mai achtundsechzig in Paris waren? Ich fand, Sie haben sich erstaunlich zurückgehalten.«

»Woher wissen Sie das?«, fragte ich.

»Ach, wir wissen fast alles über Sie, Doktor. Sie würden staunen.«

»Waren Sie auch dort? Ich meine, in Paris?«

»Nur als interessierter Beobachter.«

»Ich war kein interessierter Beobachter«, sagte ich. »Ich habe die meiste Zeit in einer Erste-Hilfe-Station gearbeitet, wo wir es mit Schädelfrakturen und inneren Verletzungen zu tun hatten. Nicht alles waren Studenten, übrigens. Von den schlimmsten Fällen waren es eigentlich nur sehr wenige.«

»Die Studenten hatten ihre eigenen Mediziner.«

»Unsinn! Sie haben nur gesehen, was Sie sehen wollten, Señor Lobo.«

»Wenn Sie unbedingt darauf bestehen, Doktor Frigo.«

»Ich sehe, Sie haben sich mit Rosier unterhalten.«

»Überhaupt nicht. Ich habe Ihnen ja gesagt, dass wir alles über Sie wissen. Schließlich sind Sie der Kronprinz.«

Ich musterte ihn. »Sie sind zu dick und zu schlaff für Ihr Alter«, sagte ich schließlich. »Ich empfehle Schwimmen. Wenn ich hier nicht Gast wäre, würde ich am liebsten sofort mit der Therapie anfangen und Sie in diesen Swimmingpool werfen.« Ich lächelte. »Und hoffen, dass er leer ist.«

Er lachte. Es klang eigentümlich dumpf, wie das Geräusch einer platzenden Thermoskanne. »Schon besser, Doktor. Ich war überzeugt, dass wir, um mit Mister Rosier zu sprechen, zu einem Agreement kommen.«

»Sind wir schon so weit?«

»Ich bin mir sicher.« Die Fischaugen musterten mich wieder. »Sie interessieren mich, Doktor. So viel entschlossene Naivität. Sie wissen bestimmt nicht sehr viel über uns, die wir in Ihrer Heimat leben.«

Delvert hatte etwas Ähnliches gesagt.

»Wahrscheinlich.«

»Dann mache ich Ihnen ein Angebot.« Er zögerte. »Mein Nachrichtendienst ist hervorragend. Andernfalls wären unsere Studenten längst tot und begraben. Wir haben überlebt, weil wir über sehr viele Informationen verfügen. Wenn Sie etwas wissen wollen, ganz gleich, über wen, verschwenden Sie nicht Ihre Zeit, indem Sie sich an Paco wenden. Selbst wenn er zufällig etwas wissen sollte, er wird Sie belügen. Fragen Sie mich. Ich lüge nie, es ist gegen meine Natur. Und keine Sorge, es kostet Sie nichts.«

Nur vielleicht ein kleines »Agreement«, eine kleine Gegenleistung in Form einer stillschweigenden Vereinbarung. Doch ich kam nicht dazu, diesen Gedanken zu formulieren, denn in diesem Moment stieß Pater Bartolomé eine Schüssel Gazpacho so um, dass sie ihm in den Schoß fiel.

Angesichts der geringen Gästezahl konnte das Malheur natürlich nicht unbemerkt bleiben, und für eine Weile verlor sich die Konversation in Belanglosigkeiten. El Lobo machte allerdings eine leise Bemerkung, die mir interessant erschien.

»Früher oder später, wenn er nicht mehr nützlich ist, wird wohl jemand beschließen, dass der gute Pater abserviert werden muss«, murmelte er. »Wer das wohl sein wird.«

Mein Eindruck war, dass er die Sache vermutlich selbst erledigen würde, wenn ich in diesem Moment auch das Gefühl hatte, dass Doña Julia sich nur allzu gern dazu bereit erklärt hätte.

Nachdem die Soutane des Priesters einigermaßen gesäubert war, wandte man sich wieder dem Essen zu. Und schließlich, als der Kaffee serviert worden war, klopfte Paco mit einem Löffel an sein Glas.

»Don Manuel«, rief er.

Mein Patient lächelte in die Runde und sah dann auf seine Uhr. Um eine Rede zu halten, musste er sich die Zeit genau einteilen, um nicht außer Puste zu geraten.

»Meine Freunde«, begann er, »ich möchte ein wenig über das Thema unserer Zusammenkunft sprechen. Das heißt, ich möchte über den Erfolg sprechen.«

Es erhob sich beifälliges Gemurmel, das er sofort zum Verstummen brachte. »Nein, ich meine nicht den unmittelbar bevorstehenden taktischen Erfolg, sondern den, der sich dann unbedingt anschließen muss, den programmierten Erfolg in der Zukunft.«

Respektvolles Schweigen.

»Man sagt ja, meine Freunde«, fuhr er fort, »dass es noch keiner mittelamerikanischen Regierung gelungen ist, sich den Aktivitäten der großen US-Konzerne im eigenen Land entgegenzustellen und zu überleben. Ich glaube, dass das tatsächlich stimmt. Daran wird sich wohl auch nichts ändern, sosehr wir Sozialisten das auch beklagen mögen. Sofern wir nicht, wie unsere kubanischen Freunde, auf die russische Karte setzen. Unwahrscheinlich, da werden Sie mir zustimmen. Trotzdem hat sich unsere Situation durch ein neues Element von Grund auf verändert. Wir müssen uns diesen Konzernen, ob nordamerikanischen, französischen, deutschen, britischen oder holländischen, nicht einmal entgegenstellen, weil wir mehr zu bieten haben als Kaffee, Bananen, Baumwolle oder Edelhölzer. Darin sind wir, jedenfalls bis dato, beispiellos. Für uns heißt die Alternative also nicht Widerstand oder Unterwerfung. Wir können als Männer von Würde und sozialem Gewissen handeln, frei von jenem wirtschaftlichen Druck, den die Launen des Marktes und die schmutzigen Tricks ausländischer Spekulanten produzieren. Die Vernunft wird unser Handeln bestimmen.«

Wieder ein Blick auf die Uhr.

»Aber wie werden wir die Chance nutzen? Ich sage Chance, denn mehr als das ist es nicht, für uns bricht kein neues Jerusalem an. In anderthalb, zwei Jahren wird das erste Öl aus den Bohrlöchern sprudeln. Von da an wird der Wert dieses wertvollen Rohstoffs sinken. Ich

meine nicht bloß mengenmäßig. Die Schätzungen von
Wirtschaftlern und Technikern gehen auseinander, aber
man kann wohl davon ausgehen, dass das Erdöl als Energielieferant in fünfzehn Jahren sehr viel weniger Bedeutung haben wird als heute. Seine Bedeutung als Grund-
stoff anderer Waren mag zunehmen – in diesem Bereich
gibt es schon vielerlei Möglichkeiten –, aber der gegenwärtige Preis des Erdöls beruht auf seiner Funktion als
Energielieferant. Unsere Chance besteht also darin, dass
wir in einem begrenzten Zeitraum diese Ware möglichst
gut verkaufen. Und dann, was machen wir dann? Fallen
wir zurück in einen bedeutungslosen Agrarstaat, werden
wir Zeit und Geld in den Erwerb all jener Dinge gesteckt
haben, die für uns Wohlstand bedeuten, oder werden
wir mit diesem Geld unsere Gesellschaft modernisiert
haben?«

Abermals ein Blick auf die Uhr, und dann beschrieb Villegas die Veränderungen, die ihm vorschwebten – Straßen,
Wohnungen, Schulen, Agrarhochschulen, bäuerliche Ge-
nossenschaften, Bewässerungs- und Kanalisationsprojekte, petrochemische Fabriken, Wasserkraftwerke, leichte
Industrie, Düngemittel- und Zementfabriken, Tourismus,
Bodenreform, eine Zivilgarde nach costa-ricanischem
Modell, soziale Gerechtigkeit. Mir war, als hätte ich das
alles schon einmal gehört. Von meinem Vater? Oder von
einer schlechtgelaunten Elisabeth?

»Ja«, fuhr er fort, und langsam hatte er Mühe mit den
Konsonanten, »von dieser Entwicklung habt ihr alle
schon geträumt – von dem Bankett, das die reichen Nationen in gönnerhafter Großzügigkeit stets versprochen

haben, das aber aus irgendeinem Grund nie aufgetragen wird, nie über die gedruckte Speisekarte und den Teller dünne Suppe hinwegkommt. Aber dies ist kein Traum. Diesmal werden wir die Mittel haben, um selber die Zutaten einzukaufen, wir werden zusehen, dass nichts gestohlen oder verschwendet wird und dass die Speisen im Einklang mit den Ernährungsgewohnheiten unseres Volkes zubereitet werden. Und ich sage Ihnen: Dies wird ein Bankett sein, an dem das ganze Volk teilnehmen wird. Ich danke Ihnen für Ihre Aufmerksamkeit.«

Erschöpft setzte er sich wieder auf seinen Stuhl.

El Lobo neben mir sprang auf und klatschte ebenso begeistert wie wir anderen. Erst als wir uns wieder setzten, bemerkte ich, dass er mich leise etwas fragte. Ich verstand ihn nicht sofort. Er wiederholte: »Gibt es denn so viel Natron auf der Welt, Doktor?«

Ich sah ihn fragend an.

»Für zwei Millionen Menschen, alle mit schweren Verdauungsbeschwerden?«, fuhr er ausdruckslos fort. »Natürlich hängt viel davon ab, wer gekocht hat. Bauchschmerzen sind noch das Geringste. Nach dem Bankett könnte es auch zu Durchfall kommen, wenn nicht schon beim Essen.«

Niemand beachtete uns. Santos kommentierte Villegas' Ausführungen, und die anderen – selbst Pater Bartolomé, nicht mehr ganz so betrunken, weil er etwas gegessen hatte – hörten ihm alle zu.

»Fanden Sie seine Rede ideologisch fragwürdig?«

»Märchen haben mich immer gelangweilt, schon als Kind. Ich wollte es immer ganz genau wissen.«

»Wer Dornröschen das Schlafmittel gegeben hat? Solche Sachen?«

Er schenkte mir seinen Fischaugenblick. »Nicht ganz so simpel, wie Sie vielleicht glauben. Und Sie? Was möchten Sie gern wissen?«

Ich gab mir keine Mühe, ein überraschtes Gesicht zu machen. »Hat Ihr Nachrichtendienst schon mal von einem gewissen Pastore gehört, der vor zwölf Jahren Major des Sicherheitsdienstes war? Das war natürlich vor der Zeit, als Sie zu einer Macht im Land aufstiegen.«

»Lebt nicht mehr. Tödlicher Unfall beim Reinigen seiner Pistole. Ganz erstaunlich bei einem so erfahrenen Offizier. Da kann man nichts machen. Sehr bedauerlich, zumal er der Junta gerade so gute Dienste geleistet hatte.«

»Und es gab doch auch einen Oberst Escalon.«

El Lobo sah mich erstaunt an. »Wer hat Ihnen denn von ihm erzählt?«

»Unser Gastgeber.«

»Sie überraschen mich. Sehr gewagt von ihm, aber taktisch klug. Die besten Lügen verpackt man am besten in Wahrheit. Escalon hatte mehr Glück. Zum General befördert, bekam dann eine Kaffee-Finca im Norden. Nichts Großes, aber groß genug. Einkünfte dort erheblich über der normalen Rente eines hohen Offiziers. Wären Sie interessiert?«

»Wie bitte?«

»Ich habe Sie gefragt, ob Sie an ihm interessiert sind? Sie können ihn haben, wenn Sie wollen. Können ihm ein paar Fragen stellen. Und wenn er geantwortet hat, können Sie ihn umbringen, falls Ihnen danach ist.« Beinahe amüsiert beobachtete er, wie ich versuchte, meine Verwirrung zu kaschieren oder einen geeigneten Felsvorsprung zu finden, hinter dem ich mich verstecken konnte.

»Schon gut, Doktor«, fuhr er sanft fort. »Sie brauchen sich nicht sofort zu entscheiden. Ich schätze, ich weiß, was Sie mit ihm machen würden.«

»Nämlich?«

»Seine Temperatur messen und ihm ein paar Aspirin geben, wahrscheinlich. Nein? Nun ja, wie gesagt, Sie brauchen sich nicht sofort zu entscheiden.«

»Ich habe Ihnen gesagt, wer mir von ihm erzählt hat. Woher haben Sie Ihre Informationen?«

»Von seinen alten Freunden natürlich, den reichen. Von wem sonst. Sie würden staunen, wie diese Leute reden, wenn sie Schiss haben. Meistens braucht man ihnen die Elektroden überhaupt nicht zu zeigen oder sie gar anzuwenden. Man schaltet bloß eine schwarze Kiste ein, die außen mit ein paar Skalen versehen ist und einen hohen Summton von sich gibt, mehr braucht man nicht. Dann fangen sie schon an zu reden. Über alles, was Sie wissen wollen. Natürlich hat man sie vorbereitet, ein wenig bearbeitet, weichgeklopft, und trotzdem fasziniert es mich. Vermutlich gibt es eine medizinische Erklärung. Sie kennen sie vielleicht. Wer lange genug in Wohlstand und Sicherheit gelebt hat, bildet sich ein, dass er Herr der Schöpfung ist. Und wenn er sich plötzlich allein wiederfindet, im Dunkeln, ein paar Tage lang, mit nichts als einem Kübel zum Scheißen und Pissen, dann stürzt sein ganzes Weltbild zusammen. Keine Würde mehr, kaum noch ein Gefühl der eigenen Identität. Dasselbe bei Frauen, aber bei ihnen muss man aufpassen, dass sich nur Frauen mit ihnen befassen. In einem Punkt können Sie aber sicher sein. Wer lange genug reich war, wird reden, und je selbstbewusster jemand anfängt, desto schwächer ist er am Ende. Ich sehe, dass Ihnen das nicht gefällt, aber Sie haben gefragt, und ich habe Ihnen eine Antwort gegeben.« Er hielt inne. »Noch etwas.«

»Ja?«

»Nicht sehr viele Leute wissen, dass und in welchem Umfang unser Gastgeber in das Geschehen verwickelt war. Ich bin zwar auch der Ansicht, dass Informationen verwendet werden sollen und nicht zu Dekorationszwecken da sind, finde aber, dass manche Informationen mit Vorsicht und Augenmaß verwendet werden sollten. Oder überhaupt nicht, wenn Ort und Zeit nicht stimmen. Verstehen Sie, was ich meine?«

»Ja.« Ich stand auf. »War mir ein Vergnügen, Sie kennenzulernen, El Lobo.«

Er fixierte mich kurz. »Ich dachte, wir sind uns einig, dass man Lügen am besten in Wahrheit verpackt. Ein Vergnügen, haben Sie gesagt? Wie das?«

»Tja, wie das. Sagen wir, es war interessant. Gute Nacht!«

Ich nahm Jackett und Krawatte und ging hinüber zu Doña Julia, um mich für den Abend zu bedanken.

»Leider habe ich morgen Frühdienst«, sagte ich. »Dürfte ich Antoine wohl bitten, mir ein Taxi zu rufen?«

»Nicht notwendig«, sagte Rosier, der neben ihr stand.

»Ich muss auch los. Ich habe ein Auto. Ich nehme Sie mit in die Stadt.«

»Ich möchte Ihnen keine Umstände bereiten«, sagte ich.

»Ach was. Ich habe gerade zu Doña Julia gesagt, dass ich ins Hotel zurückmuss, um dort einige Gespräche nach Übersee zu führen. Außerdem, ein Taxi würde es niemals durch das bewachte Tor schaffen.«

Es gab nichts weiter dazu zu sagen. Alle anderen blieben im Haus. Rosier und ich verabschiedeten uns gemeinsam, mehr oder weniger informell. Pater Bartolomé hielt gerade eine flammende Rede zum Thema Slumviertel in der Hauptstadt. Aus dem wenigen, was ich verstand, schloss ich, dass die gegenwärtigen Bewohner seiner Ansicht nach nicht umquartiert werden sollten – aus Gründen, die zu erklären ihm schwerfiel.

Sobald wir die Torwache passiert hatten, nahm Rosier, wie ich schon befürchtet hatte, die Diskussion wieder auf, die wir im Chez Lafcadio begonnen hatten.

»Ich hab Ihnen ja gesagt, dass wir uns wieder sehen. Jetzt ist es so weit.«

»Ja.«

»Nach einem überaus anregenden Abend.«

»Schön, dass Sie ihn anregend fanden.«

»Wieso, Sie nicht? Mir ist aufgefallen, dass Sie sich prächtig mit El Lobo unterhalten haben. Ich hab ja gesagt, dass Sie ihn bestimmt interessant finden, erinnern Sie sich? Sie müssen einfach lernen, mir zu vertrauen.«

»Warum?«

»Warum? Was für eine Frage! Wir arbeiten doch zusammen, oder?«

»Das wäre einfacher zu beantworten, wenn ich wüsste, für wen Sie arbeiten, Señor Rosier. Und kommen Sie mir bitte nicht wieder mit der Statistik-Abteilung von ATP-Globe!«

»Warum sollte ich?«, antwortete er begütigend. »Davon habe ich Ihnen ja schon erzählt. Wissen Sie, was Ihr Problem ist, Doktor? Sie sind altmodisch. Man kann zwei Herren dienen, ob Sie's glauben oder nicht. O ja, ich weiß, was in der Bibel steht, aber das gilt nur, wenn es einen Interessenskonflikt gibt. Hier gibt es keinen Interessenkonflikt.«

»Ich dachte nicht an das Neue Testament, sondern daran, dass Sie mir als Doppelagent beschrieben wurden.«

»Das war bestimmt Delvert. Typisch.«

»Inwiefern typisch? Seine Neigung zu Understatement? Im Moment, Señor Rosier, habe ich den Eindruck, dass Sie nicht nur zwei Hüte tragen, sondern drei, wenn nicht gar vier.«

Er grinste. »Und Sie, Doktor, wie viele tragen Sie? Soll ich mal zählen? Hausarzt, politischer Vertrauter, DST-Hilfsagent. Ich könnte weitermachen, aber das sind schon drei, stimmt's?«

Ich hatte keine Lust, darauf zu reagieren. Wir befanden uns in den Außenbezirken der Stadt. Ich sagte: »Setzen Sie mich bitte an der Ecke bei der Präfektur ab. Von dort aus kann ich laufen.«

Er schien nicht zugehört zu haben. »Und es ist noch einer unterwegs«, sagte er. »Müsste morgen in Ihrem Briefkasten sein.«

»Noch ein was?«

»Wir sprechen über Hüte, oder? Sie bekommen einen Scheck von ATP-Globe und das Standardformular für einen Beratervertrag. Sie unterschreiben einfach und schicken ihn zurück, okay?«

»Natürlich schicke ich ihn zurück, zusammen mit dem Scheck.«

»Das ist Ihre Sache. Ich wollte nur behilflich sein.«

Er bog in die Rue Racine ein und hielt dann plötzlich vor der Bäckerei.

»Ich wohne nicht hier«, sagte ich.

»Ich weiß, aber hier darf ich halten. Vor Ihrem Haus ist Halteverbot, und wir müssen reden.«

»Ich nicht. Ich gehe ins Bett.«

»Dann mach ich's kurz. Was ist los mit ihm? Und fragen Sie mich nicht, wen ich meine. Ich meine natürlich Ihren Patienten, unseren hohen Politiker.«

»Gute Nacht, Señor Rosier.« Ich suchte nach dem Türgriff.

»Ich weiß schon einiges. Es dürfte Sie brennend interessieren, wie viel.«

»Bin ich mir nicht so sicher.«

»Wetten?« Er beugte sich herüber und zeigte auf einen Hebel. »Einfach ziehen, wenn Sie aussteigen wollen. Wissen Sie, auch ohne den ganzen Rest, allein schon Ihre kleine Szene heute Abend mit Doña Julia hätte mich nachdenklich gemacht.«

»Welche Szene? Wovon reden Sie?«

»Hausarzt trifft ein, um hochrangige Gäste kennenzulernen. Frau des Patienten, statt den Mann freundlich zu begrüßen, läuft los, um ihn abzufangen, und dirigiert

ihn in eine Ecke. Dramatische Gesten. Sie ist offensichtlich in heller Aufregung. Warum? Weil Pater B. betrunken zu Boden stürzt? Nein. Sondern weil sie wissen will,
wie es um den Patienten steht.«

»Oder weil der Doktor, der um neun Uhr erscheinen
sollte, wegen eines kleinen Problems mit den Torwäch-
tern sich unverzeihlicherweise verspätet hat.« Ich öffnete die Tür.

»Überzeugt mich nicht ganz, Doktor. Sorry. Hätte so
sein können, wenn ich nicht zufällig wüsste, warum die
Dame so aufgeregt war.«

Ich machte die Tür wieder zu. »Also gut, warum?«

»Sehen Sie? Ich hab ja gesagt, es würde Sie interessieren. Die natürliche Besorgnis der Ehefrau. Sie will wissen, was der Spezialist herausgefunden hat.«

»Welcher Spezialist?«

Er seufzte. »Ich weiß, Sie wollen Ihre Unschuld vor
dem schlimmen Verführer schützen, aber ich bitte Sie,
hören Sie auf, den Naiven zu spielen! Welcher Spezialist? Mein Gott! Glauben Sie, hier in diesem Kaff bleibt
irgendetwas geheim? Na, vielleicht glauben Sie das ja,
aber ich werde Ihnen beweisen, wie falsch Sie da liegen.«

Ich wartete, während er sich eine Zigarette anzündete.

»Folgendermaßen«, fuhr er fort. »Sie befinden sich in
einer Situation, in der einige Aktivitäten gewisser wichtiger Personen möglicherweise von Interesse sind, besonders wenn sie außergewöhnliche Kontakte pflegen.
Wohlgemerkt, ich sage *einige* und *möglicherweise*. Ich
rede nicht von Überwachung. Selbst wenn Sie die Leute
dafür hätten, in dieser Situation wäre es sinnlos. Kleine

Stadt, aufgeweckte und gebildete Leute, geringes Einkommen. Hier mal fünfzig Francs, da mal fünfzig Francs, und zwar richtig eingesetzt, mehr braucht man nicht.«

»Um sich Spitzel zu kaufen?«

»Spitzel! Wissen Sie was, Doktor Frigo, Sie werden langsam paranoid. Was ist schon dabei, wenn ein paar aufmerksame, hellwache Jungs einem netten, freundlichen Journalisten hin und wieder einen Tipp geben. Er kriegt seine Storys, die Jungs können sich ein schickes neues Hemd kaufen oder das Geld als Anzahlung für ein neues japanisches Motorrad verwenden. Bei den älteren, verheirateten Männern ist es vielleicht ein Kühlschrank. Aber was ist schon dabei.«

»Nichts, nur dass Sie kein netter, freundlicher Journalist sind, Señor Rosier.«

Er grinste. »Wer hat das behauptet? Vielleicht bin ich aber einer.«

»Noch ein Hut? Oder nur andere Papiere?«

»Wieder dieser Eigensinn! Haben Sie eine Ahnung, was Stewardessen sich so alles erzählen? Nein, vermutlich nicht. Also, wenn ein älterer Erste-Klasse-Passagier in Orly in letzter Minute an Bord geht, während des Fluges noch lange über die Geheimpolizei flucht und hier auf dem Rollfeld von einer Militärlimousine in Empfang genommen und sofort weggefahren wird, ohne dass er durch die Passkontrolle muss, dann wird getuschelt. Und der Chauffeur des Kleinbusses der Fluglinie, der die Stewardessen ins Hotel bringt, schnappt es auf. Hat ein gutes Ohr, der Junge. Merkwürdig, merkwürdig, denkt er.«

»Verstehe.« Ich freute mich schon darauf, Delvert davon zu erzählen.

»Er kriegt auch den Namen mit. Grandval. Im Krankenhaus ist nicht viel los, nur dass Dr. Castillo nicht seinen normalen Dienst hat. Doch dann, am späten Nachmittag, fährt eine Militärlimousine vor mit einem älteren Mann, der schlecht gelaunt ist und von Entführung durch die Geheimpolizei und Kidnapping redet. Können Sie mir folgen?«

Ich nickte. Dem Pförtner am Personaleingang war offenbar kein Wort entgangen, ebenso wenig das Eintreffen von Villegas, der von den beiden Bullen in einem zweiten Auto eskortiert wurde – Antoine kannte er als Verwalter von Les Muettes. Die zeremonielle Abfahrt hatte er ebenfalls beobachtet, wenngleich er den Namen Grandval nicht mitbekommen hatte. Den hatte allerdings ein Mann am Check-in-Schalter aufgeschnappt, der für die Passagierlisten zuständig war.

»Man musste also«, schloss Rosier, »nur überprüfen, wer Professor Grandval war, und überlegen, warum unser Freund so dringend der Dienste eines berühmten Neurologen bedurfte.«

»Nur eine Vorsichtsmaßnahme.«

Er sah mich ungläubig an. »Ziemlich aufwendig dafür, nein?«

»Übertrieben aufwendig, würde ich sagen, aber ich habe die Sache nicht arrangiert.«

»Die sich am Ende natürlich als unnötig herausstellte. Kein negativer Befund. Sie haben schon Nachricht erhalten, stimmt's?«

Ich öffnete die Tür. »Señor Rosier, ich muss jetzt wirklich ins Bett. Wenn Sie mehr wissen wollen, sollten Sie dem Pförtner im Krankenhaus noch mal fünfzig Francs in die Hand drücken.« Ich stieg aus. »Wenn er lange genug herumschnüffelt, werden Sie möglicherweise feststellen, dass ich Don Manuel Massagen verschreiben werde.«

Er beugte sich herüber. »Und warum haben Sie Doña Julia die gute Nachricht nicht mitgeteilt?«

»Wer behauptet denn, dass ich es nicht getan habe?«, antwortete ich scharf, schlug die Tür zu und entfernte mich. Ich dachte, dass er mir mit weiteren Fragen folgen würde, doch er fuhr einfach davon.

Vielleicht glaubt er, dass er jetzt alle Antworten hat, die er benötigt. Ich hoffe es, bin mir aber nicht sicher. Mir ist, als hätte man mich durch einen Fleischwolf gedreht – Rosier das eine Messer, El Lobo das andere.

Dienstag, 27. Mai, vormittags

Muss versuchen, die Entwicklung dieses Tages ruhig und Schritt für Schritt aufzuschreiben. Darf mich nicht aufregen, denn das nützt weder dem Patienten noch mir. Es kommt darauf an, die reinen Fakten festzuhalten, sie nicht auszuschmücken, damit sie für sich sprechen können.

Beim Eintreffen im Krankenhaus drei Briefe in meinem Fach.

Einer war aus Paris. Natürlich machte ich ihn zuerst auf.

Er war von Professor Grandval. Neben seinen Laborergebnissen und der präzisen Analyse enthielt er ein Begleitschreiben.

Zunächst bestätigte er die telegraphisch übermittelte Diagnose, und dann hieß es:

Ein interessanter Fall, und sei es nur wegen der frühzeitigen Diagnose, aber es ist zweifelhaft, inwiefern das dem behandelnden Arzt hilft.

Über die Prognose werden Sie sich im Klaren sein. Die Lehrbuchanweisung »Stärke die Moral des Patienten« werden Sie, sofern man Sie lässt, gewiss gegen den gesunden Menschenverstand des Patienten abwägen.

Trotz begleitender therapeutischer Maßnahmen wird sich meines Erachtens der Schicksalstag nicht hinausschieben lassen. Das ist Ihnen bestimmt klar.

Ich würde gern monatlich einen möglichst detaillierten Bericht über die Entwicklung des Patienten erhalten, wenn man höheren Orts nichts dagegen hat. Bei diesen Fällen gibt es so viel, was wir noch nicht wissen.

Ich steckte Brief und Bericht in meine Tasche.

Der zweite Umschlag war in Montreal abgestempelt. Er enthielt einen Scheck über fünftausend Dollar, ausgestellt von der Filiale einer kanadischen Bank auf den Bahamas. Über der unleserlichen Unterschrift stand Abt. Statistik, Sonderkonto No. 2. Der Scheck war mit einer Büroklammer an einen vierseitigen Vertrag geheftet, den ich gar nicht erst las, und ein adressierter Rückumschlag war auch noch dabei. Quer über Scheck und Vertrag schrieb ich IRRTÜMLICH ERHALTEN – ZURÜCK AN ABSENDER und setzte meine Unterschrift und das Datum darunter.

Ich war gerade dabei, die Dokumente in den Umschlag zu stecken, als mir einfiel, dass ich vielleicht eine Art Beweis haben sollte, dass ich den Scheck zurückgeschickt hatte. Ich erinnerte mich an den Fotokopierer, der im Sekretariat stand, ging also dorthin und fragte, ob ich ihn benutzen könne.

Von Scheck und Vertrag machte ich jeweils zwei Kopien. Das eine Paar wollte ich Gillon für seine Akten geben, das andere werde ich diesem Bericht beifügen. Die Probleme dieses Tages begannen eigentlich erst, als ich das Büro verließ.

Als ich mich bei der Sekretärin bedankte, sagte sie: »Schöne Ferien, Herr Doktor!«

Sie ist ein attraktives Mädchen. Ich lächelte, maß ihren Worten aber nicht allzu große Bedeutung bei. Es war bekannt, dass sich mancher Kollege einen Vorwand zurechtlegte, um sich im Büro der jungen Frau aufhalten zu können. Ich nahm an, dass die Bemerkung eine scherzhafte Anspielung war, von deren Zusammenhang ich nichts wusste. Also lächelte ich nur.

Als ich wieder an meinem Schreibtisch saß, steckte ich Scheck und Vertrag in den Rückumschlag und klebte ihn zu. Erst dann öffnete ich den dritten Umschlag. Ich hatte mich vorher nicht damit abgegeben, weil es eine unfrankierte interne Klinikmitteilung war. Es konnte alles sein – von der Aufforderung, sparsamer mit Wäsche umzugehen, bis hin zu der wiederholten Aufforderung, Privatfahrzeuge nicht auf den für Krankenwagen reservierten Parkplätzen abzustellen.

Nichts dergleichen. Vielmehr war es ein an mich persönlich gerichteter Brief der Klinikverwaltung des Inhalts, dass auf Anweisung des Direktors meinem Antrag auf zwei Monate bezahlten Urlaub, beginnend mit dem 1. Juni, stattgegeben worden sei. Die notwendige Änderung des Dienstplans werde vor dem 31. Mai bekannt gegeben.

Das war alles – und noch ein hingekritzelter Namensschnörkel – für alle, die ihn kannten, die Unterschrift des Verwaltungsdirektors.

Ich rief sofort in Dr. Brissacs Büro an. Seine Sekretärin erwartete offenbar meinen Anruf. Dr. Brissac sei frühestens um elf Uhr zu sprechen.

Es gelang mir zwar, bis dahin ein wenig zu arbeiten, aber wenn dieser Aufschub dazu gedacht war, mir Zeit zum Abkühlen zu geben, so hatte er nicht die beabsichtigte Wirkung. Als ich sein Büro betrat, war ich noch wütender als zuvor.

Dr. Brissac hatte jenen sturen Gesichtsausdruck aufgesetzt, der bei ihm ein Zeichen von Verlegenheit ist. Seine Miene hätte mich eigentlich besänftigen sollen, aber davon konnte keine Rede sein. Als er mich mit einer Handbewegung zum Sitzen aufforderte, legte ich den Brief einfach auf seinen Schreibtisch und blieb stehen.

»Sie müssen doch wissen«, sagte ich, »dass ich keinen Urlaub beantragt habe, weder bezahlten noch unbezahlten.«

Er blickte auf das Schreiben. »Offenbar liegt da ein Missverständnis seitens der Verwaltung vor«, sagte er. »Man ist wohl davon ausgegangen, dass es sich um ein Gesuch von Ihnen handelt. Ein verständlicher Irrtum, da Sie ja noch Resturlaub haben. Ich werde selbstverständlich dafür sorgen, dass der Fehler korrigiert wird.«

»Beide Fehler, hoffe ich.«

Er sah mich betrübt an. »Ich versichere Ihnen, dass ich damit nichts zu tun habe.«

»Das hatte ich auch nicht angenommen. Da der Urlaubsplan für dieses Jahr ja längst in Kraft ist, vermute ich sogar, dass meine Abwesenheit Ihnen eher Schwierigkeiten bereiten würde.«

»Richtig.«

»*Konjunktiv*. Wenn es dazu käme. Ich verlange, dass dieser Fall gar nicht erst eintritt. Ich bitte Sie, diese Anweisung an die Verwaltung zurückzunehmen und klarzumachen, dass ich diesen Urlaub weder beantragt habe noch in Anspruch nehme. Ich weigere mich, ihn überhaupt anzutreten.«

Der störrische Ausdruck kehrte wieder zurück. »Ich habe keinen Einfluss mehr auf die Angelegenheit.«

»Kann ich von der Klinik, deren Chef Sie sind, kein Entgegenkommen, keinen Schutz erwarten?«

Steif erwiderte er: »Sie haben von uns stets das größte Entgegenkommen erfahren. In meinen Berichten habe ich Sie immer als einen geschätzten Mitarbeiter bezeichnet. Ich habe Sie stets empfohlen und zweimal sogar, auf Ihre eigene Bitte hin, eine Versetzung verhindern können. Ich erwarte und verlange keine Dankbarkeit. Die

Ihnen erwiesene Nachsicht haben Sie sich durchaus verdient. Aber werfen Sie mir bitte nicht vor, dass ich Ihnen keine Nachsicht entgegenbringe.«

»Ich bitte Sie um Ihren Schutz.«

Er schlug mit der Faust auf den Tisch. »Schutz? Papperlapapp! Sie hätten die Finger von der Politik lassen sollen!«

Das fand ich nun doch ziemlich stark. »Darf ich Sie daran erinnern, dass ich mich nur deswegen mit den Leuten von der Präfektur eingelassen habe, weil Sie es mir nahegelegt haben?«

Das war natürlich nicht ganz fair. Er hatte mir nur Anlass zu der Vermutung gegeben, dass er mir den Job bei Villegas vermittelt hatte. Aber in meiner Verärgerung nahm ich es nicht so genau.

Hilflos zuckte er mit den Schultern. »Tut mir leid. Ich werfe Ihnen nichts vor, glauben Sie mir. Es ist nur so, dass meine Möglichkeiten begrenzt sind. Wenn ein Polizist hier erschiene und mir Anweisungen erteilen würde, wie das Krankenhaus zu führen sei, würde ich ihn natürlich rauswerfen. Das hier ist etwas anderes. Im vorliegenden Fall ...« Er zuckte wieder mit den Schultern.

»Aha. Ich nehme an, Sie haben also nichts dagegen, wenn ich in diesem Fall die Sache selbst in die Hände nehme.«

»Die Sache liegt schon bei Ihnen. Wenn Sie glauben, dass Sie die Leute da unten zu einem Sinneswandel bewegen können, versuchen Sie's meinetwegen. Ich für mein Teil werde die Verwaltung darauf hinweisen, dass Sie diesen Urlaub nicht selbst beantragt haben. In jedem Fall wird er nicht auf Ihren Jahresurlaub angerechnet.«

Mehr konnte er offensichtlich nicht tun. Ich bedankte mich also, entschuldigte mich für einige Bemerkungen, die ich gemacht hatte, und verließ das Zimmer.

In einem leeren Untersuchungszimmer im ersten Stock rief ich die Präfektur an. Gillons Sekretärin meldete sich. Auch sie hatte ihre Instruktionen. Ich sah sie geradezu vor mir, wie sie mit blitzenden Goldzähnen gebieterisch erklärte, dass ich den Kommissar unmöglich sprechen könne, weder heute noch an irgendeinem anderen Tag in der näheren Zukunft. Je beharrlicher ich nachhakte, desto schroffer wurden ihre Antworten. Schließlich sagte sie, dass sich der Kommissar mit mir in Verbindung setzen werde, wenn er das für notwendig oder sinnvoll halte.

Ich rief Delvert an.

Er zumindest war bereit, mit mir zu sprechen. Ja, er hatte meinen Anruf sogar schon erwartet.

»Ich hatte gedacht, Sie würden sich etwas früher mit mir in Verbindung setzen«, sagte er leicht vorwurfsvoll.

»Wir müssen über ein paar Dinge reden.«

»Sie vielleicht, ich nur über eines.«

»Das werden wir sehen, wenn wir uns treffen. Aber zunächst einmal: Ich glaube, Sie haben heute Vormittag Nachricht von Professor Grandval bekommen.«

»Ja.«

»Er hätte nicht direkt an Sie schreiben dürfen. Wir hatten es ihm eindeutig untersagt. Wenn, wie ich annehme, sein Brief einen Bericht über die Untersuchung enthält, die er hier durchgeführt hat, so muss ich Sie leider bitten, ihn mir zu überlassen. Bringen Sie ihn bitte mit.«

»Das hatte ich ohnehin vor.«

»Gut.«

»Sie werden ihn benötigen, damit mein Nachfolger informiert ist.«

»Ihr was?«

»Mein Nachfolger als ärztlicher Betreuer der Bewohner von Les Muettes. Ich gebe mit sofortiger Wirkung meine Tätigkeit auf.«

»Ach ja? Das ist aber schade.«

»So wie man mich heute Morgen behandelt hat, dürfte Sie das eigentlich nicht überraschen.«

»Von welcher Behandlung sprechen Sie?«

Ich berichtete ihm. Er lachte glucksend.

»Ich kann schon verstehen, dass Sie verärgert sind. Es war taktlos vom Kommissar und voreilig. Ihr Urlaub war eines der Themen, über die ich heute mit Ihnen reden wollte, nachdem wir uns über die Konferenz von gestern Abend unterhalten haben.«

»Tja, da gibt es jetzt nichts mehr zu diskutieren. Sie sollten über einen Ersatzmann nachdenken. Übrigens, wenn Sie die nächste Stunde noch im Hotel sind, kann ich Ihnen den Bericht während der Mittagspause vorbeibringen.«

»Nein, das ist nicht gut. Ich habe eine bessere Idee. Wann haben Sie heute Dienstschluss?«

»Gegen sechs.«

»Wir könnten uns dann treffen.«

»Na schön. Und wo?«

»Nicht hier. Auch nicht in Ihrer Wohnung, würde ich sagen. Wenn Monsieur Rosier so großzügig Gelder spendiert, die als Anzahlung für japanische Motorräder dienen, können wir nicht vorsichtig genug sein. Wer weiß? Vielleicht hat er ja inzwischen sogar schon Ihre Zugehfrau mit einem modischen T-Shirt bestochen.«

»Also gut. Wo?«

»Ich schlage vor, bei Madame Duplessis.«

»Ich kann mir nicht vorstellen, dass sie damit einverstanden ist.«

»Ich schon. Sie sitzt mir gerade gegenüber und nickt mit dem Kopf.«

»Ach so.«

»Also dann um sechs.«

Dass ich mir die Frage, wie er von meiner Unterhaltung mit Rosier im Auto wissen konnte, erst stellte, nachdem er schon längst aufgelegt hatte, zeigt, in welcher Verfassung ich war. Nichts bringt einen so durcheinander, abgesehen vom Wutanfall selbst, als dessen dumpfe Nachwirkungen.

Abends

Elisabeth empfing mich mit dem resignierten Gesichtsausdruck einer gutversicherten Hausbesitzerin, die beschlossen hat, einen Einbruch bewaffneter Räuber möglichst gelassen hinzunehmen.

»Dein Freund ist oben«, sagte sie.

Das hieß: im Atelier. Delvert saß dort, mit einem Glas Weißwein in der Hand, in dem bequemsten Sessel.

Gut gelaunt nickte er mir zu. »Madame Duplessis sagt,

dass sie unser Gespräch als Schiedsrichterin verfolgen will«, verkündete er.

»Ich habe gesagt ...«, hob Elisabeth mit lauter Stimme an, doch er fiel ihr schon ins Wort.

»Sinngemäß jedenfalls. Schon gut.« Er hob eine Hand, um anzudeuten, dass er verstanden hatte. »Ist das Grandvals Bericht, den Sie dort in dem Umschlag haben?«

»Unter anderem, ja.«

»Was noch?«

Ich holte die Fotokopien des Schecks und des ATP-Globe-Vertrags heraus und gab sie ihm.

Er schaute gelangweilt darauf. »Und was soll ich damit anfangen?«

»Was Sie wollen. Ich habe noch weitere Kopien. Sie werden bemerken, dass ich auf den Scheck etwas geschrieben habe, damit klar ist, dass ich ihn nicht eingelöst habe. Ich möchte nicht, dass mir später der Vorwurf der Bestechlichkeit oder anderweitig standeswidrigen Verhaltens gemacht wird.«

»Ach, ich glaube nicht, dass man Ihnen diesen oder irgendwelche anderen Vorwürfe machen wird, wenn ich das richtig sehe.«

»Höchstens Naivität vielleicht«, sagte Elisabeth.

Sie war ganz offensichtlich schlecht gelaunt. Wir konnten uns auf einen unangenehmen Abend gefasst machen.

Delvert warf ihr einen irritierten Blick zu. »Meine liebe Elisabeth, wie gesagt, ich finde es sehr gut, dass Sie bei unserer kleinen Diskussion anwesend sind, aber solche Bemerkungen halte ich nicht für sehr hilfreich.«

»Ich schon.«

»Möglich, aber im Moment sind nicht Sie es, der Hilfe braucht. Der Doktor und ich brauchen Hilfe. Wie wär's, wenn Sie ihm ein Glas Wein geben.«

»Ein Bier ist dir doch bestimmt lieber, Ernesto, oder?«

»Ja.«

Wenn Delvert es inzwischen bedauerte, diesen Treffpunkt gewählt zu haben, so ließ er sich jedenfalls nichts anmerken. »Solange es kein Schierlingsbecher ist, können wir vielleicht fortfahren. Hatten Sie nicht gesagt, dass Sie Grandvals Bericht dabeihaben?«

»Ja.« Ich holte ihn heraus.

»Davon haben Sie hoffentlich keine Kopien gemacht.«

»Nein.« Ich löste Grandvals Begleitschreiben von dem Bericht.

»Was ist das?«, fragte er.

»Ein Brief von Professor Grandval. An mich privat. Er kam mit dem Bericht.«

»Darf ich mal sehen?«

»Sie dürfen. Weil ich damit rechnen musste, dass Sie mir auch den wegnehmen würden, habe ich vorsichtshalber heute Nachmittag gleich geantwortet. Ich habe Professor Grandval für seinen Bericht gedankt und dafür, dass er die ausgesprochen unsinnige Vorschrift Ihrer Leute, was die Übersendung des Berichts betrifft, ignoriert hat. Den Brief habe ich übrigens schon eingeworfen.«

Er schenkte mir sein Lächeln. »Dafür, dass Sie aus Unzufriedenheit über die Umstände Ihre Stelle aufgegeben haben, wirken Sie reichlich aggressiv. Ich hätte gedacht, dass solche großen Gesten eine befreiende Wirkung haben.«

»Es war keine Geste.«

»Darüber können wir vielleicht noch sprechen.«

Elisabeth gab mir ein Glas Bier. »Sei vorsichtig, Ernesto«, sagte sie.

Diesmal protestierte Delvert nicht gegen ihre Intervention. »Gute Empfehlung«, sagte er. »Wir müssen beide vorsichtig sein.« Er las Grandvals Brief und sah dann auf.

»Für einen Laien wie mich ist das natürlich sehr viel informativer als ein offizieller Bericht.«

Ich sagte nichts. Er las ihn wieder und tippte dann mit dem Zeigefinger darauf.

»Dieser Schicksalstag, von dem er da spricht – das dürfte wohl der Tag sein, an dem der Patient stirbt.«

»Nein. Er meint den Tag, an dem man dem Patienten eröffnen muss, dass er sterben wird.«

»Aha. Vermutlich gibt es für diese Situation ein Standardverfahren.«

»Ganz und gar nicht. Was meinen Sie denn, warum er vom Schicksalstag spricht? Es dürfte fast so viele Methoden geben, einem Patienten die Wahrheit zu sagen, wie es praktizierende Ärzte gibt.«

»Ach, kommen Sie!«, protestierte er. »Ich kann mir schon vorstellen, dass es keine angenehme Aufgabe ist, aber so kompliziert wird es nicht sein!«

»Das glauben Sie. In meiner Studentenzeit gab es am Krankenhaus einen Chirurgen, der es auf die unkomplizierte Art versucht hat. Es war geradezu ein Witz. Wenn ein Patient, sagen wir mit Krebs im Endstadium, nach der Biopsie, bei der sich die Korrektheit der Diagnose bestätigte, schließlich aufwachte, ließ dieser Arzt Wandschirme um das Bett aufstellen, dann kam er hereinmarschiert, stellte sich am Fußende des Bettes hin, sagte: ›Ich bedauere, Ihnen mitteilen zu müssen, dass Sie Krebs haben‹, und verschwand im nächsten Moment wieder.«

»Jedenfalls war er offen und geradeheraus.«

»Ach was. Er ist ja sofort wieder gegangen. Das ist der Punkt. Er hat dem Patienten überhaupt keine Chance gegeben, sich zu sammeln und die entscheidende Frage zu stellen, nämlich: Wie lange habe ich noch? Er hatte nicht den Mut, noch zu bleiben und auf diese Frage zu warten. Dann hätte er nämlich erklären müssen, dass er es nicht weiß und also auch nicht sagen kann. So sah seine unkomplizierte Art aus.«

»Verstehe.«

»Das bezweifle ich. Unter den Studenten gab es noch einen Witz zu diesem Thema. Ein Patient stirbt, kommt in den Himmel. Dort ist er zunächst ein bisschen verwirrt, weiß nicht so recht, wo er ist. Dann sieht er neben sich eine Schwester, also fragt er sie: Schwester, bin ich tot? Darauf antwortet sie: Tut mir leid, das müssen Sie Ihren Doktor fragen.«

Delvert lachte.

»Ich finde das aber nicht komisch«, sagte Elisabeth.

»Na, ich glaube nicht, dass es so gemeint ist, was, Doktor? Vielleicht eher als *reductio ad absurdum*. Der Arzt hat seinen Patienten vernachlässigt, aber die Schwester hält sich strikt an die Vorschriften. Hab ich recht?«

»In Bezug auf die Absurdität der Vorstellung, dass es feste Vorschriften gibt, ja. Viele Schwestern übernehmen tatsächlich Aufgaben des Arztes, ohne dass es ihnen bewusst wäre. Ihr Verhalten gegenüber todkranken Patienten ist sehr unterschiedlich, aber oft verraten sie sich, entweder gegenüber dem Patienten, der sie beobachtet, oder gegenüber Besuchern und Angehörigen. Irgendein Angehöriger muss schließlich informiert werden, ob aus juristischen oder aus finanziellen Gründen. Es gibt immer ethische oder, wenn Ihnen der Begriff ethisch nicht gefällt, humanitäre Erwägungen.«

»Und manchmal wird der Schicksalstag aus politischen Überlegungen oder aus Gründen der Staatsräson hinausgeschoben.« Delvert sah wieder auf Grandvals Brief. »Was hat man unter ›begleitenden therapeutischen Maßnahmen‹ zu verstehen? Ist das genauso kompliziert?«

»Das kommt darauf an. Im vorliegenden Fall ist es bloß ein Euphemismus für eine Notlüge.«

»Das klingt wieder nach Doktor Frigo.«

»Ist mir egal, wie es klingt, jedenfalls läuft es darauf hinaus, ich meine, auf eine medizinische Notlüge. Natürlich gibt es verschiedene Möglichkeiten. Massagen und sinnlose Spritzen beispielsweise. Dem Patienten erklären, dass es ihm schon viel besser geht, und ihn dazu zu bringen, dass er Ihnen glaubt, wäre eine andere Möglichkeit. Und wenn das nicht funktioniert, sagt man, dass er Geduld haben muss, dass die Therapie nicht von heute auf morgen anschlagen kann. Sie weisen darauf hin, dass er ein sehr außergewöhnlicher Fall sei, und sprechen vage von einem neuen Medikament, das gerade entwickelt wird und von dem man sich erstaunliche Wirkungen bei Erkrankungen des zentralen Nervensystems verspricht. Natürlich gibt man ihm die erforderlichen

Sedativa und Antidepressiva. Und wenn die letzte Phase anfängt, mit der man ohnehin schon längst gerechnet hat, macht man ein etwas ratloses Gesicht und sagt: ›Wir sehen heute aber nicht so gut aus – wir müssen was unternehmen.‹ Dann geben Sie ihm etwas, damit es ihm ein paar Stunden scheinbar besser geht. Das versteht man unter begleitender Therapie für Monsieur Villegas.«

»Nicht zu fassen!«, rief Elisabeth wütend. »Sind denn alle Ärzte solche Monster?«

Ich bezähmte mich. »Nun ja, ich könnte immer noch in sein Zimmer marschieren, mich am Fußende aufbauen und sagen, tut mir leid, mein Freund, Sie haben eine unheilbare amyotrophe Lateralsklerose, da kann man nichts machen.«

»Stattdessen bauen Sie sich am Fußende auf und verkünden, dass Sie aufhören.«

Elisabeth strich um ihn herum wie eine Tigerin. »Das ist absolut unfair, und Sie wissen es!«

»Kinder, bitte!« In gespielter Demut hielt er die Hände hoch.

Doch Elisabeth war nicht nach Schauspielerei zumute. Sie machte eine obszöne Geste, die mir neu bei ihr war.

Delvert war sie offenbar nicht neu. Er zog die Augenbrauen in die Höhe. »Ich dachte immer«, sagte er, »dass ausländische Gesandte am habsburgischen Hof höflich behandelt wurden, selbst wenn sie Regimes vertraten, die man nicht billigte.«

»Der Hof hat sich immer korrekt verhalten«, entgegnete sie. »Aber die Untertanen waren nicht immer so nachsichtig.«

»Na schön, solange mich der Pöbel noch nicht in Stücke gerissen hat, könnte ich vielleicht noch ein wenig von diesem exzellenten Wein haben.«

Nippen tut er anscheinend nur bei Rum. Wein trinkt er. Kaum hatte Elisabeth ihm sein Glas abgenommen, wandte er sich wieder an mich.

»Sie haben mir noch nicht erzählt, Doktor, wie es gestern Abend in der Villa war.«

»Nach unserem Telefongespräch dachte ich, dass Sie schon im Bilde sind«, sagte ich säuerlich.

»Ach so, Sie meinen die Anspielung auf Rosier, die Sie mitbekommen haben. Ich hatte gehofft, dass sie Ihnen nicht entgeht. Die meisten seiner Aktivitäten hören wir natürlich ab.«

»Aber doch nicht in Les Muettes?«

»Auch dort. Bedauerlicherweise scheint Paco Segura zu wissen, dass unsere technischen Möglichkeiten eingeschränkt sind. Abgesehen von Ihrem kurzen Gespräch mit Doña Julia haben wohl alle Gespräche draußen auf der Terrasse stattgefunden.«

»Ja, das stimmt. Macht das denn einen Unterschied?«

»Und ob. Richtmikrophone können nicht filtern. Dieses Zirpen der Grillen dort draußen, wissen Sie. Man bekommt nur Gesprächsfetzen mit. Wenn man die Mikros noch feiner einstellt, kriegt man nur noch mehr Gezirpe. Ich fand, dass Sie Rosier ganz gut abgefertigt haben, wenn ich das mal so sagen darf, aber was war das Thema Ihrer herzlichen Plauderei mit El Lobo, von der Rosier im Auto sprach?«

»Für Rosier mag es herzlich ausgesehen haben. Irgendwann habe ich El Lobo erklärt, dass ich Lust hätte, ihn in den Swimmingpool zu werfen.«

»Wenn Sie es doch nur getan hätten! Worüber haben Sie sich denn so geärgert?«

»Er glaubt, dass ich politische Ambitionen verfolge.«

»Die seinen eigenen im Wege stehen. Er wird natürlich verschwinden müssen. Typen wie er sind nützlich, aber unsere amerikanischen Freunde haben nicht vor, seine marxistisch-leninistischen Anhänger zu tolerieren. Viel zu gefährlich.«

»El Lobo hat übrigens genau dasselbe über Pater Bartolomé gesagt – er muss verschwinden.«

»Nun ja, vielleicht lässt sich eine Art gegenseitige Liquidierung arrangieren. Was hat El Lobo sonst noch gesagt?«

»Er hat mit seinem Nachrichtendienst angegeben.«

»Zu Recht. Hat er irgendwelche Details geliefert?«

Darauf wollte ich nicht wahrheitsgemäß antworten. »Er hat ein paar Methoden beschrieben«, sagte ich. »Das hat mir völlig gereicht. Bin wohl etwas zart besaitet.«

»Das hat er sicher geahnt. Dürfte ihm Spaß gemacht haben, Ihnen einen Schauer über den Rücken zu jagen. Ihr Patient hat eine Rede gehalten. Hatte er Probleme?«

»Nein. Er hat sich die Zeit gut eingeteilt.«

»War es eine gute Rede?«

»Ich würde sagen, sie war« – ich zögerte – »korrekt.«

Elisabeth, die inzwischen zurückgekehrt war und zuhörte, fragte: »Hast du schon mal einen Politiker erlebt, der eine nicht korrekte Rede hält?«

Er lächelte ihr zu. »Das fragen Sie den Sohn eines

Politikers? Unter korrekt versteht er banal und nichtssagend.«

Er stellte sein Weinglas ab. »Tut mir leid wegen heute Vormittag«, sagte er langsam. »Wirklich.«

»Siehst du, Ernesto, bei solchen Formulierungen musst du auf der Hut sein.« Elisabeth setzte sich uns beiden gegenüber.

Delvert musterte sie lange. »Meine liebe Elisabeth, ich wollte eigentlich ein privates Gespräch mit Dr. Castillo führen und keine Dreiparteienkonferenz.«

Sie machte keine Anstalten zu gehen. Schulterzuckend wandte er sich wieder an mich.

»Sie haben gesagt, dass es Ihnen sehr leidtut wegen heute Vormittag«, erinnerte ich ihn.

»Ja.« Er machte eine Pause. »Ihnen dürfte klar sein, Doktor, dass ich hier nur sehr begrenzte Möglichkeiten habe.«

»Wegen der Leute vom DST?«

Er guckte überrascht. »Ach was! Nein. Es sind Leute, die sehr viel mehr Einfluss haben. Meine Vorgesetzten. Sie wissen, welchen Rang ich bekleide. Ich bin *Commandant*. Glauben Sie, dass bei einer so wichtigen Angelegenheit, bei der ein internationales Ölkonsortium mitmischt, ein schlichter *Commandant* Entscheidungen trifft? Ich kann nur die Entscheidungen meiner Chefs umsetzen.«

»Ich dachte immer, dass einige Stabsoffiziere weit mehr entscheiden können, als es normalerweise ihrem Rang zusteht.«

»Nun ja, es gibt solche Fälle, aber ich kann Ihnen versichern, dass ich kein solches Exemplar bin. Ich habe vielleicht einen gewissen Spielraum, was die Ausführung der mir erteilten Anweisungen angeht, aber wenn mir gewisse Varianten sinnvoll erscheinen, kann ich nur Empfehlungen aussprechen. Das heißt natürlich nicht, dass meine Empfehlungen immer beherzigt werden.«

»Und in meinem Fall heißt es wohl, dass Ihre Empfehlung nicht akzeptiert wurde. Daher Ihr Bedauern.«

»Sehen Sie es mal vom Standpunkt meiner Vorgesetzten. In einem sorgfältig geplanten Unternehmen, für dessen Ausführung sie verantwortlich sind, spielt dieser Villegas eine maßgebliche Rolle, wenn auch nur vorübergehend. Im Rahmen dieses heiklen Projekts sind Sie, ob es Ihnen gefällt oder nicht, nicht nur der ärztliche Betreuer dieses Mannes, sondern auch in Ihrer eigenen Person ein politischer Faktor von tatsächlicher oder potenzieller Bedeutung. Im Verlauf des Projekts kommt es nun zu einer unerwarteten Komplikation in Form einer Krankheit, deren unmittelbare Auswirkungen sich eindämmen lassen, wenn Sie weiterhin zur Verfügung stehen, und die sich zweifellos verstärken, wenn Sie nicht zur Verfügung stehen. In Paris überlegt man nun, was dieser junge Doktor tun kann. Er nimmt einfach einen längeren Urlaub, fliegt mit einem bezahlten Ticket in sein Heimatland, wo er mit seinem Namen eine gewisse respektvolle Aufmerksamkeit seiner Landsleute genießt. Seine ärztlichen Pflichten gegenüber seinem prominenten Patienten erfordern nur minimalen Einsatz. Ist das zu viel verlangt von einem Beamten? Gewiss nicht. Also arrangiert man den notwendigen Urlaub. Und zwar umgehend.«

»Schön formuliert!«, sagte Elisabeth.

Delvert beachtete sie nicht. »Wie gesagt, Doktor, ich kann Empfehlungen aussprechen. Das habe ich auch getan. Ich habe darauf hingewiesen, dass es einige Aspekte Ihres Verhältnisses zu dem Patienten gibt, die mich zu der Überzeugung gebracht haben, dass es sinnvoller ist, Ihre Mitarbeit zu erbitten, statt sie zu verlangen. Ich habe darauf aufmerksam gemacht, dass Sie, wenn bei Ihnen der Eindruck entsteht, man wolle Sie zwingen und Ihnen keine Entscheidungsfreiheit lassen, aus Verärgerung alles hinschmeißen. Die Reaktion aus Paris war ablehnend.«

»Er meint, dass sie sich von einem kleinen ausländischen Arzt nichts sagen lassen wollten und dass sie ihn beauftragt haben, dir schreckliche Strafen anzudrohen.« Wieder Elisabeth.

Wieder versuchte er sie zu ignorieren. »Das brauchen wir jetzt nicht im Einzelnen zu erörtern. Der Punkt ist doch ...«

Ich unterbrach ihn. »Aber ich würde gern darüber sprechen. Was genau soll mir denn angedroht werden?«

»Von meiner Seite überhaupt nichts. Ich erkläre bloß die Situation.«

»Aber ich habe meine Stellung aufgegeben.«

»Ich hoffe, Sie werden Ihre Entscheidung rückgängig machen.«

»Und wenn nicht, was passiert dann?«

Er seufzte. »Man wird Ihnen fürs Erste die Aufenthalts- und Arbeitsgenehmigung entziehen.«

»Fürs Erste?« Ich glaube, dass ich ziemlich ruhig sprach, aber es kostete mich doch einige Mühe. Ich konnte nur hoffen, dass die Reaktion meines Magens nicht zu hören war.

»Ich habe darauf hingewiesen«, fuhr er fort, »dass ein spanisch sprechender Arzt mit Ihren Qualifikationen überhaupt kein Problem hat, in Mexiko oder Südamerika Arbeit zu finden. Daraufhin meinten sie, dass das nicht so einfach sei, wie ich denke, schließlich habe man Mittel und Wege, Ihren Pass zu annullieren. Man weiß zwar, dass Sie sich einen Pass kaufen können, der in Kolumbien oder Ecuador gültig ist, aber als Staatenloser müssten Sie ziemlich viel Geld dafür bezahlen. Ich kann es mir natürlich nicht erlauben, meine Vorgesetzten zu kritisieren, aber ich muss sagen, dass sie gelegentlich ziemlich rücksichtslos sind.«

Elisabeth lachte kurz auf. »Dieser Trick, Drohungen auszusprechen und sich gleichzeitig davon zu distanzieren, ist die so genannte Delvert'sche Methode. Man spielt die Drohungen herunter, um ihnen möglichst großen Nachdruck zu verleihen.«

Delvert wurde bleich, und ich dachte schon, dass er im nächsten Moment explodieren würde. Doch er bewahrte die Fassung und trank einen Schluck Wein, bevor er antwortete:

»Würden Sie uns bitte in Ruhe lassen, Elisabeth?«

»Nein.«

»Dann sollten der Doktor und ich besser gehen.« Er griff nach seiner Aktenmappe.

Ich sagte: »Ich persönlich finde Elisabeths Bemerkungen durchaus nützlich.«

Er zögerte, setzte sich dann wieder. »Wie Sie wollen.

Dann spielen wir also törichte Männchen im Salon der Grande Dame.«

Elisabeth schenkte ihm nach. »Eine Niederlage mit Anstand zu akzeptieren war noch nie Ihre Stärke, Armand. Immer verfallen Sie in plumpen Sarkasmus.«

Nicht auf sie einzugehen, verlangte inzwischen eine deutliche Anstrengung. »Also gut«, sagte er aufgeräumt, »wo waren wir stehengeblieben. Die Situation ist die, dass Dr. Frigo in einem Anfall von Verärgerung beschlossen hat, sich von seinem Patienten zu trennen.«

Das konnte ich nicht durchgehen lassen. »Nein, nein. Die Situation ist die, dass Dr. Castillo sich nicht als politische Schachfigur benutzen lässt und dass der Patient einen Ort aufsucht oder dorthin verfrachtet wird, wo Dr. Castillo keinen Zugang mehr zu ihm hat.«

»Sie wurden zu seinem ärztlichen Beistand ernannt. Sie haben diesen Auftrag mitsamt seinen Verpflichtungen akzeptiert.«

»Mir blieb keine andere Wahl. Kommissar Gillon hat mich angewiesen. Und was die Verpflichtung angeht – seinerzeit stand überhaupt nicht zur Debatte, dass er tatsächlich einen Arzt benötigt. Gillon hat mich als Teilzeitspitzel eingesetzt, weil Sie und der Patient glaubten, dass ich politisch eventuell nützlich sein könnte.«

»Wir wollen nicht über Formulierungen streiten.«

»Aber bitte auch nicht die Fakten verdrehen.«

»Na schön.« Seine Geduld wurde wirklich auf eine harte Probe gestellt. »Dr. Castillo hat, in einem Anfall durchaus verständlicher Verärgerung, beschlossen, sich von seinem Patienten zu trennen. Gefällt Ihnen das eher?«

»Ich *trenne* mich nicht von dem Patienten.«

»Doch, doch. Ich konzediere ja, dass man Ihnen weder beruflich noch persönlich das nötige Verständnis entgegengebracht hat. Man hätte sensibler, taktvoller sein sollen. Ihre Verärgerung ist durchaus berechtigt. Aber warum dies am Patienten auslassen?«

»Ich lasse überhaupt nichts an ihm aus.«

»Nein? Dann will ich Sie mal Folgendes fragen: Haben Sie sich über einen möglichen Nachfolger Gedanken gemacht?«

Plötzlich wurde mir klar, dass wir uns auf gefährlichem Terrain bewegten. »Jeder qualifizierte spanisch oder englisch sprechende Arzt käme in Frage. Es ist Ihre Aufgabe, jemanden zu finden.«

»Und natürlich würden Sie ihn über den Fall informieren.«

»Über die medizinischen Aspekte, natürlich. Was die politischen Aspekte angeht – das ist Ihre Sache, wie weit Sie ihn einweihen.«

»Und dann ziehen Sie sich einfach vom Schlachtfeld zurück?«

»Von dem Fall, ja.«

Delvert schüttelte verwundert den Kopf. »Glauben Sie wirklich, was Sie da sagen? Es fällt mir schwer, Ihnen das abzunehmen.«

»Dass Patienten manchmal den Arzt wechseln?«

»Nein. Dass ein Arzt imstande ist, einem Patienten, der todkrank ist, es aber noch nicht weiß, auf Wiedersehen zu sagen und seelenruhig zu gehen.«

»Sie tun so, als würde mein Bleiben ihm das Leben

retten. Wenn Grandvals Diagnose stimmt, und ich glaube nicht, dass irgendjemand ein Gutachten beibringen kann, aus dem das Gegenteil hervorgeht, dann kann man nichts für Villegas tun. Die Frage ist nur, wie viel Zeit er noch hat.«

»Und inwieweit man sein Leiden lindern kann.«

»Ja.«

»Sie haben vorhin von begleitender Therapie gesprochen. Sie sagten, in diesem Fall sei es nicht mehr als eine Art medizinische Notlüge. Wer ist Ihrer Ansicht nach besser geeignet, diese Notlüge im Frühstadium der Krankheit zu verabreichen? Ein Arzt, den der Patient kennt, den er mag und dem er vertraut, oder eine wildfremde Person?«

»Diese Frage ist unfair!«, sagte Elisabeth scharf. Mir fiel auf, dass sie ziemlich viel Wein trank.

»Was ist daran unfair?«, antwortete Delvert, aber er sah mich dabei an. »Wenn er nicht antworten will, kann er das selber sagen.«

»Ich antworte ja schon«, sagte ich. »Der Patient kennt mich, jawohl. Aber ob er mich mag und mir vertraut, ist fraglich. Da ich ein Castillo bin, dürfte er es für ratsam halten, mindestens so zu tun, als fände er mich sympathisch und vertrauenswürdig. Wenn er von der Schwere seiner Krankheit erfährt, könnte es sein, dass ihm ein Fremder vielleicht lieber ist.«

»Dann will ich mal so fragen. Glauben Sie wirklich, dass es in diesem Stadium rücksichtsvoller und humaner ist, den Schicksalstag hinauszuschieben, statt knallhart die Wahrheit zu präsentieren?«

»Ja.«

»Und aus medizinischer Sicht auch vertretbar?«

»Ja.«

»Was wäre also dabei, dem Patienten in zwei Monaten zu sagen, dass Sie als sein Arzt seinen Zustand nicht zufriedenstellend finden und ein Zweitgutachten wollen?«

»Nichts. Es wäre eine Möglichkeit, ihn auf die schlechte Nachricht vorzubereiten. Sie sollten das seinem neuen Arzt vorschlagen.«

Delvert schüttelte langsam den Kopf. »Es wird keinen neuen Arzt geben. Es besteht kein Bedarf.«

»Das sehe ich anders.«

»Es besteht kein Bedarf, weil ich Ihre eigenmächtige Entscheidung, den Patienten im Stich zu lassen, nur weil es Ihnen nicht passt, dass Gillon und ich unsere Pflicht tun, nicht akzeptiere.«

»Ich fürchte, Ihnen bleibt nichts anderes übrig.«

»Falsch. Ich würde es nur unter einer einzigen Bedingung akzeptieren.« Er zögerte. »Wenn Sie mir eindeutig versichern, dass Sie gute und hinreichende Gründe für die Annahme haben, dass dieser Villegas eine entscheidende Rolle bei der Ermordung Ihres Vaters gespielt hat.«

»Ungeheuerlich!«, rief Elisabeth. Sie schenkte sich schon wieder nach.

»Ungeheuerlich? Finde ich nicht.« Delvert lächelte wieder. »Man kann von niemandem verlangen, nicht einmal von einem Arzt, dass er den Mörder seines Vaters pflegt.« Er griff wieder zu seiner Aktentasche und tätschelte sie wie einen Schoßhund. »Es kann natürlich sein, dass Villegas ein leichtes Unbehagen verspürt, ein Gefühl, dass er nicht genug getan hat, um die Ermordung zu verhindern, aber eine Schuldvermutung lässt das sicher nicht zu, oder?«

Er tätschelte noch immer seine Aktentasche und sah mir in die Augen. In diesem Moment wusste ich, dass meine Unterhaltung mit Rosier nicht die einzige war, die er hatte abhören lassen. In dem Klinikzimmer, in dem ich Villegas untersucht hatte, hatte es auch eine Wanze gegeben. Er wusste genau, was der Patient gesagt hatte, und für den Fall, dass ich weiter diskutieren wollte, hatte er in seiner treuen Aktenmappe ein Tonbandprotokoll mitgebracht.

Vermutlich hätte ich wieder einen Wutanfall kriegen, Delvert und die ganze französische Regierung verfluchen und ein zweites Mal meinen Job hinschmeißen können. Doch ich war müde, und plötzlich hatte ich das Gefühl, dass Villegas in dieser Geschichte genauso Opfer war wie ich selbst.

Dieses Gefühl habe ich noch immer.

»Nein«, sagte ich, »eine Schuldvermutung bedeutet das nicht.«

»Na dann …«

»Ernesto, halt!«, rief Elisabeth. Sie war aufgestanden und schwenkte eine leere Flasche in meine Richtung. »Das ist ein Trick. Er will dich hereinlegen!«

»Trick?« Delvert machte ein erstauntes Gesicht. »Wenn der Doktor, ein vernünftiger und redlicher Mensch, beschließt, seinem ärztlichen Gewissen zu folgen, wo ist da der Trick? Ich weiß nicht, wovon Sie reden.«

Sie richtete die Flasche wie einen dicken vorwurfsvollen Finger auf ihn. »Von Dr. Basch«, sagte sie.

Delvert und ich starrten sie an, was sie noch mehr erregte.

»Tut nicht so, als würdet ihr ihn nicht kennen. Jeder kennt Dr. Basch. Dr. Basch wurde vom Wiener Hof als kaiserlicher Leibarzt nach Mexiko entsandt. Nicht dass Maximilian krank war. Es war einfach üblich, dass alle ranghohen Personen einen Leibarzt hatten. Zugegeben, dieser Basch, ein Deutscher, war ein Idiot. Er ließ sich von denjenigen benutzen, die gegen seinen Patienten intrigierten, aber nicht einmal Maximilians ärgste Feinde, nicht einmal Schmerling oder diese miesen Bonapartes, hätten Dr. Basch den ihm zustehenden Lohn, sein bescheidenes Honorar verweigert.«

Delvert wollte etwas sagen, kam aber nicht weiter als: »Meine liebe Elisabeth, ich weiß wirklich nicht ...«

»Miese, kleinkarierte Erpresser!« Sie schwang die Flasche jetzt wie einen Knüppel. »Einerseits kommen sie mit den ungeheuerlichsten Drohungen, und andererseits? Ein kostenloser Flug mit einem Todkranken in seine Heimat – selbst in den besten Zeiten ein grauenhaftes Land – und die Aussicht auf eine offizielle Begrüßung mit Maschinenpistolenfeuer.«

»Ich glaube nicht, dass sich der Doktor über Maschinenpistolen Gedanken machen muss«, sagte Delvert milde.

»Weil er nichts anderes tun kann, als sich vor den Handgranaten und den Mörsergeschossen in Sicherheit zu bringen, oder weil sie dort drüben miserable Schützen sind? Sein Vater hat jedenfalls eine andere Erfahrung gemacht. Es ist ein mieser Vorschlag. Sie bitten ihn um einen außergewöhnlichen Dienst, wollen Sie das denn bestreiten?«

»In gewisser Weise ist er tatsächlich außergewöhnlich. Aber ...«

»Dann sollte sein Engagement auch außergewöhnlich honoriert werden. Eine Million Francs wäre unter diesen Bedingungen nicht zu viel verlangt.«

»Meine liebe Elisabeth ...«

»Ja, ja, ich weiß. Sie sind nicht befugt, Ausgaben in dieser Größenordnung zu bewilligen. Solche Summen müssen von Paris genehmigt werden.«

»Ja, aber ...«

»Genau. Aber ...« – wieder richtete sie die Flasche auf ihn und funkelte ihn mit zusammengekniffenen Augen an – »gewisse Summen können Sie nach eigenem Ermessen genehmigen. Bis zu einhunderttausend, wenn ich richtig informiert bin. Leugnen Sie nicht, denn ich weiß, wie die Abteilung in diesen Dingen verfährt.«

»Sie wissen, wie früher verfahren wurde, ja.« Er schien nicht über Gebühr beunruhigt.

»Aha, dann sind es inzwischen mehr als einhunderttausend, wie?«

Er sah mich an. »Würden Sie fünfzigtausend als angemessenes Honorar betrachten?«

»Darüber habe ich noch nicht nachgedacht.«

»Aber jetzt, wo Elisabeth für Sie darüber nachgedacht hat ...?«

»Knickerig und kleinkariert!« Sie hatte die Flasche abgestellt und holte aus dem Schrank eine neue. »Fünfzigtausend, absurd!«

Er stand auf. »Doktor, kann ich davon ausgehen, dass Sie morgen in Les Muettes sind?«

Ich zuckte mit den Schultern. »Besser, als deportiert zu werden. Ja.«

»Und dass Sie nächste Woche Ihren Patienten begleiten werden?«

»Wenn er das will.«

Er wandte sich um und machte eine Verbeugung. »Vielen Dank für Ihre Gastfreundschaft, Elisabeth.«

Sie reagierte nicht. Sie öffnete gerade eine neue Flasche Wein. Ich brachte ihn hinunter. An der Tür hielt er inne.

»Verzeihen Sie die Taktlosigkeit, aber ich halte es nicht für ausgeschlossen, dass Sie ernsthaft erwägen, Elisabeth zu heiraten.«

»Leider ist sie schon verheiratet.«

»Heute Vormittag hat sie die für eine Scheidung nötigen Papiere unterschrieben. Deshalb war sie im Hotel, als Sie anriefen. Das Scheidungsverfahren dürfte ziemlich schnell über die Bühne gehen. Ich dachte, es würde Sie interessieren.«

»Ja. Vielen Dank.«

»Noch etwas. Darf ich Sie darauf hinweisen, dass eine Einheirat in die Familie der Habsburger, und sei es der entfernteste Zweig, eine höchst komplizierte Sache ist?«

»Das ist mir klar.«

»Das hatte ich angenommen.« Er öffnete die Tür. »Andere Männer in Ihrer Position würden sich wahrscheinlich sagen, dass es, alles in allem, besser ist, die Dinge so zu belassen, wie sie sind.«

Er verschwand mit einem Kopfnicken. Seine Bemerkungen waren wirklich sehr taktlos gewesen. Ich hatte nur nicht schnell genug reagiert, um ihm das zu sagen.

Ich ging wieder hinauf. Elisabeth hatte sich mit einem größeren Glas über die neue Flasche hergemacht.

Nur ein einziges Mal hatte ich sie zu Bett bringen müssen. Das war an dem Abend, als ihre Mutter nach einem zweiwöchigen Besuch abgereist war.

Heute war das zweite Mal.

Mittwoch, 28. Mai, vormittags

Es hat sich herumgesprochen, dass ich Urlaub mache. Musste ein paar hässliche Bemerkungen einiger Kollegen hinnehmen, besonders der verheirateten. Der Urlaubsplan wurde geändert, sodass zwei Familien den Termin ihrer Ferienreise nach Frankreich verschieben müssen. Die offizielle Begründung für meine Abwesenheit – dringende persönliche und familiäre Angelegenheiten – ist natürlich absurd; der nur bedingt scherzhafte Kollegentratsch über meinen negativen Einfluss auf Dr. Brissac hätte fast dazu geführt, dass ich ihnen die Wahrheit erzählt hätte.

Doch ich widerstand der Versuchung, und ich war fast froh, dass ich, als ich in Les Muettes anrief, nicht nur einen Termin bei Don Manuel erhielt, sondern auch eingeladen wurde, zum Mittagessen zu bleiben.

Das Tor wurde noch immer von zwei Männern bewacht. Einer der beiden war mein Freund Monsieur Albert, sodass ich mich nach den Gästen erkundigen konnte, ohne allzu neugierig zu wirken.

»Niemand mehr da«, sagte er. »Sollen gestern Abend mit einem Armeelastwagen abgeholt worden sein. Gut, dass ich nicht Dienst hatte. Dieser Priester soll ja dermaßen betrunken gewesen sein, dass man ihn tragen musste.«

Hatte mich erst noch Doña Julia und Onkel Paco zu stellen, bevor ich zu meinem Patienten durfte. Beide waren müde, aber ruhig. Nach vier Tagen Pater Bartolomé dürfte ihre Fähigkeit, alltäglichere Sorgen zu ertragen, beträchtlich gestiegen sein.

Ich bin kein guter Lügner, aber wenn man es mit einem Menschen zu tun hat, der einem glauben will, ist Lügen leicht. Die robust-nüchterne Methode, für die ich mich entschieden hatte, funktionierte bei Doña Julia gut.

»Das hatte ich ja gleich gesagt, Doktor. Nach Ihrer Schilderung können diese Nervenbeschwerden nur das Ergebnis von Erschöpfung und Überarbeitung sein.«

»Nicht nur, Doña Julia. Bei diesen Nervenkrankheiten, bei denen die Muskeln in Mitleidenschaft gezogen werden, sind die tatsächlichen Ursachen unklar. Natürlich hört die Öffentlichkeit mehr von Krankheiten bei Kindern und Jugendlichen, und da werden auch Fortschritte erzielt, aber was die Ursachen angeht, so herrscht weiterhin große Unsicherheit.«

»Aber die Krankheit lässt sich behandeln?«

Ich vermied eine direkte Antwort. »Momentan sind Ruhe, Massagen und regelmäßige Vitaminspritzen angezeigt. Vor allem braucht er Geduld. Diese Dinge, die sich langsam entwickeln, verschwinden oft erst nach längerer Zeit. Er muss sich Ruhe gönnen, das ist das Allerwichtigste.«

Zumindest diese letzte Bemerkung war keine Lüge. Schade nur, dass sie unter den gegebenen Umständen so töricht klingen musste.

»Und wie soll er sich unter den gegebenen Umständen schonen?«, fragte sie. »Sie wissen selbst, vor welchen Aufgaben er steht, wie können Sie da so etwas sagen?«

»Ich verstehe die Schwierigkeiten, Doña Julia. Aber zumindest sollten wir zusehen, dass er möglichst sparsam mit seinen Kräften umgeht.«

»Ist das der Grund, weshalb Sie sich bereit erklärt haben, mit uns zu kommen?«, fragte Paco plötzlich.

Doña Julia guckte erstaunt. »Wie bitte, Paco? Der Doktor kommt mit? Wenn das so ist, warum erfahre ich nichts davon?«

»Ich habe es selber erst vor kurzem gehört«, sagte er. »Ich war bei Don Manuel, als Delvert anrief. Dem Urlaubsgesuch des Doktors wird stattgegeben.«

»Das ist ja wunderbar!« Sie strahlte mich an. »Don Manuel hat Sie also doch umstimmen können.«

Ich brauchte Paco nicht anzusehen, um zu wissen, dass er maliziös mit den Augen zwinkerte – ich spürte es. Er wusste vielleicht nicht ganz genau, wer oder was meinen Sinneswandel bewirkt hatte, aber er wusste zweifellos, dass es nicht Don Manuel gewesen war.

»Mir stand ohnehin noch Urlaub zu, Doña Julia. Es war eine gute Gelegenheit, dachte ich.«

»Dann werden Sie sich darum kümmern können, dass

er sich nicht überanstrengt und dass seine Diät fortgesetzt wird.«

»Hoffentlich.«

»Sie müssen ganz streng sein«, sagte sie. »Don Manuel achtet nicht genug auf sich. Er unternimmt nichts, wenn andere ihn ermüden. Sie sollten ihn zu größerer Disziplin anhalten.«

»Dazu brauche ich Ihre Hilfe, Doña Julia. Und jetzt werde ich mir mal den Patienten selbst vornehmen.«

»Ja, sicher. Aber Sie bleiben doch zum Lunch. Es gibt ja etwas zu feiern.« Laut nach Antoine rufend, ging sie in den Bedienstetentrakt.

Diesmal begleitete mich Paco nach oben. Wir stiegen ganz langsam die Treppe hoch. Auf halbem Weg blieb er stehen.

»Was hat er eigentlich genau?«, fragte er.

Ich hatte gehofft, eine direkte Lüge vermeiden zu können, doch jetzt sah ich keinen Ausweg.

»Es ist eine Art Muskeldystrophie. Es gibt mehrere Formen. Diese ist nicht ungewöhnlich bei älteren Männern.«

»Ich würde gern den Bericht des Spezialisten lesen, Ernesto.«

»Das bezweifle ich, Onkel Paco. Er wimmelt von Fachausdrücken.«

»Fachausdrücke haben mich schon immer interessiert.«

»Tja, ich habe ihn nicht dabei. Solche vertraulichen Dokumente kommen normalerweise in die Patientenakte. Ich hatte nicht vor, Don Manuel damit zu behelligen.«

Er drang nicht weiter in mich, doch ich war gewarnt.

Aus seiner Sicht ist meine plötzliche Bekehrung zur Sache der Demokratischen Sozialisten suspekt.

Mein Patient scheint von solchen Zweifeln frei zu sein. Er kam mir mit ausgestreckten Armen und einem breiten Lächeln entgegen.

»Ah, mein lieber Ernesto, wie schön es heute doch noch geworden ist!« Er umarmte mich und nahm dann meine Hände. »Und wie fühlt man sich als Abenteurer?«

»Sind wir das, Don Manuel?«

»Die einen etwas mehr, die anderen etwas weniger, aber jeder von uns ein bisschen.« Er lachte euphorisiert. »Mir geht es ausgezeichnet heute, ich sage es Ihnen gleich, dann brauchen Sie mich nicht zu fragen.«

»Das sehe ich. Trotzdem …«

»Ja, natürlich. Sie haben den Bericht bekommen. Setzen Sie sich, Ernesto, und erzählen Sie mir. Dieser Grandval hat mir gefallen, ein warmherziger Mann. Hoffentlich kann er erklären, wie wir erreichen, dass mir Zunge und Gesicht nicht ständig diese Schwierigkeiten machen.«

»Den Grund dafür hat er erklärt, ja. Die Beschwerden abzustellen könnte ein mühseliger Prozess sein.«

»Aber man kann sie abstellen?«

»Ich schlage vor, wir fangen gleich heute an, wenn Sie einverstanden sind.«

»Ich bin in Ihren Händen, Ernesto. Was immer Sie sagen, soll geschehen.«

Ich gab ihm dieselbe Erklärung, die ich seiner Frau gegeben hatte, und wurde dann etwas ausführlicher. Ich hatte arrangiert, dass täglich eine Krankengymnastin kommen würde, und ich selbst würde jeden zweiten Tag kommen, um ihm die Vitaminspritzen und andere notwendigen Mittel zu geben. Sein Beitrag zur Behandlung würde darin bestehen, seinen Weinkonsum auf ein Glas pro Mahlzeit zu reduzieren und darüber hinaus keinen Alkohol zu trinken und im Übrigen so viel Ruhe wie nur irgend möglich zu halten. Mehrmals betonte ich, dass er sich unbedingt schonen müsse. Es war der einzige ehrliche Rat, den ich ihm geben konnte.

Mittlerweile hatte sich sein Verstand wieder aufgerappelt.

»Ein mühseliger Prozess, sagen Sie. Heißt das, langwierig?«

»Ja, Don Manuel, Sie dürfen nicht sofort Ergebnisse erwarten. Mir fiel auf, dass Sie neulich Abend bei Ihrer Rede auf die Zeit geachtet haben. Sie sollten das weiterhin tun. Vielleicht dauert es Wochen, bevor sich Veränderungen zeigen.« Auch das möglicherweise wahr.

»Sie wissen, dass wir in zehn Tagen abreisen?«

»Das wird natürlich eine sehr anstrengende Zeit für Sie. Ich werde zusehen, dass Sie möglichst wenig Stress haben.«

»Wollen Sie mich kontrollieren, Ernesto?«

»Sofort, wenn es nötig sein sollte.«

»Denken Sie an Sedativa? Ich brauche einen klaren Kopf.«

»Sie werden einen klaren Kopf haben, wenn Sie ihn brauchen, Don Manuel, das verspreche ich Ihnen. Die Massage wird natürlich fortgesetzt. Ich werde jemanden aus dem dortigen Krankenhaus bestellen. Es braucht keine Aufmerksamkeit zu erregen.«

Die letzte Bemerkung war wohl der einzige Fehler, den ich machte. Was mir vorschwebte, war das Problem, einem anderen und sicherlich neugierigen Arzt den genauen Zweck der Massage erklären zu müssen. Jede Andeutung, dass das neue Staatsoberhaupt an einer chronischen Krankheit wie beispielsweise Muskeldystrophie litt, musste vermieden werden.

Er reagierte sofort. »Keine Aufmerksamkeit? Warum sollte es Aufmerksamkeit erregen, Ernesto?«

Ich brachte ein Lächeln und eine Ausrede zustande. »Ich muss doch die Würde des Präsidenten schützen, Don Manuel. Eine attraktive Masseurin, die jeden Abend eintrifft, um Sie zu behandeln, erregt hier keine Aufmerksamkeit. Doch im Präsidentenpalast, wo Reporter jeden Schritt von Ihnen beobachten, könnte es klüger sein, einen Masseur zu nehmen.«

»Meine Frau wird Ihnen da gewiss zustimmen.«

Die Ausrede verfing, aber es war ein heikler Moment. Muss meine Worte in Zukunft noch sorgfältiger wählen. Kontrollierte seinen Blutdruck – etwas niedriger – und gab ihm dann die Spritzen.

Das Mittagessen wurde auf der Terrasse eingenommen. Champagner. Erinnerte den Patienten daran, dass er sich auf ein Glas zu beschränken habe.

Er grinste Doña Julia an. »Siehst du? Ich bin nicht mehr mein eigener Herr.«

Das Gespräch drehte sich um die Aufnahmeteams von Funk und Fernsehen, die morgen Vormittag eintreffen werden. Villegas soll vier kurze Reden halten, in denen er den Sturz und die Flucht der Junta ankündigt sowie die

Machtübernahme durch eine Regierung der Demokratischen Sozialisten unter seiner Führung. Sobald ein Wahlregister aller Erwachsenen erstellt werden kann, sollen Wahlen für ein neues Parlament stattfinden. Die Miliz soll abgeschafft und durch eine Zivilgarde ersetzt werden, in der die Streitkräfte des Landes aufgehen sollen.

Zwei dieser Aufnahmen, die für die heimische Öffentlichkeit gedacht sind, werden mit dem Aufruf um patriotische Einheit und Ruhe enden. Die beiden anderen werden über ausländische Medien verbreitet. Darin wird er um Anerkennung einer stabilen und gemäßigten Regierung bitten, die für Reformen und eine friedliche wirtschaftliche Entwicklung eintritt.

Ich erfuhr, dass meine Bereitschaft, Villegas zu begleiten, nicht die einzige Nachricht war, die Delvert heute Vormittag übermittelt hatte. Der Botschafter der Vereinigten Staaten soll beschlossen haben, sich während des Putsches nicht in der Hauptstadt aufzuhalten. Er wird an einer Konferenz der Organisation Amerikanischer Staaten in Bogotá teilnehmen und, sobald die Meldung vom erfolgreichen Staatsstreich bekanntgegeben wird, eine spontane Erklärung abgeben, in der eine baldige Anerkennung der Regierung Villegas' durch Washington in Aussicht gestellt und den anderen Mitgliedstaaten empfohlen wird, sich diesem Schritt anzuschließen.

Onkel Paco glaubt, dass nur Guatemala und Nicaragua abwartend reagieren werden.

Ermahnte den Patienten, am Nachmittag zu ruhen, und forderte Doña Julia auf, Antoine und die Torwachen vom Erscheinen der Krankengymnastin zu unterrichten.

Als Paco mich hinausbegleitete, versuchte er wieder auf den Untersuchungsbericht zu sprechen zu kommen. Ich blieb dabei, dass Don Manuel inzwischen informiert sei, und je weniger darüber diskutiert werde, desto besser.

Abends

Elisabeth hat noch immer einen heftigen Kater. Wie heftig, wurde mir erst klar, als ich mich dafür bedankte, dass sie Delvert gedrängt hatte, mir ein Honorar zu zahlen.

»Welches Honorar?«, fragte sie träge.

Ich erklärte es ihr.

Sie schloss die Augen. »Ach ja, jetzt erinnere ich mich wieder. Wie viel hat er dir versprochen?«

»Fünfzigtausend.«

»Hat er dir etwas Schriftliches gegeben?«

»Nein.«

»Dann kannst du froh sein, wenn du zehn kriegst.«

Ich gab ihr eine Aspirintablette und ging.

Die ganze Sache hat aber auch einen positiven Aspekt. Für Elisabeth bin ich nicht mehr dieser armselige Trottel, dieser ehrgeizige, betrogene Erzherzog Maximilian, der geglaubt hatte, er könne – tatsächlich und nicht nur nominell – Kaiser von Mexiko werden. Ich bin degradiert worden. Ich bin nicht mehr der große Pulcinella, diese aufgeblasene Marionette, die für französische Spekulanten tanzt, sondern eine bedeutungslose Person, der Leibarzt Dr. Basch.

Die neue Rolle ist mir lieber.

Donnerstag, 29. Mai, vormittags

Begann damit, die von mir betreuten Fälle an die Kollegen zu übergeben. Der Unmut hat etwas nachgelassen, aber sie reißen noch immer ihre dummen Witze. Beispiel: »Sie haben wohl ein Vermögen geerbt. Denken Sie an uns arme Teufel, wenn Sie das Geld zählen.«

Abends

Zum Abendessen mit Elisabeth im Chez Lafcadio.

Später, im Bett mit ihr, überlegte ich kurz, sie zu fragen, ob Delverts Hinweis auf ihre Scheidung stimmt.

Verzichtete darauf. Wenn sie es mir sagen will, falls überhaupt, wird sie es von allein tun.

Freitag, 30. Mai, nachmittags

Besuchte den Patienten, während er seine nachmittägliche Bettruhe hielt.

Die gestrigen Aufnahmen für Fernsehen und Radio haben ihn angestrengt. Die Filmleute haben französisch gesprochen, doch der Produktionsleiter war Mexikaner. Für die Fernsehansprachen musste er sich an seinen Schreibtisch setzen. Der Mexikaner, offensichtlich ein eingeweihter Agent von Delvert, versicherte ihm, dass alles so aussehen werde, als seien die Aufnahmen im Präsidentenpalast gedreht worden. Beleuchtungs- und andere technische Probleme, etwa das Ersetzen durchgebrannter Sicherungen, führten zu Unterbrechungen, sodass er sich nie verausgabte und die Kontrolle über seine Muskeln behielt. Klagte aber über ein »Zucken« im rechten Oberarm!!

Massage erfolgreich. Villegas glaubt schon, eine leichte Besserung seines Zustands zu bemerken. Gab ihm Spritzen und ging dann, damit er bis zum Eintreffen der Masseurin noch etwas schlafen konnte.

Wurde unten von Onkel Paco abgefangen. Er gab mir einen verschlossenen Umschlag, der, wie ich sofort sah, von der Präfektur stammte.

»Jeder von uns hat einen bekommen«, sagte er. »Sie wurden heute Vormittag durch Boten überbracht.«

Der Brief war kurz. Der Unterpräfekt teilte mir mit, dass die Vorbereitungen für die Abreise von Monsieur P. Segura und Begleitung abgeschlossen seien. Alle mitreisenden Personen hätten sich am Sonntag, dem 8. Juni, bis 18.30 Uhr in der Villa Les Muettes einzufinden. Pro Person sei ein Koffer von normaler Größe und ein Stück Handgepäck zugelassen. Fotoapparate dürften nicht mitgenommen werden. Der Unterpräfekt zeichnete mit dem Ausdruck seiner vorzüglichsten Hochachtung.

»Hoffentlich holen sie uns nicht wieder mit einem Militärlastwagen ab«, sagte Onkel Paco. »Und ein Koffer pro Person ist doch lächerlich. Ich werde protestieren.«

Abends

Fotositzung mit Elisabeth – sechs Gemälde. Eine Zeit lang schien es fast, als hätte sich seit dem letzten Mal nicht viel geändert.

Samstag, 31. Mai, abends

Letzter Arbeitstag im Krankenhaus, bevor ich für acht Wochen weggehe.

Jedenfalls vermute ich, dass es acht Wochen sind. Sollte sich Elisabeths Vision von Gewehrkugeln, Handgranaten und Artilleriegeschossen als prophetisch herausstellen, könnte ich früher zurückkehren – oder überhaupt nicht.

Treffe sie um sieben.

Habe beschlossen, diese schriftliche Erklärung vorerst zu beenden. Delvert oder Gillon wären bestimmt sauer, wenn sie von diesen Aufzeichnungen wüssten, und würden sie höchstwahrscheinlich konfiszieren. Bevor ich ging, besorgte ich mir aus der Klinikapotheke einen flachen Karton und Klebeband. Werde aus diesen Papierbündeln ein Päckchen machen und es am Montagnachmittag vorsichtshalber in einem Banksafe deponieren.

Habe mir für zwei Francs ein kleines Notizheft (etwa Passformat) gekauft, das ich in die Tasche stecken kann. Selbst wenn jetzt – wie es offenbar aussieht – keine Notwendigkeit mehr besteht, schriftliche Aufzeichnungen anzufertigen, werde ich doch einige vertrauliche Notizen machen müssen. Schon deshalb, weil ich Professor Grandval versprochen habe, ihn über die Entwicklung des Patienten auf dem Laufenden zu halten. Auf jeden Fall muss das Notizbuch zu diesem Thema vertraulich bleiben.

Ich versichere nach bestem Wissen und Gewissen, dass alle hier gemachten Angaben der Wahrheit entsprechen.

Saint-Paul-les-Alizés, den 31. Mai

Gezeichnet: Castillo

Dienstag, 3. Juni

Patient V. klagt wieder über Zittern im rechten Deltamuskel. Leichte Schwäche. Noch keine deutlichen Spasmen.

Donnerstag, 5. Juni

Patient führt das Zittern auf die Massage zurück. Bezweifelt jetzt ihren Nutzen. Obwohl ich es ihr ausdrücklich verboten habe, scheint die Masseurin inzwischen seine Fragen zu beantworten. Bestimmt waren sie verfänglich formuliert, aber ich muss noch einmal mit ihr reden. Erinnerte V. daran, dass er mir versprochen hat, geduldig zu sein.

Dinner mit Elisabeth.

Unser letzter gemeinsamer Abend für eine ganze Weile. Und auch unser letztes Beisammensein. Obwohl ich erst am Abend abfliege, will sie mich morgen nicht sehen.

Sie hasst Abschiede, ich weiß. Dieser ist ihr besonders zuwider. Um ihre eigenen Worte zu zitieren: »Ich habe keine Lust, dazustehen und mit einem Taschentuch zu winken und wie blöd zu heulen, während mein tapferer kleiner Soldat in den Krieg zieht.«

Ich wies darauf hin, dass ich nicht ihr tapferer kleiner Soldat bin, dass ich nicht in den Krieg ziehe und dass ich mir ohnehin ein Taxi nehme, aber sie ließ sich nicht beirren. Ich hakte nicht nach. Hatte keine Lust, mir den Abend mit Streit zu verderben.

Später froh, weil es ein wunderschöner Abend wurde. Kein Adieu. Ganz zum Schluss gab sie mir ein eingewickeltes Geschenk. »Etwas für unterwegs«, sagte sie.

Habe es inzwischen ausgewickelt. Ein Buch, was ich schon ahnte, weil es sich so anfühlte, aber von einer überraschenden Art. Es ist der erste Band einer alten vierbändigen Ausgabe der privaten und diplomatischen Korrespondenz von Kaiserin Maria Theresia, gedruckt in Wien.

Ich war zuerst ein bisschen irritiert, weil der Titel auf Deutsch ist und Elisabeth weiß, dass ich kein Deutsch kann. Doch dann schlug ich das Buch auf und sah, dass Maria Theresias private Briefe größtenteils auf Französisch geschrieben und mit italienischen Ausdrücken durchsetzt waren.

Beim Durchblättern fand ich ein Lesezeichen. Drei Zeilen waren dort angestrichen.

Je vous embrasse de tout mon coeur, ménagez-vous bien, adieu caro viso.

Je suis la vôtre sponsia delectissima.

Ich war zutiefst gerührt. Liebe, liebe Elisabeth. Wie einfühlsam, mir auf diese trostlose Reise nicht nur eine Erklärung ihrer Liebe und Anteilnahme, sondern auch ein Versprechen mitzugeben!

Denn darum handelt es sich zweifellos. Maria Theresia hat diesen Brief, dem diese Worte als Postskriptum zugefügt waren, ihrem Verlobten kurz vor ihrer Hochzeit geschrieben. Seit Jahren betete sie diesen Menschen an, und nun, da alle Hindernisse überwunden waren und sie endlich heiraten konnten, versicherte sie ihn noch einmal ihrer innigen Gefühle. Hier schrieb die künftige Gemahlin ihrem Herzallerliebsten in freudiger Erwartung der so lange ersehnten Vereinigung. Hinreißend!

Und dann dachte ich an diesen glücklichen Bräutigam, Franz Stephan von Lothringen, in dessen Fußstapfen ich nun, bildlich gesprochen, treten sollte. Was für ein Mensch war dieser Mann gewesen?

Ich habe gerade nachgeschlagen, und nun wünschte ich, ich hätte es gelassen.

Offenbar hatte er durchaus positive Seiten. Er war fröhlich, gutaussehend und lebhaft, war ein guter Jäger und besaß ein besonderes Talent in finanziellen Dingen. In jeder anderen Hinsicht war er jedoch ein Trottel.

Er sah sich als Staatsmann, ließ sich aber so weit unter Druck setzen, dass er Lothringen an die Franzosen abtrat.

Andernfalls, so wurde ihm bedeutet, und er war davon überzeugt, könne Maria Theresia nicht Kaiserin werden. Zu seiner Besänftigung versprach man ihm, dass er eines Tages das Herzogtum Toskana erben würde.

Er sah sich als Soldat und Heerführer. Großsprecherisch zog er gegen die Türken, die ihm eine gründliche Niederlage beibrachten, worauf er nach Wien zurückeilte, um zu klagen, dass er krank sei, und um die Verantwortung für das Desaster auf seine Generäle zu schieben.

Die Wiener verachteten ihn, weil sie in ihm einen welschen Feigling sahen. Die Franzosen verachteten ihn, weil sie ihm einen altehrwürdigen Besitz abgeluchst hatten und weil er sich dem Wiener Druck gebeugt hatte.

Er war ziemlich ungebildet und, wenn es nicht um das Prüfen von Rechnungsbüchern oder um die Falkenjagd ging, im Allgemeinen dumm und unfähig. Seiner Gemahlin Maria Theresia war er, vor und nach ihrer Thronbesteigung, untreu.

Sie durchschaute ihn, entsandte ihn auf Posten, wo er keinen Schaden anrichten konnte, und liebte ihn weiterhin. Als er dreißig Jahre nach diesem Postskriptum starb, zerbrach sie fast an ihrer Trauer.

Ich habe es eben noch einmal gelesen.

Liebe Elisabeth. Es war ein wunderbarer Einfall, und ich bin ihr zutiefst dankbar, aber ich glaube, ich werde das Buch nicht mitnehmen. Immerhin ist es ein wertvolles Buch, bestimmt eine Rarität. Ich möchte es nicht verlieren. Außerdem bin ich völlig unfähig in Finanzdingen, und Rechnungsbücher habe ich noch nie verstanden. Ich muss ihr das unbedingt mal erzählen.

Hörte die Morgennachrichten von Fort de France.

Der Putsch hat offenbar begonnen. Gestern Abend Berichte von schweren Zusammenstößen in der Hauptstadt zwischen Studenten und Miliz. Der Pöbel aus den Slumvierteln soll Molotowcocktails geworfen und geplündert haben.

Pater B. tritt in Aktion.

Genaueres in den Mittagsnachrichten. »Linke Elemente« der Armee anscheinend auf der Seite der Studenten. Miliz schützt wichtige Stadtteile, Hafenanlagen, Flugplatz, Kraftwerk und andere »Schlüsselstellungen«. Straßenkämpfe. Präsident in Bogotá bei der Konferenz der OAS, aber Regierung erklärt, »alles im Griff« zu haben. Radiostation der Hauptstadt sendet nach wie vor, allerdings nur Musik. Reporter bezeichnen die Lage als »chaotisch«.

Klingt nicht sehr vielversprechend. Rief in Les Muettes an und fragte Onkel Paco, was los sei.

Meine Besorgnis amüsierte ihn. »Mein lieber Ernesto, mach dir keine Sorgen. Nicht die Lage ist chaotisch, sondern die Nachrichtenredaktion in Fort de France. Hast du gepackt?«

»Ja.«

»Gut. Sei pünktlich.«

Mehr bekam ich aus ihm nicht heraus. Lunch im Chez Lafcadio. Irgendein Franzose (Talleyrand?) hat gesagt, dass er es stets einrichte, während eines Staatsstreichs gut zu speisen, da dies eine angenehme Möglichkeit sei, die Zeit zu verbringen. Ich bin mit einem schlichteren Motiv ins Chez Lafcadio gegangen. Es dürfte meine einzige Chance sein, heute noch etwas Anständiges zu essen zu bekommen, da es im Flugzeug vermutlich nichts geben wird.

Im Flugzeug

Kurz vor Mitternacht. Erste Gelegenheit, auf die letzten Stunden zurückzublicken.

Traf frühzeitig mit dem Taxi in Les Muettes ein. Pacos Besorgnis betreffend Armeelastwagen unbegründet. Ein Minibus kam. Die Fenster waren verhängt, neben dem Fahrer saß Kommissar Gillon.

Wir – Don Manuel, Doña Julia, Onkel Paco und ich – fuhren um 18.45 Uhr zum Flughafen, allerdings nicht zum normalen Abfertigungsgebäude, sondern durch ein Tor auf der anderen Seite des Flughafengeländes. Dort standen eine kleine zweimotorige Maschine, ein Jeep und Soldaten in Kampfanzug mit automatischen Gewehren.

Pacos Protest wegen der Gepäckbeschränkung hatte nichts genützt, kein Wunder. In der Kabine war nur Platz für acht Passagiere. Gillon stieg mit uns ein. Das Gepäck wurde auf den drei freien Sitzen hinter uns verstaut.

Ich saß neben Paco. Kurz nach dem Start gab er mir ein Bündel abgegriffener Geldscheine. »Zweitausend«, sagte er. »Zum gegenwärtigen Kurs ungefähr hundert US-Dollar. Ich glaube nicht, dass du sie brauchst, aber du solltest etwas bei dir haben.«

Der Flug nach Guadeloupe dauerte neunzig Minuten. Nach der Landung wurden wir zu einem Areal gelotst, das normalerweise für die französische Luftwaffe reserviert ist.

Die lange Startbahn von Raizet, dem Flughafen von Pointe-à-Pitre, zeichnet sich dadurch aus, dass unmittelbar an dem einen Ende eine Hauptstraße vorbeiführt. Als wir landeten, herrschte dort lebhafter Sonntagabendverkehr, weshalb die Präsenz bewaffneter Soldaten, die das Flugzeug umstellten, sobald es zum Stillstand gekommen war, umso absurder wirkte. Wovor wollte man uns schützen? Vor Reportern oder Autofahrern?

Abseits der Rollbahn standen große Luftwaffentransporter sowie eine zivile DC-8. Von Gillon und einem Mann in Polizeiuniform, der ihn hier begrüßt hatte, wurden wir zu dieser DC-8 geführt. Den Namen der Fluggesellschaft konnte ich nicht erkennen. Jedenfalls gehörte die Maschine nicht der Luftwaffe, sondern irgendeiner lokalen Chartergesellschaft. Nicht einmal drei Minuten dauerte das Umsteigen. Zwei Soldaten luden auch diesmal das Gepäck in die Kabine. Gillon ging an Bord, sprach an der Tür kurz mit Onkel Paco, begrüßte Don Manuel, küsste Doña Julia die Hand und nickte mir noch kurz zu, bevor er wieder ging. Durch ein Fenster sah ich, wie er zu dem Polizisten in einen Wagen der Flughafenpolizei stieg.

Wir sind im vorderen Teil der Maschine, wo sich normalerweise vermutlich die erste Klasse befindet. Die Armlehnen sind entfernt worden, sodass wir, wenn wir wollen, uns ausstrecken und vielleicht sogar schlafen können. Keine Stewardessen, nur die Cockpitbesatzung und ein Steward, ein spanisch sprechender Mestize, der aussieht wie ein Polizist, der wegen Brutalität entlassen wurde und über diese Ungerechtigkeit noch immer sauer ist.

Nachdem Onkel Paco es sich auf einem Sitz bequem gemacht hatte, beugte er sich über den Mittelgang zu mir herüber. »Alles in Ordnung«, sagte er, »mehr oder weniger läuft alles nach Plan. Es gibt ein kleines Problem mit den Fluglotsen am anderen Ende, und man will uns die Starterlaubnis erst erteilen, wenn das geklärt ist, aber ich denke, in einer halben Stunde sind wir so weit.«

»Wie lange dauert der Flug?«, fragte ich.

»Wir können nicht die direkte Route nehmen, da wir nicht die Überflugerlaubnis von anderen Staaten erbitten wollen. Etwa fünf Stunden, wie ich höre. Wieso?«

»Es wäre gut, wenn Don Manuel etwas Schlaf bekäme. Ich habe Tabletten für ihn dabei.«

»Warte lieber noch ein bisschen, bis wir in der Luft sind.«

Zwei Stunden warteten wir.

Paco erhob sich nach einer Stunde und stieg aus, um den Grund für die Verzögerung herauszufinden. Nach einer Weile kehrte er mit amüsiertem Gesicht zurück.

»Ein bisschen dauert es noch«, sagte er zu Don Manuel.

»Noch immer die Fluglotsen?«

Paco grinste. »Das war bloß ein Märchen. Anscheinend gibt es dort drüben sehr viel mehr Ausreiseinteressenten, als erwartet. Sie mussten noch ein zusätzliches Flugzeug auftreiben.«

»Und wohin wollen sie?«

»Jamaika hat sich bereit erklärt, ihnen eine Transitgenehmigung für vierundzwanzig Stunden zu erteilen. Dort können sie dann entscheiden, in welches Land sie wollen.«

»Könnten wir nicht etwas zu essen und zu trinken bekommen, solange wir hier warten?«

Der Steward wurde überredet, die für den Flug vorgesehenen Imbisspäckchen zu verteilen. Jede Schachtel enthielt zwei pappige Schinkenbrötchen, eine Banane sowie eine Flasche Limonade.

Kurz nach 23 Uhr wurde die Gangway weggerollt und die Tür geschlossen. Fünf Minuten später hoben wir ab.

Gab Don Manuel zwei 100 mg-Tabletten Secobarbital. Gab Doña Julia und Paco jeweils eine und nahm selbst eine. An Bord gibt es kein Trinkwasser, da der Cateringservice nach Aussage des Stewards nicht an das Flugzeug herangelassen worden war. Müssen uns also mit Limonade begnügen.

Hotel Nuevo Mundo
Zimmer 202

Montag, 9. Juni

Die letzten vierundzwanzig Stunden waren chaotisch. Ich weiß nicht, warum mir das so ungewöhnlich erscheint. Ein Staatsstreich soll ja genau diese Wirkung haben. Vielleicht will ich damit nur sagen, dass mich das

Wiedersehen mit meinem Vaterland nach mehr als zwölf Jahren auch ohne Staatsstreich aufgewühlt hätte.

Noch immer dunkel, als wir uns der Küste näherten. Don Manuel und Doña Julia hatten während des Flugs geschlafen, Paco und ich nur gedöst. Die Probleme begannen, als wir noch in der Luft waren. Wir hatten schon angefangen, uns auf die feierliche Ankunft vorzubereiten – Doña Julia in einer der Toiletten, während Don Manuel sich mit einem Batterierasierer herrichtete –, als der Pilot bekannt gab, dass wir keine Landeerlaubnis erhielten und mit Flugabwehrbeschuss rechnen müssten, wenn wir es trotzdem versuchten.

Paco stapfte nach vorn, um Genaueres herauszufinden. Es stellte sich heraus, dass der Kontrollturm eine Art Identitätsbeweis von uns haben wollte. Wir mussten wieder umkehren und über dem offenen Meer ein paar Runden drehen, bis die nervösen Flugabwehrbatterien neue Befehle erhielten und die gleichermaßen nervöse Besatzung des Towers aufgefordert wurde, mit dem Quatsch aufzuhören und endlich die Landebahnlichter einzuschalten.

Unser Pilot legte, durch den angedrohten Beschuss wohl ein wenig entnervt, eine miserable Landung hin. Er setzte dermaßen hart auf, dass zwei Kombüsenschränke aufgingen und Plastiktassen und -teller durch den anschließenden Umkehrschub in hohem Bogen durch die Kabine flogen, woraufhin der Steward wilde Flüche ausstieß. Doña Julia, zuerst verängstigt, verlor nun die Beherrschung. Es sei ungeheuerlich, rief sie, dass ein Staatsoberhaupt beim Betreten seines Landes derart würdelos behandelt und das Protokoll derart mit Füßen getreten werde.

Don Manuel ermahnte sie scharf, ruhig zu sein und sich zusammenzureißen. Immerhin seien sie sicher gelandet, und wenn ihr das Protokoll Sorgen mache – damit würden wir schon bald zur Genüge konfrontiert sein.

In der Tat. Das Vorfeld war nun in gleißendes Flutlicht getaucht, und während sich unser Flugzeug dem Terminal näherte, sah ich Batterien von Kameras und eine Tribüne mit Mikrophonen. Eine Gangway wurde eilends herangefahren, und der Steward gab es auf, die auf dem Kabinenboden verstreuten Sachen unter die Sitze zu kicken, und öffnete stattdessen die Tür.

Als Erster kam Santos an Bord, in dunklem Anzug und Krawatte, und trotz des Hitzeschwalls, der von draußen hereindrang, wirkte er kühl und gelassen. Hinter ihm erschien ein Mann in der Uniform eines Obersten. Er wirkte nicht ganz so ruhig. Santos stellte ihn vor als den Kommandeur der Einheit, die am Samstagabend den Flughafen handstreichartig eingenommen hatte.

Der Oberst räusperte sich und erklärte dann, dass er, als ranghöchster Offizier vor Ort, die Aufgabe habe, Seine Exzellenz, den neuen Präsidenten, der Loyalität der gesamten Armee zu versichern, und dass die Situation unter Kontrolle sei.

Don Manuel schenkte ihm ein freundliches Lächeln. »Sind die ausländischen Pressevertreter schon da, Herr Oberst?«

»Jawohl, Exzellenz. Ein Flugzeug direkt aus Miami, und heute früh kam noch eines via Antigua.«

»Konnten *die* ohne Abschussdrohung landen?«

»Jawohl, Exzellenz.« Der Schweiß lief ihm über die Stirn. »Dieser Irrtum in Bezug auf Ihr Flugzeug ist dem Übereifer des Batteriekommandeurs und der geänderten Ankunftszeit Ihrer Maschine zuzuschreiben. Man hat sich zu strikt an die ursprünglichen Anweisungen gehalten. Außerdem ließ die Koordination zu wünschen übrig. Den betreffenden Offizieren wurde ein strenger Verweis erteilt.«

»Gut.«

Von nun an ignorierte er den Oberst völlig. Und so war es Santos, der über einen schwerwiegenderen Fall von Übereifer seitens des Militärs berichtete.

Der Fall betraf den Präsidentenpalast.

Während die meisten Milizangehörigen ihre Uniform ausgezogen und ihre Gewehre in den Kasernen gelassen hatten und sich möglichst unauffällig verhielten, hatte die Palastgarde beschlossen, das Gebäude bis zur letzten Patrone zu verteidigen. Da der Kommandeur dieser Einheit wusste, dass er auf Pater Bartolomés Liste all jener Personen stand, die sofort aufgeknüpft werden sollten, sobald man ihrer habhaft würde, war seine Entscheidung nur bedingt heroisch. Wahrscheinlich hatte er damit gerechnet, dass ihn die Armee nach einem kurzen Schusswechsel festnehmen würde. Leider hatten seine Männer den Durchhaltebefehl wörtlich genommen und mit großer Entschlossenheit gekämpft. Daraufhin war ein Spezialkommando der Armee angerückt, das äußerst brutal gegen die Verteidiger vorging und bei seiner Aktion große Teile des Palastes zerstörte. Besonders zwei steinerne Säulen, die den Hauptbalkon trugen, auf denen die Präsidenten proklamiert und von den Massen gefeiert worden waren, hatten schwere Schäden davongetragen. Das Treppenhaus und die Prunkgemächer hatten ebenfalls gelitten. Noch immer wurden Gerüste aufgebaut, um den Balkon abzustützen, aber es würde Tage dauern, bevor der Palast als bewohnbar gelten konnte. Bis dahin war die zweite Etage des Hotels Nuevo Mundo als Unterkunft für die Begleitung des Präsidenten requiriert worden.

»Ich weigere mich, das Nuevo Mundo zu betreten«, sagte Don Manuel prompt. »Ich bin überrascht, Don Tomás, dass Sie diese Möglichkeit überhaupt in Betracht gezogen haben. Ich bin doch kein ausländischer Geschäftsmann, der hierhergekommen ist, um einen Vertrag abzuschließen.«

»Im zweiten Geschoss gibt es einen Balkon, Don Manuel. Sie müssen sich der Bevölkerung zeigen.«

»Dann werde ich mich vom Balkon des Justizpalastes aus zeigen. Das könnte zumindest symbolische Bedeutung haben.«

»Für die Castillo-Anhänger wäre der Balkon über den Stufen des Nuevo Mundo sehr wohl ein bedeutsames Symbol.«

Santos sah mich an. Don Manuel ignorierte demonstrativ diesen Blick.

»Einzelne Gruppierungen interessieren mich nicht«, erklärte er, »auch nicht ihre Ergebenheitsbekundungen. Unsere Aufgabe ist es, für die gesamte Bevölkerung einen Neuanfang zu machen und nicht gespenstische Erinnerungen an die Vergangenheit heraufzubeschwören. Die Proklamation wird im Justizpalast stattfinden.«

In Les Muettes hatte man Santos mit Respekt und größter Hochachtung behandelt. Jetzt wurde er wie ein Untergebener abgefertigt, doch er schien weder überrascht noch beleidigt.

Geduldig sagte er: »Die Unterbringungsmöglichkeiten dort sind begrenzt, Don Manuel. Abgesehen von den Quartieren für die Hausbediensteten gibt es nur die Wohnung des Generalstaatsanwalts.«

»Dann muss man ihn eben bitten, ins Nuevo Mundo auszuweichen, bis der Präsidentenpalast wieder bewohnbar ist. Wo werden denn die ausländischen Pressevertreter untergebracht?«

»Im Hotel Allianza, wie geplant. Es hat schon mehrere Beschwerden gegeben und auch Versuche, den Manager des Nuevo Mundo zu bestechen. Er hat natürlich seine Instruktionen. Die US-Nachrichtenagenturen, die Vertreter der *New York Times* und der *Washington Post* sollen dort einquartiert werden, aber nur in den obersten Etagen.«

»Gut, dann wäre das also erledigt. Wir im Justizpalast, unsere Begleitung in der zweiten Etage des Nuevo Mundo. Und jetzt will ich hier raus.«

Seine Art, seine ganze Haltung schien plötzlich wie verwandelt. Ist das eine Reaktion? Jahrelange Fremdbestimmung im Exil kann den Emigranten prägen. Oder wirkt sich die unmittelbar bevorstehende Aussicht, autokratische Macht ausüben zu können, derart auf einen Politiker aus?

So wie Villegas die Gangway hinunterstieg, hätte man glauben können, dass er diese Macht schon jahrelang ausübte.

Der Oberst hatte eine größere Ehrengarde antreten lassen, und als Don Manuel in der Tür erschien, brachen die Soldaten, angeführt von offenbar gut instruierten Unteroffizieren und Offizieren, in wilden Jubel aus und schwenkten ihre Gewehre. Aus militärischer Sicht war das wohl eher zu beklagen, doch Don Manuel schien es zu gefallen. Auf halber Höhe der Gangway blieb er stehen und hob beide Hände zum Zeichen des Danks für diesen Empfang. Ein Blitzlichtgewitter setzte ein, als die Fotografen diesen Moment festhielten. Dann ging Don Manuel weiter, wandte sich vor der letzten Stufe nach Doña Julia um, bot ihr galant den Arm und lieferte den Fotografen auf diese Weise noch einmal Gelegenheit für einen Schnappschuss.

Santos und Paco versuchten ihn zum Podium zu dirigieren, doch er schritt gleich zum angetretenen Empfangskomitee. Santos überholte ihn rasch und begann ihm die Personen vorzustellen. Ich folgte Doña Julia und Paco und bekam so einige der Namen mit.

Wir bewegten uns von links nach rechts. Links standen größtenteils staatliche Funktionsträger und Provinzbürgermeister, die schon lange insgeheim Anhänger der Demokratischen Sozialisten waren oder sich zumindest als solche bezeichneten, und hohe Polizeioffiziere, die mit der Miliz in Konflikt geraten waren. Überall dort, wo mir eine Hand hingehalten wurde, schüttelte ich sie. Es waren nicht sehr viele, da sich die Formation der

Angetretenen hinter Don Manuel auflöste. Etwas disziplinierter wurde es erst, als die Pressefotografen sich laut darüber beschwerten, dass sie den neuen Präsidenten zu fotografieren hätten und nicht eine Rinderherde von hinten. Die hohen Polizeioffiziere, die erst selber vorgedrängt waren, machten sofort kehrt, drängten die Nachfolgenden zurück und forderten mit strenger Stimme zu »respektvollem Abstand« auf.

Rechter Hand standen die ausländischen Würdenträger, und als sich die Menge lichtete, sah ich dort Delvert und bekam mit, wie er als französischer Botschaftsrat vorgestellt wurde, der den erkrankten französischen Botschafter vertrat. Überhaupt ließen sich viele Botschafter vertreten. Eine bemerkenswerte Ausnahme war der Apostolische Nuntius, eine glanzvolle Figur in Begleitung einer Person, die aus der Ferne wie ein Messdiener aussah.

Inzwischen hatte ich mich daran gewöhnt, Hände zu schütteln, ohne dem Betreffenden vorgestellt worden zu sein, und verzichtete schon darauf, meinen Namen zu nennen. So viele Leute redeten durcheinander, dass man dort hinten, wo ich mich befand, hätte brüllen müssen, um sich Gehör zu verschaffen. Ich zuckte daher zusammen, als mir der Nuntius, über dessen Hand ich mich gerade beugte, deutlich und vernehmbar ins Ohr sagte: »Ich freue mich sehr, Sie kennenzulernen, Dr. Castillo. Darf ich Ihnen Monsignore Montanaro vorstellen?«

Montanaro, der »Messdiener«, der nun vortrat, um mir die Hand zu geben, war ein kleiner alter Mann mit randloser Brille und freundlichen Augen, eine ausgesprochen aristokratische Erscheinung.

»Sehr erfreut, Dr. Castillo.« Sein Händedruck war erstaunlich kraftvoll. »Ich habe mich so darauf gefreut, Ihre Bekanntschaft zu machen, dass ich Seine Eminenz gebeten habe, ihn hierher begleiten zu dürfen. Ihr erster Besuch seit vielen Jahren. Ein denkwürdiger Tag. Ich möchte Sie nicht aufhalten, aber ich würde gern wissen, wann Sie das Grab Ihres Herrn Vaters zu besuchen gedenken.«

Ich wollte schon antworten, dass ich daran gar nicht gedacht hatte, überlegte es mir aber anders, und während ich noch zögerte, schaltete sich der Nuntius ein.

»Wir wissen natürlich, dass Sie als Don Manuels Leibarzt mitgekommen sind, aber er dürfte Ihre Dienste nicht vor heute Abend benötigen. Der Monsignore würde so gern mit Ihnen die Gedenkstätte besuchen und mit Ihnen beten.«

»Wäre heute Nachmittag zu spät?«, fragte Montanaro eifrig. »So gegen vier?«

»Tja ...«

»Ein Wagen wird Sie im Nuevo Mundo abholen. Um fünf könnten Sie wieder zurück sein.«

Bevor ich mir eine plausible Ausrede zurechtlegen konnte, hatten mich die beiden schon mit ausgesuchter Höflichkeit an den niederländischen Generalkonsul weitergereicht.

Wenig später gab Delvert mir die Hand, als hätten wir uns noch nie gesehen, und ich hörte, wie Rosier als Mittelamerika-Repräsentant der Lateinamerikanischen Handelskammer bezeichnet wurde.

Die Sonne war gerade aufgegangen. Als ich wieder zu

Rosier schaute, hatte er sich schon seine Sonnenbrille aufgesetzt.

Der Flughafen liegt zwölf Kilometer außerhalb der Hauptstadt. Es kam mir viel weiter vor. Ich war hungrig und durstig – von der Limonade hatte ich noch einen metallischen Geschmack im Mund. Zwischen Saint-Paul und hier ist eine Stunde Zeitunterschied. Niemand hatte daran gedacht, uns am Flughafen auch nur eine Tasse Kaffee anzubieten, denn es war erst halb sieben. Frühstück sollte es im Nuevo Mundo geben.

Don Manuel hatte sich einverstanden erklärt, in jedem Fall dort vorbeizuschauen. Der Generalstaatsanwalt war ein wichtiger Mann, der den alltäglichen Gerichtsbetrieb überwachte. Ihn, wenn auch nur zeitweilig, aus dem Justizpalast zu werfen, konnte nicht formlos vonstatten gehen, und außerdem musste sein Plazet eingeholt werden. Diese Aufgabe war Onkel Paco übertragen worden.

Es war nicht einfach. Ich kann das beurteilen, da ich mit den beiden und dem für Sicherheitsfragen zuständigen Offizier in einem Auto saß, als sich die Fahrzeugkolonne in Bewegung setzte. Der alte Herr war Jurist, und zwar einer, mit dem nicht gut Kirschen essen war. Appelle an seine patriotische Pflicht tat er mit der Erwiderung ab, dass er allein der Rechtsprechung verpflichtet sei. Ob man denn glaube, dass die Aufgaben, die er gegenwärtig von seinem Dienstzimmer aus erledige, unter dem neuen Regime nicht mehr notwendig seien?

»Mir ist klar«, fuhr er mit schneidender Stimme fort, »dass man eine Regierung am wirkungsvollsten von innen heraus stürzt, aber ich bin immer davon ausgegangen, dass vernünftige Leute nicht die nützlichen Teile des Apparats zerstören, die für das Wohl der Allgemeinheit da sind. Es sei denn, man will Chaos und Anarchie haben. Das mag das Interesse von Pater Bartolomé sein. Bei Don Manuel hatte ich das eigentlich nicht angenommen. Doch vielleicht irre ich mich ja.«

Paco reagierte darauf mit lautem Gegacker und tat zunächst, als hätte der Generalstaatsanwalt einen Scherz gemacht, um dann aber eine vage Drohung auszusprechen. Einsatzbereitschaft und Flexibilität, das seien die Kriterien, nach denen Staatsdiener in Zukunft beurteilt würden. Dann besann er sich wieder aufs Schmeicheln. Auch die Gattin des Generalstaatsanwalts hätte gewiss nichts dagegen, ein paar Tage die Gastfreundschaft des Nuevo Mundo zu genießen. Ein kleiner Urlaub für sie. Und es gäbe ja auch das Problem der Sicherheit.

Der Sicherheitsoffizier reagierte prompt auf das Stichwort. Wie wahr!, rief er. Sämtliche Maßnahmen müssten nun ein zweites Mal überprüft werden. Da alle Regierungsgebäude und auch das Nuevo Mundo schwer bewacht würden, benötige man zusätzliche Autos für den Shuttle-Service.

Mein gemurmelter Hinweis, dass der Justizpalast vom Hotel aus doch gut zu Fuß zu erreichen sei, wurde sofort abgebürstet. *Niemand* dürfe den Präsidentenpalast zu Fuß betreten, selbst wenn der Betreffende einen der offiziellen Passierscheine besitze, mit deren Ausstellung sofort begonnen werde – nein, nicht einmal der Leibarzt des Präsidenten.

Daraufhin schwieg ich und schaute zum Fenster hinaus. Die Flughafenstraße war, seit ich sie zuletzt gesehen hatte, auch nicht besser geworden. Zuckerrohrfelder auf der einen Seite, Dschungel auf der anderen, jede Menge Schlaglöcher und überall dort, wo es einen tödlichen Unfall gegeben hatte, also in jeder Kurve am Straßenrand, ein Betonklotz, auf den man zur Warnung ein verrostetes Autowrack gehievt hatte. Ich hatte diese ausgeweideten Karosserien schon ganz vergessen. Sie müssen im Lauf der Jahre bestimmt mehrmals ersetzt worden sein. In diesem Klima frisst sich der Rost rasch durch, und außerdem eignen sich die Türverkleidungen kaputter Autos hervorragend zum Ausbessern undichter Hausdächer.

Aber auch noch andere Dinge hatte ich vergessen: den Gestank der Slums am Stadtrand, die elenden Quartiere, in denen die Leute hausen, die Schweine, die sich dort im Dreck suhlen. Ich hatte die Frauen vergessen, die ihren Kindern die Brust geben, Kindern, deren Überlebenschance fünfzig zu fünfzig war, und diejenigen, die überlebt hatten, starrten einen mit dem Finger im Mund und mit großen Augen an. Ich hatte die offene Kanalisation vergessen. Männer waren kaum zu sehen. Diejenigen, die eine Arbeit hatten, waren offenbar schon gegangen.

Und dann die Stadt selbst, stellenweise fast malerisch, mit blühenden Bäumen und Allamandabüschen, überwiegend jedoch hässlich und heruntergekommen. Selbst die paar modernen Gebäude wie das Hotel Allianza (benannt nach der »Allianz für den Fortschritt«), deren Betonfassaden vom Rost der Fensterrahmen und Balkongitter ganz streifig sind, sehen verwahrlost aus. Unkraut wächst durch die Asphaltritzen der Parkplätze und wuchert auf dem zusammengekarrten Bauschutt auf den benachbarten verwaisten Grundstücken. Nur die viel älteren Steingebäude scheinen so etwas wie Würde bewahrt zu haben. Dass ich sie heute nicht ganz so eindrucksvoll finde wie in meiner Jugend, wundert mich nicht. Ich bin ihren Anblick nicht mehr gewöhnt. Die Palmen jedoch sehen unverändert aus – wie müde, ungepflegte Frauen.

Nur wenige Menschen auf den Straßen, aber an jeder Kreuzung Soldaten. In der Nähe des Zentrums – wie heruntergekommen die Stadt hier doch ist! – Panzer und Truppen in den Seitenstraßen. Im Geschäftsviertel sind zwei Blocks fast vollständig niedergebrannt, altertümliche Löschfahrzeuge stehen noch da, und ihre Besatzungen stochern in den Ruinen herum.

Bei ihrem Anblick schnaubte der Generalstaatsanwalt verächtlich. »Nicht mehr viel übrig für sie! Pater Bartolomés Armee der Gläubigen dürfte dafür gesorgt haben. Nun ja, Don Manuel soll sich nicht beklagen. Seine Anhängerschaft dürfte erheblich zugenommen haben.«

Ich sah ihn an. Er lächelte fein.

»Sie glauben doch wohl nicht, dass sie die Läden niedergebrannt haben, ohne sie zuvor leer zu räumen! Mit Lastwagen sind sie gekommen. Fernsehgeräte waren natürlich das Wichtigste, dann Kühlschränke und Klimaanlagen. Möbel und Kleidung, selbst solche Kleinigkeiten wie Radios und Schmuck wurden nicht verschmäht.« Er warf Paco einen Blick zu. »Das nennt man demokratischen Sozialismus, was, mein Freund?«

Paco spitzte die Lippen. Die Verärgerung des Generalstaatsanwalts ist verständlich, aber wenn er sie weiterhin auf diese Art und Weise zum Ausdruck bringt, dürfte er seine Wohnung ein für alle Mal verlieren und seinen Posten noch dazu.

Bei unserer Ankunft im Nuevo Mundo herrschte dort Chaos, vielleicht aufgrund von Don Manuels veränderter Planung, aber ich bezweifle es. Chaotische Verhältnisse hätten dort ohnehin geherrscht, Armee- und Polizeilastwagen blockierten die Zufahrt, sodass nicht einmal unsere Eskorte vorgelassen wurde. Daraufhin erhob sich ein Durcheinander, wildes Gestikulieren und ein großes Hin und Her, an dem sich unser Sicherheitsoffizier sofort beteiligte.

Während wir warteten, erklärte ich dem Generalstaatsanwalt, dass ich gern mit dem Chef des städtischen Krankenhauses Kontakt aufnehmen würde. Ob er zufällig den Namen des Mannes wisse?

»Dr. Torres«, sagte er, »soll ein ausgezeichneter Mann sein. Hat in den Vereinigten Staaten studiert. Zurzeit dürften Sie allerdings Mühe haben, ihn zu finden.«

»Hat es denn viele Verletzte gegeben?«

»Offiziell mehr als hundert, aber das wird wohl eine vorsichtige Schätzung sein. Bestimmt werden sehr viel mehr Verletzte privat behandelt, von denen man nichts erfährt. Aber« – wieder dieser spöttische Blick – »ich hatte nicht an Arbeitsüberlastung gedacht, als ich davon sprach, dass es schwierig sei, mit Torres zusammenzukommen.«

»Sondern?«

»Seine Familie ist ziemlich reich, wissen Sie. Seine Eltern gehörten zu den Leuten, die gestern mit dem ersten Flugzeug ausgeflogen wurden. Torres senior zählt zur so genannten Oligarchie. Vielleicht erschien es Torres junior sinnvoll, dem Beispiel seiner Eltern zu folgen.«

»Wer wäre in dem Fall zuständig?«

»Es gibt noch andere Ärzte. Ich nehme an, der Dienstälteste würde seine Stelle übernehmen.«

»Warum willst du das wissen?«, fragte Paco.

»Ich brauche einen Physiotherapeuten für Don Manuel.«

»Ein Privatmasseur ginge nicht?«

»Wenn er tüchtig ist, doch. Aber bei jedem, der direkten Zutritt zum Präsidentenpalast hat, wird es ein Sicherheitsproblem geben.«

In diesem Moment setzte sich die Wagenkolonne aufs neue in Bewegung, und der Sicherheitsoffizier stieg wieder ein.

»Sicherheitsproblem? Worum geht es, Doktor?«

Ich erklärte es ihm.

»Am besten wäre es, Sie begleiten den Betreffenden beim ersten Mal, dann können Sie für ihn bürgen. Ich selbst werde im Justizpalast arbeiten. Sie sollten mich wegen …« Er hielt inne. »Sehen Sie sich diese Idioten an. Man könnte meinen, sie haben keine Befehle.«

Wir waren angekommen.

Das Nuevo Mundo ist im Stil dieser alten, prächtigen Grand Hotels errichtet. Ursprünglich soll es dem Madrider Ritz nachempfunden sein. Da in der Stadt aber die Notwendigkeit bestand, die Häuser vor Termiten und

Hochwasser zu schützen, musste einiges modifiziert werden. So wurde etwa das Erdgeschoss höher gelegt. Dies wiederum hatte den Anbau einer breiten steinernen Freitreppe zur Folge – der Treppe, auf der mein Vater den Tod fand.

Es gelang mir, an diesem Ort, den ich so oft auf Zeitungsfotos gesehen hatte, äußerlich unbeeindruckt vorbeizugehen.

Nachdem wir uns auf unsere Zimmer verteilt und die Polizisten, die noch immer dabei waren, in den Kleiderschränken nach Spionen und Saboteuren zu suchen, weggeschickt hatten, wurde in einem kleinen Salon das Frühstück serviert.

Es war hübsch angerichtet und tat uns allen gut. Selbst die Stimmung des Generalstaatsanwalts hatte sich gebessert – er hatte erfahren, dass er aus seiner Dienstwohnung in die Präsidentensuite umquartiert würde. Don Manuel wirkte müde, aber zuversichtlich. In diesem Moment verzichtete er sogar auf das würdevolle »Wir«.

»Das war genau das Richtige für mich«, sagte er, nachdem er seine zweite Tasse Kaffee getrunken hatte. »Und Sie, Ernesto, was haben Sie heute vor?«

»Das hängt von Ihnen ab, Don Manuel. Vielleicht ein wenig schlafen. Ich werde Sie wohl nicht überreden können, ein wenig zu ruhen.«

»Es gibt zu viel zu tun. Die Proklamation findet um halb acht im Justizpalast statt. Ich möchte, dass Sie bei der Zeremonie anwesend sind.«

»Dann komme ich am besten schon um sechs. Ich werde auch einen Masseur mitbringen. Und für Ihre Spritzen wird dann ebenfalls Zeit sein.«

Santos guckte erstaunt. »Spritzen?«

»Vitaminspritzen, Don Tomás.«

»Ach so.«

Ich überlegte kurz, ob ich meine Verabredung mit Monsignore Montanaro erwähnen sollte, kam aber nicht dazu, denn inzwischen wurde über Fragen des Protokolls und der Berichterstattung über die Proklamationsfeierlichkeit gesprochen.

Sobald sie zum Justizpalast aufgebrochen waren, ging ich auf mein Zimmer, zog mich aus, duschte und telefonierte mit dem städtischen Krankenhaus.

Die Vermutung des Generalstaatsanwalts, dass Dr. Torres zusammen mit seinen Eltern außer Landes geflohen war, erwies sich als unbegründet, aber es war trotzdem schwierig, den Mann zu finden. Überall hat man es mit Sicherheitsfanatikern zu tun. Statt der Telefonistin sitzt jetzt ein Armeeangehöriger am Schaltpult, der Befehl hat, alle ein- und ausgehenden Gespräche zu notieren. Außerdem kennt er sich mit den Schaltern nicht aus. Als ich schließlich das Krankenhaus am Apparat hatte, war die dortige Telefonistin auch nicht sonderlich hilfsbereit. Dr. Torres habe zu tun, er sei jetzt nicht zu sprechen, ich könne ihm aber eine Nachricht hinterlassen. Überall große Nervosität. Mir platzte der Kragen. Ich befahl der Telefonistin im Namen von Präsident Villegas, mich zu verbinden. Lächerlich, aber sie parierte sofort.

Auch Dr. Torres war gereizt.

»Torres. Was wünschen Sie?«

Ich wollte schon erklären, wer ich sei, doch er fiel mir ins Wort: »Das alles weiß ich, sonst würde ich nicht mit Ihnen sprechen. Was wollen Sie?«

Ich trug ihm mein Anliegen vor.

»Um welche Beschwerden geht es?«

»Fibromyositis von Hals und Schultern. Tägliche Massage und Ruhe haben sich als vorteilhaft erwiesen. Aber ich brauche einen guten Mann, am besten jemanden, der den Mund halten kann. Ich will nicht, dass Gerüchte über den Gesundheitszustand des Patienten aufkommen.«

»Hier bei uns setzt niemand Gerüchte in die Welt. Ich werde Ihnen den besten Physiotherapeuten schicken, den wir haben. Täglich, sagen Sie?«

»Ja. Einen festen Termin kann ich Ihnen noch nicht sagen.«

»Ich verstehe. Der Mann ist übrigens ein Schwarzer. Wird sich der Patient damit anfreunden können?«

»Absolut.«

»Der Mann heißt Paz Pineda. Wo soll er sich melden?«

»Heute Abend im Justizpalast. Angesichts der scharfen Sicherheitsvorkehrungen schlage ich vor, dass ich ihn abhole. Für spätere Besuche kann dann ein Passierschein ausgestellt werden. Wenn Sie einverstanden sind, hole ich ihn mit dem Wagen am Krankenhaus ab.«

»Um welche Zeit?«

»Halb sechs, wenn das passt.«

»Er wird am Haupteingang auf Sie warten.«

Ende des Gesprächs. Ich ging zu Bett und schlief drei Stunden.

23 Uhr. Ein kleines Malheur: Mein Notizheft ist voll. Im Hotelzimmer kein Schreibpapier. Rief die Rezeption an. Bekam Toilettenpapier. Durchsuchte das Zimmer und erwog schon, Schrankpapier zu verwenden, fand dann aber in einer Hemdenschublade eine Ledermappe mit Schreibpapier. Gehört offenbar dem letzten Gast, der sie vergaß, als er eiligst das Zimmer räumen musste. Das Papier ist von bester Qualität – kein Wunder, die Mappe gehört dem Honduras-Repräsentanten der Chase Manhattan Bank. Man wird mir sicher verzeihen, wenn ich es beschlagnahme. Staatsstreich und Beschlagnahme – das passt doch zusammen.

Wollte nach dem Mittagessen Blumen für den Friedhofsbesuch kaufen, leider ohne Erfolg. Es gab keine, weil die Bauern während des »Ausnahmezustands« keine Pflanzen (auch kein Gemüse) in die Stadt bringen durften. Ging wieder zu Bett, bis mich das Telefon weckte. Monsignore Montanaro wartete unten.

Hatte nicht damit gerechnet, dass man ihn durch die Absperrungen lassen würde. Der Grund für seinen Erfolg: Er hatte sich den Wagen der Apostolischen Nuntiatur ausgeliehen, der eine CD-Nummer hat. Am Steuer saß ein junger Priester.

Als wir losfuhren, erklärte ich, warum ich keine Blumen dabeihatte. Montanaro lächelte huldvoll. In Erwartung dieses Problems hatte er bei den Schwestern von Santa Cruz einen Kranz bestellt, der auf dem Friedhof bereitliegen würde.

Der Kranz erwartete uns tatsächlich, zusammen mit

einer Menge von etwa hundert Menschen, vorwiegend schwarz gekleideten Frauen, und einem Pulk Fotografen.

Das Grabmal meines Vaters ist nicht das protzigste dieses Friedhofs (was Gräber angeht, so neigen meine Landsleute zu Extravaganz), aber auch nicht sonderlich bescheiden. Ich weiß noch, wie in Florida über den Entwurf diskutiert wurde und wie empört meine Mutter war, als die von ihr formulierte Inschrift der Zensur durch die Junta zum Opfer fiel. »Gestorben für sein Volk durch Verbrecherhand« zählte zu den beanstandeten Formulierungen. Am Ende hatte sie sich mit der Nennung seines und ihres Namens und des Geburts- und Todestages begnügen müssen.

Beim Anblick der Menge wünschte ich, ich wäre nicht gekommen, doch für eine Umkehr war es schon zu spät. Der Kranz erwies sich als eine gigantische Affäre aus roten und weißen Blumen. Der Grabstein war ebenfalls mit vielen Fotos meines Vaters geschmückt, allesamt in aufwendigen Rahmen, in die Zitate aus seinen Reden eingraviert waren. Vermutlich waren dies die Produkte des verborgenen Castillo-Kults, von dem Delvert mir auf Saint-Paul berichtet hatte.

Der kleinwüchsige Monsignore hatte keine Mühe, die Situation bemerkenswert würdevoll und mit einigem bauchrednerischen Geschick in den Griff zu bekommen. Die ganze Zeit flüsterte er mir mit leicht geöffneten, fast unbeweglichen Lippen Bühnenanweisungen zu.

Als die Menge uns respektvoll Platz machte, gab es einige Kniefälle. Montanaro nahm keine Notiz davon. »Wir treten näher und halten den Kopf gesenkt«, murmelte er zu mir. »Sie bleiben links neben mir. Wenn man Ihnen den Kranz reicht, nicken Sie ernst, sagen aber nichts. Dann treten Sie langsam vor und legen ihn so nieder, dass die Inschrift nicht verdeckt wird. Sie bleiben stehen, dann verneigen Sie sich wieder und treten zu mir zurück. Wir knien dann gemeinsam zum stillen Gebet nieder. Wenn ich mich erhebe, um den Segen zu sprechen, knien Sie weiter. Ich werde Ihnen sagen, wann Sie sich erheben. Wir wenden uns gemeinsam ab und kehren langsam zum Wagen zurück. Einige der Leute werden Sie anfassen. Achten Sie nicht weiter darauf. Für Sie ist dies eine intime Begegnung mit dem Verstorbenen.«

Ich tat, wie mir geheißen. Etwas anderes blieb mir auch gar nicht übrig. Die Veranstaltung war etwa so intim wie ein Fußballspiel. Die Fotografen liefen hektisch herum. Obschon helllichter Tag und der Himmel bedeckt war, verwendeten die meisten von ihnen Blitzlicht. Der junge Priester, der uns gefahren hatte, schien als Einziger geneigt, sie zu Mäßigung anzuhalten. Ein Fotograf, der auf das Grabmal klettern wollte, weil er dort einen besseren Überblick hatte, wurde scharf ermahnt und dann von Angehörigen der Menge zurechtgewiesen, aber Monsignore Montanaro nahm von alldem keine Notiz. Er tippte mir leicht auf die Schulter, um zu zeigen, dass er den Segen gesprochen hatte. Ich stand auf, und dann kehrten wir in ernster Prozession zum Auto zurück.

Es war gut, dass er mich vor den Berührungen gewarnt hatte. Ich fand es grauenhaft, und es fiel mir schwer, nicht darauf zu reagieren. Eine alte Frau warf sich vor mir auf die Erde, sodass ich über sie hinwegtreten musste. Als wir wieder beim Auto waren, hätte ich Monsignore Montanaro am liebsten umgebracht.

Er spürte anscheinend, was in mir vorging. Er sagte: »Ich danke Ihnen für Ihre Geduld. Sie kommen sich gewiss übertölpelt und gedemütigt vor. Ich bitte Sie, verurteilen Sie mich nicht. Sie wissen noch nicht, mein Sohn, wie viel Gutes Sie heute getan haben.«

»Gutes für wen, Monsignore?«

Er lächelte traurig, als hätte ich eine dumme Frage gestellt, machte aber keine Anstalten, sie zu beantworten.

»Haben Sie Don Manuels Radioansprache gehört?«, fragte er nach einer Weile.

»Nein.«

»Sie wurde den ganzen Tag in Abständen gesendet. Nach so viel martialischen Tönen erfreulich vernünftig. Die Rede und die offizielle Proklamation sollen heute Abend im Fernsehen live übertragen werden. Es wird kaum Zeit für Werbung geben. Schade, dass der Bischof in einer solchen Zeit im Ausland ist.«

Ich sah ihn an. Er lächelte, als hätte er einen Witz erzählt, über den ich nun lachen sollte. Es fiel mir nicht schwer, seine Bemerkung nicht komisch zu finden.

Als wir das Hotel erreichten, schien er noch auf einen Sprung mitkommen zu wollen. Gott sei Dank konnte ich ihm klarmachen, dass ich einen Termin im Justizpalast hatte. Im Davonfahren schenkte er mir wieder sein Lächeln.

Einen Wagen, der mich zuerst zum Krankenhaus und dann zum Justizpalast brachte, bekam ich natürlich nicht ohne Diskussionen mit dem Sicherheitsdienst.

Aber ich gewöhne mich (zu schnell?) daran, im Namen von Präsident Villegas zu drohen, um meinen Willen durchzusetzen. Trotzdem erreichte ich das Krankenhaus mit zehn Minuten Verspätung.

Paz Pineda reagierte überrascht auf meine Entschuldigungen, er hatte mit einer Stunde gerechnet. Das sei bei Ärzten immer so, sagte er.

Paz Pineda ist ein junger Mann, um die dreißig, mit einem scheuen Lächeln. Mächtiger Haarschopf, eher braun als schwarz, ausgeprägte Hakennase und scharf gezeichnete Backenknochen. Viel Arawak-Blut, wie mir scheint.

Er hatte zwei Taschen dabei, darunter eine sehr große. Ich fragte ihn danach.

»Fibromyositis, hieß es doch«, sagte er. »Von Wärme war nicht die Rede, aber ich habe für alle Fälle einen tragbaren Apparat mitgebracht.«

»Das war sehr aufmerksam, Señor Pineda, aber dieser Patient braucht bloß eine leichte Massage.«

»Verstehe. Übrigens, die meisten Leute sagen Paz zu mir. Es ist einfacher.«

Der Justizpalast ist ein imposanter Bau – nicht so überladen wie der Präsidentenpalast, dieses barocke Ungetüm mit churrigueresken Verzierungen – sondern neunzehntes Jahrhundert, ein klassizistisches Gebäude mit einem mächtigen Portikus. Der Balkon darüber war bei unserer Ankunft noch immer mit Fahnen geschmückt, und zwei TV-Wagen mit einem Generatorfahrzeug standen im Innenhof. Auf den hohen Geländern und den Dachvorsprüngen der Bürogebäude auf der anderen Straßenseite waren Batterien von Scheinwerfern installiert. Überall liefen Stromkabel entlang.

Gottlob sah ich den Sicherheitsbeauftragten im Gespräch mit einem Untergebenen, sodass ich nicht erst nach ihm suchen musste. Paz zeigte seinen Ausweis. Nachdem ich erklärt hatte, zu welchem Zweck er gekommen sei, erhielt er einen Passierschein. Doch all das dauerte seine Zeit, und bis wir zu Don Manuel vorgelassen wurden, war es fast sechs.

Die Dienstwohnung des Generalstaatsanwalts ist geräumig und komfortabel und zum Balkon hin mit hohen Fenstern ausgestattet – kein Wunder, dass er nicht ausziehen wollte. Viele Menschen drängten sich, überwiegend Männer, aber viele hatten zur Feier dieses bedeutenden Tages ihre Frauen mitgebracht, obschon sie nicht eingeladen waren, wie ich von Doña Julia erfuhr. Die Atmosphäre hatte etwas von einer großen Cocktailparty. Santos, Paco und die Provinzbürgermeister waren natürlich da, aber auch El Lobo in einem uniformartigen Buschhemd sowie Pater Bartolomé. El Lobo grinste mir zu – mir fiel auf, dass er sich wieder einen Bart stehen lässt –, aber dass Pater Bartolomé, ausnahmsweise sauber und nüchtern, mich nicht erkannte, fand ich nicht weiter erstaunlich. Don Manuel war aufgeregt und zugleich sehr erschöpft. Ich nahm Doña Julia beiseite, stellte ihr Paz vor und erklärte, dass wir uns sofort um ihren Mann kümmern müssten.

Zuerst protestierte sie. »Die vielen Leute sind gekommen, um ihm ihre Aufwartung zu machen, Ernesto, und um sieben wird seine Fernsehansprache gesendet. Anschließend die Proklamation. Sie können nicht erwarten ...«

»Doch, Doña Julia, ich kann. In einer Stunde kann er sein Gesicht im Fernsehen sehen, wenn er unbedingt will, und in anderthalb Stunden muss er draußen vor die Kameras treten. Wenn Sie nicht wollen, dass er Schlagzeilen macht, weil er während der Zeremonie zusammenbricht, muss er sich sofort hinlegen und ruhen. Ich werde ihm etwas Kräftigendes geben, und durch die Massage werden sich die Verspannungen lösen. Sie haben versprochen, mir zu helfen. Ich bestehe darauf, dass Sie tun, was ich sage, und zwar sofort.«

Nach kurzem Zögern führte sie uns in ein Schlafzimmer. Wenig später kam Don Manuel mit gereizter Miene herein. Ich stellte ihm Paz vor, der dann taktvoll das Zimmer verließ. Villegas herrschte mich an.

»Ihre selbstherrliche Art ist absurd!«

»Durchaus nicht. Ziehen Sie die Oberbekleidung aus, legen Sie sich aufs Bett und schweigen Sie. Wenn Sie die Zeremonie überstehen wollen, ohne aus der Puste zu geraten, sollten Sie tun, was ich Ihnen sage!«

Wir starrten uns einen Moment an, dann begann er sich auszuziehen.

»Ihr Verhalten ist unverantwortlich«, fuhr ich fort. »Nein, sagen Sie jetzt nichts. Sie wissen, dass ich recht habe. Diese Proklamation ist eine reine Formalität. Sie könnte genauso gut morgen stattfinden. Und jetzt ganz ruhig, bitte.«

Ich gab ihm die Spritzen und anschließend eine starke Dosis Amobarbital, kombiniert mit Dextroamphetamin.

»Der Masseur wird Sie zwanzig Minuten lang bearbeiten. Wenn er fertig ist, bleiben Sie bitte liegen. Kurz vor sieben sage ich Ihnen Bescheid, dann können Sie aufstehen. Sie müssten sich dann etwas besser fühlen, aber bilden Sie sich ja nicht ein, dass Sie gesund sind. Bleiben Sie ganz ruhig, und trinken Sie viel Wasser!«

Ich verließ das Zimmer und gab Paz ein Zeichen, dass er anfangen sollte.

Im Salon versuchte Santos, mich in ein Gespräch mit Rosier und den Umstehenden zu ziehen, doch ich entschuldigte mich und besorgte mir stattdessen einen Drink. In jeder Ecke standen Fernsehapparate, auf denen Bilder von unserer Ankunft heute Morgen liefen. Da niemand zuschaute, nahm ich an, dass der Sender den Film einfach wiederholte. Ich erkannte die Szene, wie mir der Nuntius die Hand gab. Ich lächelte gequält und sah in meinem dunklen Anzug und mit der Arzttasche wie ein Handelsreisender aus, der aus leidvoller Erfahrung weiß, dass niemand an seinen Artikeln interessiert ist.

Ich hatte die Uhrzeit und die Tür im Auge behalten. Als Paz wieder auftauchte, ging ich mit ihm hinunter. Er hatte die beiden Taschen zu tragen, und ich wollte mich vergewissern, dass er einen Wagen bekam.

Er war seltsam still. Während wir auf ein Auto warteten, sagte er plötzlich: »Wie war die Diagnose gleich?«

»Fibromyositis. Wieso?«

»Ich wollte nur sicher sein, dass ich es richtig verstanden hatte.«

»Ich rufe Sie im Krankenhaus an, dann können wir den Termin für morgen festlegen.«

»Alles klar. Auf Wiedersehen, Doktor.«

Um zehn vor sieben war ich wieder im Justizpalast. Ich ging hoch und sagte Don Manuel Bescheid, dass er aufstehen könne.

»Wie war die Massage?«, fragte ich.

»Ausgezeichnet. Interessanter Bursche.«

Ich ließ ihn allein, damit er sich anziehen konnte. Wenig später kehrte er in den Salon zurück. Als um sieben Uhr sein Fernsehauftritt angekündigt wurde, trat plötzlich Stille ein.

Es lief nicht schlecht. Das Team in Les Muettes hatte seine Sache ganz gut gemacht. Dass die Rede nicht im Präsidentenpalast aufgezeichnet worden war, fiel keinem der Anwesenden auf. Entweder hatte er das Wort »Präsidentenpalast« nicht erwähnt, oder irgendein Techniker hatte es rausgeschnitten. Am Ende gab es Applaus. Inzwischen waren die Scheinwerfer draußen eingeschaltet, und über die Bildschirme liefen Aufnahmen vom Justizpalast und der Menge, die sich dort versammelt hatte. El Lobo versicherte mit einem spöttischen Grinsen, dass es fast durchweg Studenten und Oberschüler seien, die man mit Omnibussen von speziellen Sammelpunkten herangeschafft habe. »Das ist Santos, sehen Sie? So, wie er es Ihnen versprochen hat. Die Jugend eilt herbei, wenn Don Tomás ruft.« Er beugte sich vor und flüsterte mir ins Ohr: »Ein Teil jedenfalls. Ich werde Ihnen bald ein paar von meinen Freunden vorstellen. Sehr viel interessantere Leute, das versprech' ich Ihnen.«

Er entfernte sich, bevor ich etwas antworten konnte. Ich machte mich auf die Suche nach Doña Julia, um ihr zu sagen, dass ich gehen wollte. Paco fing mich ab. Erst jetzt erfuhr ich, dass ich bei der Zeremonie anwesend sein und auf dem Balkon stehen sollte, sodass mich die Kameras sehen konnten.

Ich wollte protestieren, doch er wehrte ab.

»Dieses Opfer musst du für die Sache erbringen, trotz deiner angeborenen Bescheidenheit«, sagte er bemüht spaßig. »Ein bisschen PR, Ernesto. Wir müssen zeigen, dass wir grundsolide Leute sind, da ist deine Anwesenheit unentbehrlich. Zwischen Pater Bartolomé und dem Vertreter der Hafenbehörde wäre bestimmt ein guter Platz für dich.«

Das fand ich zwar nicht, aber es war sinnlos, mich mit ihm anzulegen. Für einen Mann seines Alters, der nicht völlig gesund war, hatte er sich nach dem Stress der letzten vierundzwanzig Stunden erstaunlich gut gehalten. Wahrscheinlich hatte er am Nachmittag etwas geruht, aber jetzt musste er doch zur Flasche greifen, um nicht abzubauen. Als die Menge auf den Balkon hinaustrat, wahrte ich einigen Abstand zu Paco und Pater Bartolomé. Seit meinen Versuchen, Molinets Steinklötze für Elisabeth zu fotografieren, weiß ich, wie viel von den Lichtverhältnissen abhängt. Ich beschloss, mich unter die Provinzbürgermeister zu mischen, weil dann gute Aussicht bestand, auf den Fotos nicht entdeckt zu werden, höchstens als ein undeutlicher grauer Fleck.

Dieses Vorhaben wurde von El Lobo vereitelt. Er nahm meinen Ellbogen und sagte mit sanfter Stimme: »Nicht verstecken, bitte! Hier gehören Sie hin.« Und im nächsten Moment stand ich direkt neben ihm an der Balustrade.

Ich konnte nichts erkennen, weil mich die Scheinwerfer blendeten, aber von einer Gruppe dort unten brandete uns plötzlich Beifall entgegen. Offenkundig wusste El Lobo, dass er gemeint war, denn er streckte die Linke, zur Faust geballt, in die Höhe. Mit der rechten Hand hielt er noch immer meinen Arm fest, aber der Druck ließ nach.

»Sehen Sie, Doktor?«, murmelte er. »Keine Mehrheit, nicht einmal eine ansehnliche Minderheit, aber diejenigen, auf die es ankommt. Santos hat die Schafherde, ich habe die militanten Ziegenböcke. Was haben Sie unserem verehrten Präsidenten vorhin gegeben? Ein Aufputschmittel?«

Ich versuchte mich zu entfernen, doch El Lobo griff fest zu. »Hiergeblieben! Alle Blicke sind jetzt auf uns gerichtet. Sie sollten nicht so tun, als hätten Sie Angst, dass man Sie sieht.«

Inzwischen hätte ich wohl ohnehin nicht mehr verschwinden können. Die weiter hinten Stehenden drängelten, kämpften sich vor, um im Rampenlicht zu stehen.

In diesem Moment bat Santos mit lauter Stimme um Ruhe und kündigte Don Manuel an. Lauter Beifall brandete auf, als er an die Mikrophone trat. Auf dem Balkon klatschten ein paar Leute, manche jubelten, manche taten beides. El Lobo gehörte zu den Letztgenannten.

Wenn ich mich recht erinnere, wurde der Amtseid in der Vergangenheit immer vom Justizminister abgenommen. Da der Justizminister außer Landes gegangen – ich sollte vielleicht sagen: zurückgetreten – war, übernahm der Generalstaatsanwalt die Aufgabe. Er schien nicht sonderlich erfreut über diese Ehre, und die ältere Frau hinter ihm – seine Frau? – machte ein ziemlich mürrisches Gesicht. Wahrscheinlich dachte sie gerade an das Chaos in ihrer Wohnung, das verschüttete Drinks und brennende Zigarrenstummel verursacht hatten.

Don Manuel (oder sollte ich ab sofort El Presidente sagen?) sprach den Eid mit klarer, lauter Stimme. Ich fragte mich, welche Verfassung er eigentlich schützen wollte, die existierende oder Nummer siebenundvierzig, diejenige, die er in Les Muettes studiert hatte? Es spielt wohl keine Rolle.

Dann hielt er eine kurze Ansprache. Dies sei erst der Beginn eines neuen Abschnitts in der langen Geschichte unseres Volkes. Es sei noch viel zu tun, aber für ein wahrhaft vereintes Volk beginne jetzt eine Ära des Friedens und des Wohlstands. Nicht Frieden für einige wenige, Wohlstand für einige wenige, sondern dank einer entschlossenen Politik sozialer Gerechtigkeit Frieden und Wohlstand für alle. Er bat die Bevölkerung um Vertrauen, hoffte, ihre Zuneigung zu gewinnen.

Moderat.

Wir verließen jetzt den Balkon, woraufhin er sich noch dreimal zeigte, nur mit Santos an seiner Seite und einmal mit Doña Julia.

Vereinbarte mit Paco einen Massagetermin für morgen achtzehn Uhr, falls nicht andere Instruktionen erfolgen. Sprach kurz mit Doña Julia. Sie sagte zu, den Patienten so bald wie möglich ins Bett zu schicken, und bestritt nicht, ebenfalls erschöpft zu sein. Mehr konnte ich nicht tun. Der Sicherheitsdienst hatte ein paar Autos bereitgestellt, die vom Hintereingang des Palasts durch abgesperrte Straßen zum Nuevo Mundo fuhren.

Kurz nach neun war ich wieder im Hotel. Die Sicherheitsleute in der Halle hockten vor dem Fernseher. Noch immer ein Menschenauflauf vor dem Palast. Weiterhin große Erregung. Es wird erwartet, dass El Presidente sich noch einmal auf dem Balkon zeigt. Gerüchte, in Bogotá aufgekommen, wonach die Vereinigten Staaten das neue Regime bereits anerkannt haben. Sehr unwahrscheinlich. Möglicherweise eine falsche Wiedergabe der halboffiziellen Stellungnahme des US-Botschafters bei der OAS-Konferenz.

Trotzdem. Wenn Delvert zusieht (und er sieht bestimmt zu), wird er sich freuen.

Dienstag, 10. Juni

Ich bin politisch in Ungnade gefallen.

Eigentlich hatte ich heute ausschlafen wollen – ich war weiß Gott todmüde –, aber die beiden kurzen Nickerchen gestern sowie der Zeitunterschied verhinderten das. Um sieben war ich hellwach, also bestellte ich Frühstück.

Ich hatte das Obst gegessen und wollte mir gerade Kaffee einschenken, als laut an meine Tür geklopft wurde. Das überraschte mich nicht. Der Kellner hatte versprochen, mir die Zeitungen hochschicken zu lassen. Natürlich nahm ich an, dass es der Boy mit den Zeitungen war, der aber keinen Schlüssel hatte. Ich rief ihm zu, er solle die Zeitungen unter der Tür durchschieben. Er hämmerte wieder an die Tür, und dann hörte ich Paco mit lauter Stimme nach dem Etagenkellner rufen.

Kurz darauf drehte sich ein Schlüssel im Schloss, die Tür flog auf, und Paco kam wie ein Geisteskranker hereingestürmt, gefolgt von Rosier. Beide trugen einen Pyjama und hatten eine Zeitung in der Hand.

Paco baute sich vor mir auf und fuchtelte mit der Zeitung. »Was zum Teufel hast du dir dabei gedacht?«, brüllte er außer sich.

Hinter ihm sah ich noch den erschrockenen Kellner, Schlüssel in der Hand, bevor Rosier ihm die Tür vor der Nase zuknallte.

Ich stellte die Kaffeekanne ab und sagte guten Morgen. Wie mir schien, konnte ich ohnehin nichts anderes tun, solange Paco sich nicht beruhigte. Er bebte vor Wut, sein Gesicht war zornesrot.

Rosier wirkte ruhiger. »Haben Sie sie nicht gesehen?«, fragte er.

»Was denn?«

»Die Zeitungen.«

»Ich habe sie gerade bestellt.«

»Nehmen Sie meine und machen Sie sich auf einen Schock gefasst.« Er warf sie auf mein Tablett. »Jedenfalls hoffe ich, dass es einer ist.«

Es gibt nur drei Tageszeitungen in der Hauptstadt – *El Día* und *La Hora*, die so etwas wie Massenblätter sind, und *El Nacional*, der hauptsächlich wegen des Wirtschaftsteils und der amtlichen Bekanntmachungen gele-

sen wird. *El Nacional* bringt selten Fotos auf der Titel-
seite.

Heute brachte er vier. Zwei von Don Manuel – eines
von ihm auf der Gangway am Flughafen, das andere beim
Ablegen des Amtseids. Das dritte Foto zeigte die auf dem
Balkon angetretene Politprominenz, und direkt neben El
Lobo, der die Faust zum Gruß in die Höhe streckt, stehe
ich, steif. Das vierte Foto zeigte mich, kniend am Grab
meines Vaters, während Monsignore Montanaro neben
mir steht.

Die Fotos von *El Nacional* waren nicht besonders groß.
Die Fotos der beiden anderen nahmen fast die ganze Seite
ein. *La Hora*, immer leicht antikirchlich, zeigte vor allem
Don Manuel, während *El Día* dem Foto von mir und dem
Monsignore eine ganze Seite widmete – unter der Über-
schrift ENDLICH HEIMGEKEHRT!. Da kniete ich, wie ein
reumütiger Sünder, der von einem verhutzelten Cherub
gesegnet wird. Tatsächlich versuchte ich gerade, eines
der alten Weiber abzuwehren, die mich berühren wollten,
aber die beschwichtigende Geste des Monsignore erweck-
te den Eindruck, als bäte ich die Frau um Trost und Beistand. Das Blatt brachte auch eine Großaufnahme von El
Lobo und mir, als hätten nur wir beide auf dem Balkon
gestanden – die Bildunterschrift lautete BALD SCHON GE-
NOSSEN? Die Meldung, dass der neue Präsident die Aufgabe, ein Allparteienkabinett zu bilden, Don Tomás Santos anvertraut habe, fand sich in einem kleinen Kästchen.

Ich knüllte die Zeitungen zusammen, warf sie auf die
Erde und klingelte.

»Was soll das bedeuten?«, fragte Rosier.

»Mein Kaffee ist kalt. Ich möchte frischen.«

Onkel Paco hatte sich allmählich erholt. »Du bist völlig übergeschnappt«, fauchte er.

»Das glaube ich auch. Ich hätte auf Saint-Paul bleiben sollen.«

»Können wir uns die Scherze für später aufheben?« Rosier klang jetzt doch etwas erregt. »Offensichtlich haben Sie diesen Auftritt nicht selbst inszeniert. Wer war es?«

»Seine Eminenz, der Apostolische Nuntius.«

»Ich habe gesagt, keine Witze.«

Jetzt wurde auch ich wütend. »Und wer zum Teufel sind Sie, dass Sie glauben, sich so aufführen zu können, Mister Rosier?«

»Señor Rosier ist als Diplomat akkreditiert«, schnauzte Paco mich an.

»Und du bist der neue Außenminister«, gab ich zurück. »Also, wenn du jemanden kritisieren willst, dann wende dich an den Apostolischen Nuntius.« Der Kellner erschien. »Noch etwas Kaffee, bitte.«

»Für drei Personen, Señor?«

»Für eine.«

Sobald sich die Tür geschlossen hatte, explodierte Paco wieder.

»Du lügst!«

»Sag das nicht, Onkel Paco, oder ich muss dich rauswerfen, und für solche Aktionen bist du zu alt. Gestern Morgen am Flughafen schlug mir der Apostolische Nuntius vor, dass ich gemeinsam mit Monsignore Montanaro das Grab meines Vaters besuche.«

»Du hättest ablehnen sollen.«

»Meinem Vater Blumen aufs Grab zu legen? Das hätte ich ohnehin getan.«

»Mit Montanaro? Weißt du, wer das ist?«

»Ein hoher kirchlicher Würdenträger, hatte ich natürlich angenommen. Wer sonst würde den Nuntius begleiten?«

»Er ist derjenige, der Pater Bartolomés Exkommunizierung gefordert hat.«

»Das wusste ich nicht, tut mir leid.«

»Ah, du fängst an, vernünftig zu werden.«

»Ich wünschte, ich wäre Montanaro gegenüber etwas höflicher gewesen. Pater Bartolomé zu exkommunizieren ist keine schlechte Idee. Ich hoffe, der Vatikan ist einverstanden.«

»Jetzt spinnt er wirklich«, sagte Rosier und fügte noch etwas hinzu, was sich wie *shit* anhörte.

Ich funkelte ihn an. »Dann haben Sie auf der nächsten Sitzung der Lateinamerikanischen Handelskammer ja etwas zu berichten.«

»Warum hast du dich nicht mit uns besprochen?«, fragte Paco. »Don Manuel hat dich beim Frühstück gefragt, was du vorhast. Ich habe es selbst gehört. Warum so geheimnisvoll?«

»Es war überhaupt nicht geheimnisvoll. Dass ich das Grab meines Vaters besuche, ist doch nicht abwegig, oder? Wenn du glaubst, dass mir das ganze Tamtam, das dort veranstaltet wurde, gefallen hat – ich hatte wirklich nichts damit zu tun –, oder dass es mir gefällt, überall in den Zeitungen mein Gesicht zu sehen, dann irrst du dich.«

Er seufzte schwer. »Deine Erklärungen und Entschuldigungen kannst du dir für Don Manuel sparen. Er wird dich um elf empfangen.«

»Was ist los?«

»Er ist außer sich.«

»Schon möglich, aber ich meine, ist etwas passiert? Hat er sich übergeben, hat er Fieber? Wenn es keinen besonderen Grund gibt, werde ich ihn als sein Arzt heute Vormittag nämlich nicht aufsuchen.«

»Du vergisst dich, Ernesto. Er ist jetzt dein Präsident.«

»Und ich bin sein Arzt. Mein nächster Termin bei ihm ist morgen um sechs. Wenn er mich in einer anderen Funktion sprechen will, muss er meine Verhaftung anordnen und mich gewaltsam in den Palast schaffen lassen.«

Die Anwesenheit des Kellners, der mit frischem Kaffee kam, verhinderte, dass Paco sofort antwortete.

»Soll ich ihm diese Antwort von dir übermitteln?«, sagte er schließlich.

»Nicht, wenn du glaubst, dass er sich noch mehr aufregt. Das wäre schlecht für seinen Blutdruck. Sag irgendetwas Geeignetes. Gestern Abend hast du über die Bedeutung von PR-Aktionen gesprochen und wie wertvoll meine Anwesenheit ist. Irgendetwas in der Art wird schon passen. Wenn es ihm nicht gefällt, wie diese PR-Aktion gehandhabt wurde, und er Entschuldigungen hören will, dann soll er sie sich vom Nuntius oder von Monsignore Montanaro holen. Von mir wird er keine bekommen.«

»Eine unglaubliche Frechheit!«

»Mit Verlaub, du bist ein alter Spinner!«

»Das wird dir noch leidtun, Ernesto.«

»Ich bedaure das alles zutiefst, aber aus persönlichen Gründen, nicht wegen Pater Bartolomé oder Don Manuel.«

An der Tür wurde leise geklopft. Es war der Hotelboy mit den Zeitungen.

Paco und Rosier verließen wortlos das Zimmer. Ich trank meinen Kaffee. Er schmeckte schauderhaft, wie das in den Anbauländern oft der Fall ist.

Um etwas zu tun, setzte ich mich hin und schrieb an meine Schwestern, um mich schon im Voraus für die Zeitungsfotos zu entschuldigen, die sie bestimmt bald sehen werden. Ich erwähnte auch, dass ich der neue Leibarzt des Präsidenten bin. Das würde ihnen gefallen.

Duschte und rasierte mich. Um zehn Uhr rief jemand von Santos' Büro im Erziehungsministerium an. Don Tomás wolle mich sprechen, wenn das möglich sei. Andernfalls könne ich vielleicht zurückrufen.

Ich machte mich auf eine weitere höchstinstanzliche Standpauke gefasst und sagte, dass es mir passe.

Zu meiner Überraschung sprach Don Tomás mit keinem Wort von den Zeitungen, sagte nur, dass er, wie ich zweifellos gelesen hätte, vom Präsidenten mit der Bildung eines neuen Kabinetts beauftragt worden sei. Das sei natürlich eine verantwortungsvolle Aufgabe, die einige Zeit dauern werde, da so viele Posten zu besetzen seien. Er wäre froh, wenn ich ihn in gewissen Dingen beraten könne. Ob ich morgen Vormittag ins Ministerium kommen könne? So gegen zehn Uhr? Das wäre recht?

Das würde mich nicht von meinen Verpflichtungen gegenüber Don Manuel abhalten? Gut. Also bis morgen.

Ich war in Gedanken noch bei diesem Gespräch, als das Telefon wieder läutete. Diesmal war es Dr. Torres vom städtischen Krankenhaus. Er klang nicht so, als hätte er Zeit gehabt, Zeitung zu lesen, auch nur einen Blick hineinzuwerfen.

»Dr. Castillo, tut mir leid, dass ich Sie störe, aber in Bezug auf Ihren Patienten hat sich ein Problem ergeben, über das wir heute sprechen sollten. Wenn Sie einverstanden sind, würde ich gern einen anderen Physiotherapeuten einsetzen.«

»Schade. Pineda hat sich offenbar ganz gut mit dem Patienten verstanden. Darf ich fragen, warum?«

»Nicht am Telefon. Könnten Sie mich hier im Krankenhaus besuchen?«

»Wann?«

»Wie Sie vielleicht gehört haben, sind wir im Moment reichlich eingedeckt mit Arbeit. Wäre Ihnen heute Nachmittag fünf Uhr recht? Sie könnten den neuen Physiotherapeuten dann einweisen und ihm den erforderlichen Passierschein geben. Der Mann heißt José Bandon Valles.«

»Einverstanden. Um fünf.«

Während ich den Namen des Masseurs notierte, war mir schon klar, dass ich Doña Julia und den Sicherheitsleuten eine falsche Erklärung würde geben müssen, bevor ich von Dr. Torres den wahren Grund erfahren würde. Seine Zurückhaltung am Telefon deutete auf einen politischen Hintergrund hin. Falls der Sicherheitsdienst später dahinterkam und mich der Lüge bezichtigte, konnte das schwerwiegende Konsequenzen haben.

Also muss Delvert über die Situation informiert werden. Er muss sich damit auseinandersetzen. Soll er sich ruhig den Kopf zerbrechen. Aus meiner Sicht ist er zuständig. Ich rief in der französischen Botschaft an.

Botschaftsrat Delvert war nicht zu sprechen. Ließ ihm ausrichten, er solle mich zurückrufen, und sprach dann mit dem Sicherheitsbeauftragten im Palast. Er versuchte mich auf die Zeitungsfotos anzusprechen – »Ab heute ist Ihr Gesicht den Leuten bestimmt so bekannt wie das von Don Manuel, Doktor« –, doch ich tat, als hätte ich noch keine Zeitung gelesen. Mit nuschelnder Stimme erklärte ich, dass beim Masseur des Präsidenten der Verdacht auf Streptokokkenbefall des Rachenraums vorliege und der Präsident sicherheitshalber einen neuen Therapeuten bekomme. Meine Überlegung war, dass ich später notfalls behaupten konnte, falsch verstanden worden zu sein, denn in Wahrheit hätte ich gesagt, dass der Masseur im Verdacht stehe, politisch unzuverlässig zu sein. Ich bat darum, dass für den neuen Mann ein Passierschein ausgestellt und mir sofort per Boten gebracht werde. Ich wollte mich darum kümmern, dass er den Betreffenden im Krankenhaus erreicht. Und außerdem sollte er Doña Julia von der Änderung unterrichten.

Er war sofort einverstanden. Ob er sonst noch etwas für mich tun könne? Nein. Seine Hilfsbereitschaft erschien mir bemerkenswert. Mir war schon aufgefallen, dass man auf meine Anrufe inzwischen prompt reagierte. Medienpräsenz ist doch ganz nützlich. Im Moment bin ich prominent. Ich weiß, es wird nicht lange anhalten, aber solange es so geht ...

Mittags rief jemand von der französischen Botschaft an, um mir mitzuteilen, dass Botschaftsrat Delvert noch immer in einer Besprechung mit dem Botschafter sei, der sich Gott sei Dank wieder erholt habe. Er würde sich aber gern um sieben Uhr mit mir treffen. Der Botschafter würde einen Cocktailempfang geben, zu dem ich herzlich eingeladen sei. Eine förmliche Einladung würde mir noch per Boten zugehen. Ob man davon ausgehen dürfe, dass ich komme? Man dürfe.

Mittagessen. Anschließend Niederschrift dieser Notizen. Überlege, ob ich stellenweise zu offenherzig war – z. B. das Märchen, das ich dem Sicherheitsbeamten erzählt habe. Wär dumm, wenn er das hier liest. Habe aber keine Lust, alles noch einmal umzuschreiben, und wie mein Vater immer sagte: »Lass alles so stehen und nimm keine sichtbaren Änderungen vor, wenn du keinen triftigen und überzeugenden Grund dafür hast.« Und den habe ich nicht. Aber hier, wo man überall auf Sicherheitsmaßnahmen stößt, kann man nicht vorsichtig genug sein. In meiner Arzttasche ist ein flacher Einsatz. Werde diese Seiten dort verstecken. Die Tasche hat ein Zahlenschloss, das zur Abschreckung von Drogendieben gedacht ist.

Dienstag, 10. Juni, kurz vor Mitternacht

Sitze seit einer Stunde da und versuche meine Gedanken zu ordnen. Zwecklos. Die einzige Ordnung, die mehr als ein, zwei Minuten hält, ist die Reihenfolge der Ereignisse. Bin wohl in einer Art *fugue*. Habe nie recht verstanden, was die Psychiatrie darunter versteht. Eine *fugue* ist alles andere als ein Dämmerzustand. Es wird ihnen wahrscheinlich nicht gefallen, aber wenn ich diesen Zustand beschreiben müsste, würde ich ihn mit einer langen Dezimalzahl vergleichen – beispielsweise der Zahl π, die erst im Unendlichen genau ist.

Also, nur die Ereignisse.

Fuhr um fünf ins Krankenhaus, um Dr. Torres zu sprechen.

Ist etwa fünf Jahre älter als ich, aber schon leicht angegrautes Haar. Lange Nase, Gesicht typisch peninsular. In dieser Familie kein Mischlingsblut. Graue Augen. Sieht gut aus, aber unglaublich erschöpft. Als ich sein Zimmer betrat und er aufstand, um mir die Hand zu geben, war nicht zu übersehen, wie viel Kraft ihn das kostete, auch wenn er es zu verbergen suchte. Es war eine körperliche Müdigkeit, mental war er durchaus wach.

Er wischte meine Entschuldigungen beiseite. »Ich hatte nicht angenommen, Dr. Castillo, dass Sie unsere Dienste aus Bequemlichkeit in Anspruch nehmen oder um sich Schwierigkeiten zu ersparen. Momentan haben unsere Physiotherapeuten am wenigsten zu tun. Bis gestern haben wir sie als zusätzliches Pflegepersonal eingesetzt.«

»Sie hatten über hundert Verletzte, habe ich gehört.«

»Hat man Ihnen das erzählt? Es waren mindestens doppelt so viel, und es kommen noch immer welche – diejenigen, die untergetaucht und jetzt in einem so kritischen Zustand sind, dass sie nicht länger in ihren Verstecken bleiben können. Wahrscheinlich sollte ich Ihnen davon nichts erzählen.« Er rieb sich das unrasierte Kinn, als juckte es.

»Ich bin in rein beruflicher Funktion hier.«

»Ach? Na ja, man sollte den Zeitungen nicht glauben, selbst dann nicht, wenn sie Fotos bringen.« Er bemerkte, wie ich erstarrte, und lächelte. »Dort sind sie«, sagte er und zeigte auf den Papierkorb.

»Ich glaube, unser Gespräch ist Zeitverschwendung.«

»Ja. Offen gestanden, ich sitze jetzt schon so lange an meinem Schreibtisch, dass ich nicht unbedingt einen Vorwand suche, um noch länger hier sitzen bleiben zu können. Kommen wir zum Thema. Sie wollen wissen, was mit Paz los ist.«

»Ja.«

»Also, der Reihe nach. Paz ist etwas älter, als er aussieht. Hochqualifiziert. Ausgebildet zunächst in Mexiko-City, dann ein Jahr an der University of California in San Diego. Er hätte dort bleiben können, kehrte dann aber zurück. Er liebt sein Volk. Ich hatte Ihnen ja gesagt, dass er der Beste ist, den ich habe. Es ist tatsächlich so.«

»Aber?«

»Er erfuhr, dass Ihr Patient Fibromyositis hat. Er hat den Patienten gesehen und behandelt. Er ist von der Diagnose nicht überzeugt.«

Ich spürte, wie mir das Blut ins Gesicht stieg. »Ich hatte um einen Physiotherapeuten gebeten, nicht um einen Diagnostiker.«

Torres holte eine Packung Zigarillos aus der Schublade.

»Ich dachte mir schon, dass Sie das sagen würden. Ich an Ihrer Stelle hätte genauso reagiert.« Er hielt mir die Zigarillos hin. »Ich vermute, Sie rauchen nicht.«

»Stimmt.«

»Pech für Sie.« Er entnahm der Packung einen Zigarillo und zündete ihn an. »Sie haben in Paris studiert, richtig?«

»Ja.«

»Ich wollte nach London. Mein Vater war dagegen. Er ist einer von diesen Männern, die der Ansicht sind, dass eine Sache umso besser ist, je mehr sie kostet. Sinnlos, ihm zu erklären, dass man in den Staaten genauso eine schlechte Ausbildung bekommen kann wie anderswo. Wenn die Lebenshaltungskosten für den Studenten höher sind, dann muss auch der Standard der Lehre hoch sein. Ich hab mir aber was Schlaues einfallen lassen. Ich zeigte ihm auf der Landkarte, wie nahe Baltimore bei Washington liegt, und das gab den Ausschlag. Ich schrieb mich am Johns Hopkins ein.«

»Gratuliere.«

»Worauf ich hinauswill: Abgesehen von gewissen Differenzen in unserem Berufsverständnis und auch davon, dass Sie Internist sind und ich Chirurg, haben wir als Naturwissenschaftler ja im Grunde eine ähnliche Sichtweise.«

»Vermutlich.«

»Besonders was das Thema primitive Medizin angeht, wie sie die Anhänger von Voodoo Vodun, Santeria, Orisha, Obeah und anderer Richtungen praktizieren.«

»Sie meinen Wunderheiler.«

»Oder traditionelle Religion. Wie man es nennt, ist belanglos. Ich weiß natürlich, wie Sie bestimmt auch, dass viele Kollegen, besonders die Psychosomatiker, sich sehr eingehend mit diesen Dingen beschäftigt haben und vielleicht zu unser aller Nutzen. Als nüchterne Männer, deren Patienten dem Aberglauben eher abspenstig gemacht als ihm nähergebracht werden sollten, müssen wir realistisch sein.«

»Einverstanden.«

»Nach alldem muss ich aber sagen, dass der Vater, Großvater und Urgroßvater von Paz zu ihren Lebzeiten hier bekannte Wunderheiler waren.«

»Aha. Arawaks?«

»Arawaks beziehungsweise Mischlinge. Meine Hochachtung, dass Sie nicht laut gelacht haben. Die Kirche hat diese Praxis als *brujeria* bezeichnet. Ich weiß nicht, was das indianische Wort ist. Paz ist diesbezüglich zurückhaltend, wie man das bei einem aufgeklärten Menschen erwartet, er spricht nicht gern darüber. Gleichwohl scheint er bestimmte Fähigkeiten geerbt oder sonst wie erworben zu haben, die ich nur mit dem Begriff Intuition einer ganz besonderen Art beschreiben kann. Sie können jetzt lachen, wenn Sie wollen.«

»Ich lache nicht. Ich habe von ähnlichen Fällen unter den Kariben gehört. Behauptet er denn, diese Heilkräfte zu besitzen?«

»Er behauptet überhaupt nichts. Das ist es ja. Ich habe das Wort Intuition verwendet, und genau das ist es. Ich habe neun genau dokumentierte Fälle. Seit er bei uns ist, hat er Hunderte von Patienten behandelt, immer gewissenhaft, sorgfältig und streng nach Vorschrift. Nur gelegentlich ist er an seine Vorgesetzten mit Fragen herangetreten. Weder aufdringlich noch schüchtern. Sie haben ihn kennengelernt. Er ist ein liebenswürdiger, freundlicher Mensch. Und in den genannten Fällen hat er ganz höflich Fragen gestellt. Nicht unbedingt, um über den Sinn der physiotherapeutischen Anwendungen zu diskutieren, sondern über die wahre Krankheit des Patienten.«

»Stellt er eine Diagnose?«

»Nur vage. Eine große Rolle spielt der körperliche Kontakt zwischen ihm und dem Patienten. Beispielsweise sagt er ganz unaufgeregt: ›Ich werde selbstverständlich tun, was man mir aufträgt, aber ich glaube nicht, dass der Patient viel davon hat.‹ Bei einigen meiner Kollegen ist er, wie Sie sich denken können, nicht sonderlich beliebt. Er hat oft recht.«

»Kann ich mir gut vorstellen. Er glaubt bestimmt, dass Don Manuel die Massage nicht viel nützt.«

»Stimmt.« Er drückte seinen Zigarillo aus. »Ich übrigens auch.«

»Hat Paz Sie überzeugt?«

»Paz glaubt, dass Villegas es nicht mehr lange macht. Diese Aussicht stimmt ihn traurig. Wenn er traurig ist, nimmt seine Phantasie überhand. Aber er ist ja auch medizinisch geschult. Er hat an Ihrem Patienten ein Zittern in beiden Deltamuskeln bemerkt. Dazu braucht man keine Phantasie und keine Intuition. In dieser Situation hielt ich es für sinnvoll, Ihnen einen anderen Physiotherapeuten zu schicken.«

»Verstehe.«

»Das hoffe ich. Dies ist auch Ihr Land, gewiss, aber Ihre prägenden Jahre haben Sie im Exil verbracht.« Er hievte sich aus dem Stuhl, setzte sich dann abrupt wieder hin, zog die Schuhe aus und massierte sich die Füße.

»Ich dagegen gehöre hierher«, sagte er nach einer Weile, »und zu einer Familie, die bei unserem Volk in tiefer Schuld steht. Ich habe Ihren Patienten gestern Abend gesehen und sprechen hören. Plattitüden, aber doch getragen von einem gewissen Licht. Eine leuchtende Zukunft steht uns bevor. Wir haben einen Preis in einer internationalen Lotterie gewonnen, wir haben Öl gefunden. Für uns ist nur das Beste gut genug. Die Vereinigten Staaten beziehungsweise ihre Agenten würden sogar eine liberale Regierung tolerieren, solange wir brav sind. Das alles weiß ich wohl. Aber in der Vergangenheit waren wir viel zu krank, ich meine im Kopf.«

Er stand wieder auf und bewegte die Zehen. »Ich entschuldige mich nicht für meine Worte. Ich könnte mir vorstellen, dass Sie Ihren Vater nicht gemocht haben – ich sage nicht geliebt, das ist für Kinder –, dass Sie ihn als Menschen nicht gemocht haben, so wenig wie ich meinen Vater. Vielleicht irre ich mich, aber ich sage es trotzdem. Dieses Land hat eine Chance, eine Hoffnung, vielleicht die letzte. Aber wir dürfen uns nicht mehr von halben Männern, von senilen Reaktionären oder von überlebten Figuren wie meinem Vater regieren lassen. Auch viele Alternativen können wir uns nicht leisten – Opportunisten vom Schlage Ihres Vaters oder rücksichtslose linksextreme Heilsverkünder. Vor allem können wir uns kranke Männer nicht mehr leisten, psychisch und physisch kranke Männer. Wir brauchen Stabilität und Kontinuität, koste es, was es wolle.« Er setzte sich auf eine Ecke seines Schreibtischs. »Es ist gar nicht Fibromyositis, stimmt's?«

»Nein.«

»Haben Sie einen Spezialisten hinzugezogen?«

»Professor Grandval aus Paris.«

Er schlurfte zu einem Bücherregal und griff sich ein Nachschlagewerk. Wenig später schlug er das Buch wieder zu. Er wusste jetzt Bescheid – ein Neurologe.

»Muskeldystrophie?«

»Das war eine Möglichkeit, ja.«

»In diesem Teil der Welt sieht man so etwas nicht oft. Paz würde sich damit nicht auskennen.« Und dann wurde ihm klar, was ich gesagt hatte. »Eine Möglichkeit? Der Spezialist hat sie ausgeschlossen?«

»Ja.« Von einem nicht erschöpften Dr. Torres würde ich mich nur ungern ins Kreuzverhör nehmen lassen.

Wenig später setzte er sich wieder auf seinen Stuhl. »Sie wissen vermutlich, welches Spiel Sie hier spielen?«

»Ja, ich muss es leider gestehen.«

»Ihren neuen Physiotherapeuten finden Sie im Erdgeschoss.«

Damit war ich entlassen, aber ich gab mich noch nicht geschlagen.

»Kann Paz den Mund halten?«

»Ja. Er ist ganz und gar vertrauenswürdig und übrigens auch extrem hartnäckig, wenn ihm irgendetwas seltsam erscheint und er die Wahrheit herausfinden will. Natürlich fehlen ihm einige unserer Qualitäten. Er kann unsere Patienten nicht mit Lügen beruhigen. In manchen Fällen kann das höchst gefährlich sein. Sie werden mir sicher zustimmen.«

»Ich habe deswegen gefragt, weil ich dem Justizpalast die Veränderung damit erklärt habe, dass Paz eine Racheninfektion hat. Wenn ich gewusst hätte, was Sie mir gerade gesagt haben, dann ...«

»Hätten Sie sich eine andere Ausrede einfallen lassen. Keine Sorge. Ich werde mich daran erinnern, wenn man mich fragt. Ich werde mich an alles erinnern.«

Seine Verachtung für mich war jetzt grenzenlos.

Ich fand den neuen Physiotherapeuten und das Auto, das ihn bringen sollte, gab ihm den Passierschein, mit dem er zum Patienten vorgelassen würde, und erklärte ihm, was er zu tun hatte. Anschließend machte ich mich auf die Suche nach meinem eigenen Auto.

Das städtische Krankenhaus ist ein ausgedehnter Bau, größtenteils in den zwanziger Jahren errichtet, zum Teil noch älter. Anbauten aus der jüngeren Zeit haben den Innenhof so verkleinert, dass es keinen großen zentralen Parkplatz mehr gibt, sondern vier oder fünf, die man aber erst sieht, wenn man vor ihnen steht.

Auf dem zweiten erwischten sie mich.

Es war noch immer hell, aber die Sonne stand tief, sodass der Hof im Schatten lag. Ich hörte rasche Schritte, und dann hatten sie mich schon in ihre Mitte genommen.

»Nicht so schnell, Doktor, wir haben's nicht eilig«, sagte derjenige, der links von mir ging. »Unser Wagen steht dort drüben um die Ecke.«

Die junge Frau, die rechts von mir ging, zeigte mir die Pistole, die sie sich an den Bauch hielt. »Wir haben Ihren Chauffeur weggeschickt«, sagte sie.

Die beiden waren noch jung, der Mann trug einen kurzen, ordentlich gestutzten Bart, das Mädchen hatte langes, glattes Haar. Ihre Buschhemden kamen mir irgendwie bekannt vor.

»El Lobo?«, fragte ich.

»Logisch«, sagte der Mann.

»Warum entführen Sie mich?«

»Dr. Frigo entführen? Ich bitte Sie. Er will sich bloß mit Ihnen unterhalten, in einer freundlichen, solidarischen Atmosphäre, von Genosse zu Genosse.«

»Ich muss bald in der französischen Botschaft sein.«

»Sicher. Wir haben Ihrem Chauffeur gesagt, dass er Sie dort abholen soll. Ist bloß eine Cocktailparty, stimmt's? Macht nichts, wenn Sie ein bisschen später kommen.«

Ihr Auto war alt, aber der Motor lief wie neu. Ich musste mich mit dem Mädchen nach hinten setzen. Sie lächelte, als wir losfuhren.

»Wenn das eine Entführung wäre, Genosse Doktor, würden Sie mit einer Kapuze über dem Kopf auf dem Boden liegen, und wir würden Ihnen eine Spritze geben, um Sie ruhigzustellen. Entspannen Sie sich, genießen Sie die Fahrt!«

»Was für eine Spritze?«

»Ich weiß nicht, was wir normalerweise nehmen. Wieso?« Mir fiel auf, dass sie die Pistole vor dem Bauch hielt. Vielleicht eine Angewohnheit.

»Nur so. Berufliche Neugier.«

Zuerst schienen wir in Richtung Hafen zu fahren, dann ging es nach links, dem fast menschenleeren Deltagebiet entgegen. Kaum einer der Wasserläufe dort ist schiffbar. Mit den Regenfällen, die im Frühsommer über dem Gebirge niedergehen, gelangt so viel Schlamm zu Tal, dass die meisten Kanäle, abgesehen vom Hauptkanal, der zum Hafen führt, nicht ausgebaggert werden. Sie bleiben den Mangroven und den Muschelfischern überlassen. In Meeresnähe gibt es jedoch ein paar kleine Werften und einen Ankerplatz für Motorboote. Seinerzeit, als in der Hauptstadt noch das große Geld residierte, gab es sogar einen Segelclub, und in der Nähe wurden teure Wochenendvillen gebaut. In eines dieser Häuser brachte man mich.

Es stand auf Betonpfeilern, hatte einen Bootssteg und eine freitragende Terrasse und stammte offensichtlich aus einer Zeit, zu der man glaubte, unbewohnbare Grundstücke mit Hilfe des Zaubermittels DDT bewohnbar machen zu können. Die Eigentümer hatten das Anwesen schon lange aufgegeben, und da es für Hausbesetzer zu abgelegen war, hatte sich daran nichts geändert. Kürzlich hatte jemand die alte Zufahrt mit der Machete zwar wieder freigelegt, aber mit dem Auto kam man nur mit Mühe durch.

Inzwischen war die Sonne untergegangen, es war dunkel, auf der Terrasse flammte eine Taschenlampe auf, deren Lichtstrahl sich dann auf eine Steintreppe richtete.

»Das ist El Lobo«, sagte der Fahrer. »Gehen Sie einfach hin. Wir bringen Sie später zur französischen Botschaft.«

Als ich die oberste Stufe erreichte, hatten mich die

Moskitos entdeckt. El Lobo lachte. Über dem Kopf trug er einen Gazeschutz, der wie ein Imkerhut aussah. »Keine Angst«, sagte er, »drinnen sind wir überall geschützt.«

Das Innere war nicht nur geschützt, sondern völlig abgedunkelt. Es war unglaublich heiß in der Kasernenstube. Ich sage Kasernenstube, weil das Zimmer tatsächlich so aussah: lang und kahl, mit acht Feldbetten, vier auf jeder Seite, in der Mitte eine aufgebockte Tischplatte mit acht Stühlen. Auf dem Tisch standen zwei Petroleumlampen. Er forderte mich mit einer Handbewegung auf, mich zu setzen, und nahm den Gazeschutz ab.

»Wenn Sie mit mir reden wollen«, sagte ich, »hätte es dann nicht eine einfachere Möglichkeit gegeben, ohne diesen theatralischen Firlefanz?«

»O ja. Wenn es nur um ein Gespräch gegangen wäre, hätten wir ins Hotel kommen können, aber ich wollte Ihnen ja auch etwas zeigen.« Er sah mich nachdenklich an. »Hatten Sie eigentlich vor, Pater Bartolomé fertig zu machen, oder ist es einfach so passiert?«

»Was mich angeht, ist es einfach passiert.«

»Dachte ich mir. Montanaro ist ein schlaues Kerlchen. Aber jetzt müssen Sie aufpassen, nicht wahr? Die Messer werden schon gewetzt. Wie ich höre, sind Sie morgen mit Santos verabredet.«

»Sie hören ja einiges.«

»Ich hab's Ihnen auf Saint-Paul doch gesagt. Es gibt nicht viel, was wir nicht wissen. Uns fehlt allerdings ein wichtiges Bildelement, und Sie wissen, wie es aussieht.« Als ich nicht reagierte, fuhr er fort: »Rosier weiß etwas, nicht viel, aber immerhin etwas, und er macht sich Sorgen. Delvert weiß wahrscheinlich etwas mehr, aber er sagt nichts, und man kann ihn auch nicht zwingen. Aber Sie, Sie müssen es wissen. Was ist mit unserem selbst ernannten Präsidenten wirklich los, ich meine gesundheitlich?«

»Fibromyositis. Muskelschmerzen im Hals- und Schulterbereich.«

»Das sagen Sie im Moment, aber ich weiß, dass Sie vor ein paar Tagen etwas anderes gesagt haben. Irgendeine Dystrophie. Nun ja, ich könnte Sie natürlich zwingen, es mir zu sagen, aber ich möchte unsere Beziehung nicht auf eine solche Grundlage stellen. Ich biete Ihnen lieber ein Geschäft an.« Er wartete wieder. »Kein Kommentar?«

»Kein Kommentar.«

»Auch gut. Also weiter. Angenommen, wir vereinbaren einen Deal. Was würden Sie sagen, wenn ich erkläre, dass ich sofort liefern könnte?«

»Ich würde Sie fragen, wovon Sie eigentlich sprechen.«

»Von General Escalon. Von dem Mann, der Ihren Vater umgebracht hat. Erinnern Sie sich nicht mehr? Ich hatte Sie auf Saint-Paul gefragt, ob Sie Lust hätten, ihn in die Mangel zu nehmen. Sie konnten oder wollten nichts dazu sagen. Vielleicht dachten Sie, dass ich bloß angebe. Was weiß ich. Aber ich habe nicht bloß angegeben. Escalon ist oben in einem Zimmer, und wir haben seine Aussage komplett auf Band. Wir haben sogar eine Abschrift. Was Sie schon immer wissen wollten – alles da, auf einem silbernen Tablett.«

Plötzlich fand ich die Hitze unerträglich. Ich zog meine Jacke aus und legte die Krawatte ab. El Lobo musterte mich ruhig.

»Natürlich könnte ich Ihnen einfach das Band vorspielen und die Abschrift zeigen«, fuhr er fort. »Aber an Ihrer Stelle würde mich das misstrauisch machen. Jeder kann etwas auf Band aufnehmen und dann abschreiben. Das heißt ja noch lange nicht, dass das Material echt ist. Ich hielt es für besser, dass Sie den General persönlich und leibhaftig sehen und dass er bereit ist, mit uns zusammenzuarbeiten. Dann wären Sie überzeugt. Also haben wir ihn ein bisschen hergerichtet, ihm einen anständigen Brandy gegeben und ihm erzählt, dass er Besuch bekommt. Na?«

»Wenn man ein falsches Tonband produzieren kann, kann man auch einen falschen General vorführen. Woher soll ich wissen, wer er wirklich ist?«

»Ich dachte mir schon, dass Sie das fragen würden.« Er fischte ein dünnes Bündel Papiere aus der Tasche, die er mir über den Tisch hinweg reichte. »Das ist ein alter Zeitungsausschnitt aus *La Hora*. Oberst Escalon gratuliert einem siegreichen Poloteam. Er steht in der Mitte. Aufgenommen vor fünfzehn Jahren. Heute sieht er nicht sehr viel anders aus. Hat sich gut gehalten. Hier ist noch eine Aufnahme. Von vor zehn Jahren. General Escalon bei einem Empfang für den US-Vizepräsidenten. Dritter von links. Und hier ist sein aktueller Personalausweis, auch wenn er da seinen militärischen Dienstgrad angibt. Sechsundsechzig ist er jetzt, aber er hat gesund gelebt. Ein bisschen schlaff am Hals und unter den Augen, aber ansonsten hat er sich nicht groß verändert.«

Aufmerksam studierte ich die Fotos. Lobo hatte recht. Immer sah mich dasselbe Gesicht an – dieselben wachen Augen, dieselbe gerade Nase, dasselbe energisch vorgestreckte Kinn, derselbe auffällige Adamsapfel.

Ich nickte. »Na schön. Das sind also Fotos von General Escalon.«

»Dann werde ich Sie jetzt mal vorstellen.«

Ich folgte ihm die Treppe hinauf. Vom Flur gingen vier Türen ab. Vor einer stand ein junger Mann im Buschhemd. Auf ein Nicken von El Lobo schloss er auf.

Das Zimmer war früher ein großes Schlafzimmer gewesen. Die Einrichtung beschränkte sich auf einen Kartentisch, auf dem ein kleines tragbares Kassettengerät und eine Flasche Brandy stand, und vier Rattanstühle. Eine Petroleumlampe hing an einem Haken an der Decke. Als wir eintraten, erhob sich eine von El Lobos Guerillakämpferinnen von einem Stuhl neben dem Tisch und nahm respektvoll Haltung an. Am anderen Ende des Zimmers saß ein alter Mann, der sich nicht rührte.

Er war, wie Lobo schon gesagt hatte, ein wenig hergerichtet. Er trug ein weißes Hemd, eine frisch gebügelte Hose und Sandalen. Gegen die Moskitostiche hatte man aber nicht viel machen können. Mehrere Stiche auf den Armen und auf dem kahlen Kopf hatte er blutig gekratzt. Das Gesicht, das ich auf den Fotos gesehen hatte, war an Kinn und Oberlippe mit grauen Bartstoppeln bedeckt. Die einst so wachen Augen sahen uns müde an. Escalon hielt ein Glas in der Hand.

»Herr General«, sagte El Lobo, »ich möchte Ihnen gern Dr. Ernesto Castillo vorstellen.«

Der General musterte mich und hob dann das leere Glas wie zu einem spöttischen Salut.

El Lobo sah das Mädchen scharf an. »Ich hatte gesagt, nur ein Glas.«

»Mehr hat er auch nicht bekommen.«

Der General sprach. »Ganz recht. Nur ein Gläschen. Entgegen dem allgemeinen Glauben verträgt man mit zunehmendem Alter den Alkohol nicht mehr so gut.« Er zeigte mit dem Glas auf mich. »Er ist Arzt. Fragen Sie ihn. Bei anderen Rauschmitteln ist es dasselbe.«

»Wir wollen hier keine medizinischen Probleme erörtern, Herr General.« El Lobo zog einen Stuhl heran. »Wir sind gekommen, um über Ihren Part an der Ermordung von Clemente Castillo zu sprechen, dem Vater unseres Doktors.«

»Ich habe Ihnen schon alles gesagt. Ich habe Ihnen alles erzählt, was ich weiß, das und noch viel mehr.«

»Dann erzählen Sie es mir eben noch einmal. Vor allem würden wir gern hören, welche Rolle Manuel Villegas bei dem Anschlag gespielt hat.«

Der General gähnte. »Das habe ich doch schon erzählt.«

El Lobo stand auf und ging zum Tonbandrecorder. »Setzen Sie sich bitte, Doktor, und hören Sie zu. Sie haben die Stimme des Generals gehört. Sie werden sie auf dem Tonband wiedererkennen. Sie klingt ein bisschen anders, weil er seinerzeit unter Stress stand, aber nicht sehr viel anders.« Er sah das Mädchen an. »Ist das richtige Band drauf? Und neue Batterien?«

Sie nickte, woraufhin er das Gerät einschaltete. Die Stimme des Generals klang leicht hysterisch.

Das habe ich Ihnen doch schon gesagt. Zehnmal. Natürlich war er ein Doppelagent.

Wer war ein Doppelagent? El Lobos Stimme.

Villegas. Über den sprechen wir doch, oder nicht? Villegas war nur in der Anfangszeit unser Mann. Über ihn wussten wir Bescheid, was bei den Demokratischen Sozialisten los war. Aber irgendwann bekam er Angst ... Diese Typen haben ja immer Angst. Also verabredeten wir, er solle so tun, als hätte er den Sicherheitsapparat unterwandert, wir würden ihm die eine oder andere Information zuspielen. Was wir damals nicht wussten, war, dass er uns tatsächlich unterwandert hatte. Dieser Trottel von Pastore war schuld. Villegas wusste alles, auch, wann er verschwinden musste. Die ganze sorgfältige Planung für die Katz, Pastore war an allem schuld.

»Ach, schalten Sie aus!« Der General war aufgestanden und schwenkte sein Glas hin und her. »Ich höre lieber meine eigene Stimme als dieses plärrende Dingsda.«

El Lobo schaltete das Gerät ab. »Setzen Sie sich, Herr General, und bleiben Sie ganz ruhig, wenn Sie nicht in Ihr altes Zimmer zurückgebracht werden wollen. Sind Sie jetzt bereit, unsere Fragen zu beantworten?«

Der General setzte sich sofort hin und starrte in sein Glas. »Ja.«

»Dann fangen wir noch mal von vorn an. Warum wurde beschlossen, Castillo zu ermorden?«

»Weil er zu einer gefährlichen Belastung geworden war, gefährlich. Er war im Begriff, eine Koalition zu bilden, die am Ende nur zu Bürgerkrieg geführt hätte. Das war die einhellige Auffassung des Aktionskomitees.

Er musste beseitigt werden. Also wurde ein Plan ausgeheckt.«

»Und wie kam Villegas ins Spiel?«

Der General seufzte, als langweile es ihn, das Offensichtliche zu erklären. »Jeder Idiot kann ein politisches Attentat planen und ausführen, wenn er über die entsprechenden Mittel verfügt. Der intelligente Organisator denkt über die eigentliche Aktion hinaus. Welche Vorteile bietet die Sache sonst noch? Wem kann man die Tat in die Schuhe schieben? In diesem Fall war die Antwort einfach. Man würde für das Attentat die Demokratischen Sozialisten verantwortlich machen und auf diese Weise eine Spaltung der Partei herbeiführen. Also beschlossen wir, Villegas zu benutzen. Allerdings hat er uns benutzt, es zumindest versucht. Er war an Castillos Tod interessiert, weil er dessen Platz einnehmen wollte. Aber er wollte keine Spaltung der Partei, deswegen sabotierte er unsere Ablenkungsmanöver.«

»Wie sahen die aus?«

»Wir hatten einen Zusammenhang konstruiert zwischen den bei dem Attentat benutzten Waffen, tschechischen Sturmgewehren vom Modell 58, und der Tatsache, dass sie einen Monat zuvor von einem von Castillos Vertrauten gekauft worden waren.«

»Wer war dieser Vertraute?«

»Paco Segura.«

»Hat er sie tatsächlich gekauft?«

»Natürlich nicht. Aber wir konnten jede Menge inkriminierendes Material vorlegen. Zumindest so lange, bis Villegas über Pastore an das Material herankam.«

»Villegas war also einverstanden, dass Sie Castillo ermorden. Er wusste genau, wo und wann, sorgte aber dafür, dass kein Parteigenosse dafür verantwortlich gemacht werden konnte.«

»Pastore, dieser Vollidiot, hat sich nach Strich und Faden austricksen lassen.«

»Aber Clemente Castillo doch auch, oder nicht?«

»Von Politikern erwartet man ja nichts anderes, wie? Natürlich tricksen sie sich gegenseitig aus. Wenn wir nicht rasch gehandelt und die Partei verboten hätten, säße uns jetzt eine Koalition unter Villegas im Nacken.«

»Und Pastore hat die Verantwortung übernommen.«

»Verdientermaßen. Diese Flasche. Völlig inkompetent! Was erwarten Sie von uns? Dass wir ihm einen Orden an die Brust heften?« Seine Augen schweiften ab. »Ich hätte gern noch etwas Brandy. Das heißt, wenn Sie wollen, dass ich weiterspreche.«

»Fragen wir den Sohn des Opfers. Was sagen Sie, Doktor?«

»Geben Sie ihm die ganze Flasche!« Ich stand auf.

»Sie wollen ihn nicht selbst verhören?«

»Besten Dank, nein.«

Ich öffnete die Tür und trat auf den Korridor hinaus. Der junge Wächter machte mir Platz.

»Gibt es hier eine Toilette?«, fragte ich.

Er zeigte auf eine andere Tür. Ich hatte keine Zeit, sie hinter mir zuzumachen. El Lobo und der Wächter standen draußen und sahen zu, wie ich mich übergab. Als nichts mehr in meinem Bauch war, richtete ich mich wieder auf und stellte fest, dass die Spülung nicht funktionierte.

»Tut mir leid«, sagte ich.

»Schon gut. Das Ding ist seit Jahren kaputt. Das Essen im Nuevo Mundo soll ja in letzter Zeit auch immer schlechter werden. Die brauchen einen neuen Koch.«

»Sehr taktvoll von Ihnen, El Lobo, aber am Hotelessen lag es nicht.«

»Wollen wir wieder runtergehen, Doktor? Ein Whisky täte Ihnen vielleicht gut.«

Ich folgte ihm hinunter. Er nahm eine Flasche Whisky und zwei Gläser und setzte sich dann mir gegenüber an den Tisch. Ich schlürfte den Whisky, den er mir eingeschenkt hatte, und schloss für einen Moment die Augen. Ich hörte ihn aufstehen und zum Schrank gehen. Als ich die Augen wieder aufmachte, stand er vor mir, mit einem Umschlag, den er mit spitzen Fingern hielt und vor mir auf den Tisch fallen ließ.

»Besser?«

Ich nickte. Er setzte sich wieder.

»Der General war heute leider etwas durcheinander«, sagte er. »Auf den Bändern äußert er sich entschieden klarer und detaillierter über Villegas' Doppelrolle und über den misslungenen Versuch, Segura anzuschwärzen – ich meine, die Sache mit dem Waffenankauf. Wahrscheinlich hat er Paco von diesem Teil der Geschichte erzählt, wie er ihm das Leben gerettet hat und so weiter. Das würde die Loyalität des alten Mannes erklären, was meinen Sie?«

»Ja.«

Er schob mir den Umschlag mit einem Fingernagel zu. »Das sind Kopien der relevanten Teile des Tonbandprotokolls, falls Sie sie verwenden wollen. Keine inkriminierenden Fingerabdrücke, solange Sie den Umschlag nicht anfassen.«

»Vielen Dank.« Mein Jackett hing über dem Stuhl neben mir. Ich nahm den Umschlag und steckte ihn in die Innentasche.

»Und was haben Sie mit Villegas vor?«

Ich nahm noch einen Schluck Whisky. »Nichts.«

»Nichts?« Er grinste. »Hätte ich mir denken können, dass Sie nicht vorhaben, ihm eine tödliche Spritze zu geben. Selbst für Sie wäre das ein bisschen riskant. Aber ich bin sicher, dass Ihr Freund, der Monsignore, eine Veröffentlichung dieser Tonbandabschriften arrangieren kann, wenn Sie ihn darum bitten.«

Ich trank noch einen Schluck. »Sie haben mich gefragt, was er hat. Ich bin jetzt bereit, es Ihnen zu sagen. Er leidet an einer Erkrankung des zentralen Nervensystems, die ohnehin unheilbar ist. Er hat keine Chance.«

»Was ist das für eine Krankheit?«

Ich erklärte es ihm in allen Einzelheiten.

»Wie viel Zeit hat er noch?«

Ich seufzte. »Immer dieselbe Frage. Ich weiß es nicht. Ich kann Ihnen aber so viel sagen, dass er in ein paar Monaten nicht mehr imstande ist, die Regierungsgeschäfte wahrzunehmen. Es wird sich nicht verheimlichen lassen.«

»Wie viele Monate?«

»Zwei, drei. Ich kann es nicht mit Sicherheit sagen.«

Nach einem Moment des Schweigens sagte El Lobo: »Wer weiß sonst noch davon, abgesehen von dem Menschen in Paris?«

»Delvert.«

»Der seinerseits kein Aufsehen will, solange seine Mission nicht beendet ist, verstehe. Also, diese Krankheit. Wirkt sie auf die Psyche ein, verändert sie die Persönlichkeit, beeinträchtigt sie das Denkvermögen?«

»Irgendwann erreicht sie das Gehirn. Wenn Sie mich fragen, ob er bereits unzurechnungsfähig ist, antworte ich ganz klar mit Nein.«

»Dann bleibt uns nicht viel Zeit.« Er sah auf seine Uhr. »Und Ihnen auch nicht. Es ist kurz nach sieben. Sie sind spät dran für Ihre Cocktailparty. Was ist mit dem General? Was sollen wir mit ihm anfangen? Sie haben unseren kleinen Deal respektiert, also liegt die Entscheidung bei Ihnen. Soll er sterben oder freigelassen werden? Was ist Ihnen lieber?«

»Hat er Kinder?«

»Nicht von seiner Frau. Drei uneheliche von einer Frau, die auf seiner Finca arbeitet. Das älteste ist acht.«

»Zahlt er für sie?«

»Er liebt sie abgöttisch. Beweist nur, welche Energie noch in dem alten Knacker steckt!«

»Was würden Sie tun?«

»Ihn nach Hause schicken. Er hat seine Strafe bekommen. Aber er hat natürlich nicht meinen Vater umgebracht.«

»Schicken Sie ihn nach Hause.«

Ich zog mein Jackett an und stopfte die Krawatte in eine Tasche. Er setzte sich den Imkerhut auf und begleitete mich hinaus.

Draußen wurde ich sofort wieder gestochen. Meine beiden Entführer hatten die Autofenster nicht geöffnet, sodass der Wagen ein einziger Backofen war. Als wir die französische Botschaft erreichten, sah ich schon ziemlich derangiert aus. Ohne meine Einladungskarte hätte man mich kaum eingelassen.

Auf meine Frage nach einem Badezimmer wurde ich sofort zu einer Toilette neben der Garderobe geführt. Ich versuchte noch immer, mir den Geschmack von Erbrochenem und Whisky aus dem Mund zu spülen, als Delvert hereingeschlendert kam. Ich beachtete ihn nicht. Er sah mir eine Weile zu. Schließlich sagte er: »Ich hätte nicht gedacht, dass ein so schlauer Kerl wie El Lobo seine konspirativen Treffpunkte ausgerechnet in einem Sumpfgebiet voller Moskitos anlegt. Und was für Moskitos! Schon bei dem Gedanken juckt es mich.«

»Waren Sie schon mal da?«

»Liegt schon etwas länger zurück. Der Botschafter und seine Gattin wollen Sie unbedingt kennenlernen, aber Sie sollten sich in meinem Zimmer vorher vielleicht etwas abkühlen. Es gibt dort eine Klimaanlage.«

Er führte mich über eine Treppe nach oben, und bald war vom Lärm der Cocktailparty nicht mehr viel zu hören. Das Zimmer war winzig, offensichtlich nicht das des echten Botschaftsrats, aber, wie gesagt, mit Klimaanlage. Ich kam sofort zur Sache.

»Auf Saint-Paul haben Sie gesagt, dass Sie meine Entscheidung, nicht mehr als Leibarzt für diesen Mann zu arbeiten, akzeptieren würden, wenn ich gute und ausreichend Gründe für die Annahme hätte, dass Villegas entscheidend bei der Ermordung meines Vaters beteiligt war.«

Delvert nickte.

Ich holte El Lobos Briefumschlag aus der Tasche. »Das hier sind Tonbandabschriften eines Verhörs von General Escalon. Echt. Ich habe den General gesehen, er hat es mir bestätigt.«

»Stand er unter Druck?«

»Er hatte etwas zu viel getrunken, aber ich habe keine Daumenschrauben bemerkt, er hat aus freien Stücken gesprochen.«

Delvert nahm den Umschlag, las den Inhalt und schaute ausdruckslos.

»Außerordentlich interessant. Don Manuel ist viel komplexer, als man denkt. Selbst ich bin überrascht. Vorausgesetzt natürlich, dass General Escalon die Wahrheit sagt.«

»Ich bin davon überzeugt.«

»Und deswegen wollen Sie aufhören? Verständlich. Aber ist dieser Schritt jetzt nicht etwas schwierig geworden?« Er hielt mir die Ausgabe von *El Dia* hin. »Wie wollen Sie eine so plötzliche und offenbar irrationale Entscheidung begründen?«

»Ich muss nichts erklären.«

»Nein? Eine prominente Person wie Sie?«

»Also gut: Ich höre nicht auf. Ich werde tun, was Sie selbst neulich vorgeschlagen haben. Ich werde sagen, dass ich mit der Entwicklung des Patienten nicht zufrieden bin, werde Dr. Torres hinzuziehen und ihn bitten, bei einem Neurologen ein Zweitgutachten zu bestellen. Dann ziehe ich mich zurück und überlasse alles Dr. Torres. Ich sollte Sie allerdings darauf hinweisen, dass

Dr. Torres an Johns Hopkins studiert hat und für einen so wichtigen Patienten sicherlich einen Kollegen aus Baltimore heranziehen wird.«

»Lassen wir die Frage, wie Sie sich aus der Affäre ziehen, für den Moment mal beiseite. Sie sind morgen Vormittag mit Don Tomás verabredet, nicht wahr?«

»Ja.«

»Er wird Ihnen das Erziehungsministerium anbieten.«

»Absurd!«

»Vermutlich. Politisch würde es aber ganz gut aussehen. Don Tomás, der die Schaffung dieses außerordentlich erfolgreichen Ministeriums anregte, würde Ihre Schritte lenken und die Schnitzer, die Ihrer Unerfahrenheit zuzuschreiben wären, ausbügeln.«

»Natürlich werde ich sofort ablehnen.«

»Wieso? Sie brauchen doch nicht sofort einzuwilligen. Sie werden vierundzwanzig Stunden Bedenkzeit haben.«

»Trotzdem werde ich ablehnen.«

»Aber weshalb?«

»Ich brauche keine Gründe zu nennen. Ich nehme mir einfach ein Flugzeug und verschwinde.«

»Das klingt eher nach Dr. Frigo als nach Dr. Castillo. Außerdem glaube ich nicht, dass es so einfach gehen wird.«

»Sie meinen, Sie werden dafür sorgen, dass man mich nicht ausreisen lässt?«

Delvert schlug mit der Hand auf den Tisch. »Nein, nichts dergleichen, Doktor. Ich bin mir im Klaren darüber, dass Sie gerade eine aufreibende Begegnung hatten, aber ich bin nicht General Escalon. Ich wäre Ihnen sehr verbunden, wenn Sie mir gegenüber einen anderen Tonfall finden könnten.«

»Entschuldigen Sie, bitte.«

»Mein Hinweis, dass es nicht so einfach gehen wird, war so gemeint, dass man Sie unter beträchtlichen moralischen Druck setzen wird. Auf Saint-Paul haben Sie mir nicht geglaubt, als ich von dem Castillo-Kult sprach. Jetzt wissen Sie Bescheid. Und das hier hat es auch nicht gerade einfacher gemacht, was?« Er tippte auf die Zeitungen.

»Das war ein Versehen. Ein Priester hatte mir angeboten, mich zum Grab meines Vaters zu begleiten. Ich bin darauf eingegangen. Warum auch nicht. Schließlich war ich nach all den Jahren nicht sicher, ob ich es allein finde.«

»Tja, es lässt sich nicht mehr ändern. Aber das ist noch nicht alles. Don Tomás kann überzeugend sein. Und Sie können bekanntlich sehr stur sein. Aber überlegen Sie. Sie sprechen davon, dass Sie Ihre Tätigkeit bei Don Manuel zugunsten von diesem Dr. Torres aufgeben.«

»Der über den Zustand des Patienten bereits informiert ist.«

»Sie haben es ihm gesagt?«

»Natürlich nicht. Aber er hat einen außergewöhnlich guten Physiotherapeuten und ist selbst ein sehr fähiger Mann. Aus den bekannten Fakten hat er seine eigenen Schlüsse gezogen. Man kann solche Dinge nicht geheim halten, wie Sie vielleicht glauben.«

»Trotzdem müssen Sie aufhören. Wie wollen Sie das mit Anstand hinkriegen? Wollen Sie Don Manuel mit Escalons Geständnis konfrontieren?«

»Der Mann ist ja ohnehin todkrank. Zugegeben, ich

würde ihn am liebsten nicht mehr sehen und nicht mehr anfassen, wenn es sich irgendwie einrichten ließe. Ich verabscheue ihn und fühle mich nicht mehr verpflichtet, für ihn etwas zu tun, außer einen kompetenten Nachfolger mit dem Fall vertraut zu machen. Ihn konfrontieren? Wozu?«

Das Lächeln. Ich hatte es fast schon vergessen. »Sehr vernünftig. Nach dieser Bandabschrift zu urteilen, wäre, falls Sie ihn damit konfrontieren, damit zu rechnen, dass Sie sofort in Lebensgefahr sind, sofern er sich in den letzten Jahren nicht sehr verändert hat. Ihre Chance, einer Liquidierung zu entgehen, würde ich nicht sehr hoch einschätzen. Pater Bartolomé dürfte sich die Gelegenheit, ihm einen Gefallen zu tun, nicht so schnell entgehen lassen.« Er wischte den unschönen Gedanken beiseite. »Andererseits, wenn es so aussähe, als würden Sie einen Posten in der neuen Regierung annehmen, wären Ihre neuen Verpflichtungen ein absolut plausibler Vorwand, ihm einen neuen Arzt zu beschaffen.«

»Meine Ausreise wäre damit aber noch lange nicht garantiert.«

»Nicht sofort, nein. Aber ein paar Tage später, und solange Sie keine anders lautenden Erklärungen abgeben, dürfte es eigentlich keine Schwierigkeiten geben.«

»Und der moralische Druck, von dem Sie sprachen? Wird der sich einfach in Wohlgefallen auflösen?«

»Nein, aber man könnte ihn neutralisieren. Ich vermute mal, dass Sie die Verfassung Ihres Landes nicht gelesen haben.«

»Welche Version?«

»Ganz egal, in einem Punkt sind sie alle einheitlich. In der aktuellen Fassung ist es Artikel zwanzig, Absatz elf. Ausländische Staatsangehörige dürfen kein Regierungsamt ausüben.«

»Na und?«

»Hier drin« – Delvert tippte auf die Schreibtischschublade – »liegt ein französischer Pass, aus dem hervorgeht, dass Sie vor zwei Jahren französischer Staatsbürger wurden.«

»Was nicht der Wahrheit entspricht.«

»Tut mir leid, aber in diesem Pass steht es so. Und wenn Sie sich verpflichtet sehen, Don Tomás und seine Kollegen auf diese überaus betrübliche Tatsache hinzuweisen, haben Sie Ihren Rücktritt quasi schon in der Tasche. Man kann es Ihnen nicht abschlagen. Man wird eine Presseerklärung verbreiten müssen. Möglicherweise müssen Sie sogar eine Pressekonferenz geben, auf der Sie Ihren Respekt vor der Verfassung und der in ihr festgeschriebenen Weisheit bekunden.«

»Stimmt das?«

»Absolut. Und Ihre Anhänger hier, einschließlich Monsignore Montanaro, mögen es bedauern, vielleicht sogar beklagen, dass Sie sich in einem Moment der Schwäche, der Sorglosigkeit von den perfiden Franzosen dazu verleiten ließen, ihrer wahren politischen Heimat untreu zu werden, aber an der Tatsache selbst ist nicht zu rütteln. Schließlich waren Sie ein einsamer Mann im Exil. Die Leute können sich nur der Macht des Gesetzes beugen und versuchen, ihren Frieden damit zu machen, dass man Sie seinerzeit aus dem Land gejagt hat.«

Misstrauisch sah ich ihn an. »Dürfte ich diesen Pass mal sehen?«

»Selbstverständlich.« Er holte ihn aus der Schublade und reichte ihn mir.

Es war so, wie er gesagt hatte.

»Kann ich ihn behalten?«

»Kann ich das hier behalten?« Er hielt die Abschrift hoch.

»Ich habe es noch nicht gelesen.«

»Wollen Sie das denn?«

Ich zuckte mit den Schultern. »Ich habe den General gehört.«

»Dann behalten Sie den Pass. Es gibt nur noch eines, was Sie dazu wissen sollten.«

»Er ist ungültig, ich verstehe.«

»Keineswegs. Er ist absolut echt, in jeder Hinsicht, einschließlich der Einbürgerung. Wir möchten Sie nur bitten, ihn nicht sofort zu verwenden, sagen wir mindestens eine Woche, bis Sie die Verfassung gelesen haben oder …«

»Bis die Sache so weit gediehen ist, dass nichts mehr schiefgehen kann.«

»Ich sehe, Sie haben verstanden. Der Pass ist gültig, solange wir ihn nicht für ungültig erklären. Also dann, Doktor, bleiben Sie schön ruhig, überstürzen Sie nichts. Und vor allem, keine Panik. Sind wir uns einig?«

»Ja. Alles klar.«

»Dann gehen wir jetzt und sagen dem Botschafter guten Tag.«

An Seine Exzellenz erinnere ich mich kaum, aber seine Gattin war sehr attraktiv, eine intelligente lebhafte *Laide*, dieser Frauentypus, der mich immer wieder fasziniert.

Mit ihren feinen Augen musterte sie mich rasch, um sich darüber klar zu werden, wie sie mit mir umgehen wollte. Dann streckte sie mir die Hand hin.

»Sie sollten sich vor Pressefotografen in Acht nehmen, Doktor! Sich nie zu einer bestimmten Pose kommandieren lassen. Entspannt sehen Sie viel besser aus, nicht so streng.«

»Das liegt an den Moskitostichen, Madame.«

»Ach je, sind Sie sehr anfällig?«

»Und an den Folgen eines Schocks«, sagte Delvert. »Don Ernesto hat gerade erfahren, dass ihm ein Ministeramt angeboten wird.«

»Dann werden wir Sie ja öfter zu sehen bekommen. Ausgezeichnet. Sie sind doch mit Elisabeth Duplessis bekannt, nicht wahr? Ich hoffe, Sie können sie überreden, uns mal zu besuchen. Sie könnte doch bei uns wohnen, Armand, oder?«

Delvert lächelte und schubste mich weiter. Die Audienz war zu Ende.

Der Polizeichauffeur, der noch immer ein bisschen perplex war, durch die vielen anderen offiziellen Limousinen aber beruhigt schien, brachte mich ins Hotel zurück.

Vor dem Eingang gab es einen unangenehmen kleinen Zwischenfall.

Auf der Treppe sah ich eine Gruppe von Knienden, die vor einem großen eckigen Objekt Kerzen angezündet hatten. Ich sah, dass es sich bei diesem Objekt um ein gerahmtes Porträt meines Vaters handelte. Ich ging hinauf und rief den Manager.

Er rang die Hände, meinte aber, dass er nichts unternehmen könne. »Sie schwören, dass noch immer Blut aus den Steinen heraustritt«, erklärte er, »das Blut Ihres Vaters. Wir wissen natürlich, dass das absurd ist, völlig absurd, völlig unmöglich.« Er zögerte. »Na ja, ich jedenfalls weiß es. Ich war hier Assistent des Managers, als Ihr Vater zum Märtyrer gemacht wurde.«

»Sie meinen, als er starb. Und?«

»Das Blut sickerte in die Stufen, wir ...« – er machte ein bekümmertes Gesicht – »wir haben es nicht ganz wegbekommen.«

»Sie meinen, durch Schrubben und Scheuermittel. Und?«

»Diese Stufen wurden durch neue ersetzt. Die Polizei wollte es so, verstehen Sie.«

»Wissen diese Leute das nicht?«

»Doch. Für sie ändert sich dadurch aber nichts.«

»Obwohl es absurd und unmöglich ist?«

Er machte eine hilflose Handbewegung.

»Kann man diese Leute nicht wegschicken?«

»Doktor, wir haben es versucht. Sie kommen immer wieder zurück. Wenn Sie vielleicht ...«

Das war das Letzte. Ich gab dem Mann nicht einmal eine Antwort. Ich nahm meinen Schlüssel, bestellte ein paar Sandwiches auf mein Zimmer und setzte mich dann mit meiner unendlichen Dezimalzahl hin.

Nachdem ich all das aufgeschrieben habe, geht es mir

etwas besser. Zusammen mit dem (vielleicht ungültigen) Pass wandern diese Notizen jetzt auf den Boden meiner Tasche.

Drei Schlaftabletten. Werde langsam süchtig.

Mittwoch, 11. Juni, vormittags

Um halb elf bei Don Tomás. Wurde sofort vorgelassen. Sehr angenehm.

»Ich möchte gleich mit einer guten Nachricht anfangen«, sagte er. »Die Reparaturen am Präsidentenpalast gehen schneller voran als erwartet, jedenfalls in den Gebäudeteilen, die für Don Manuel von Belang sind.«

»Ausgezeichnet, Don Tomás.«

»Der Vorbau ist zwar noch eingerüstet, aber die ersten Einschätzungen der Architekten über den Zustand des Treppenhauses und der Prunkgemächer haben sich gottlob als pessimistisch erwiesen. Don Manuel wird morgen Vormittag um elf offiziell dort einziehen. Da dies eine förmliche Zeremonie ist, werden ihn die Minister und seine persönlichen Mitarbeiter vom Justizpalast dorthin begleiten. Sie werden als Mitglied seines Gefolges anwesend sein. Wir versammeln uns um halb elf.«

»Verstehe.«

»Ich persönlich bedaure das, Don Ernesto.« Er zwinkerte mir auf meinen fragenden Blick zu. »Ich persönlich würde Sie am liebsten als Kabinettsmitglied dort sehen.«

»Sehr liebenswürdig von Ihnen, Don Tomás, aber jemand wie ich, der überhaupt keine Verwaltungserfahrungen hat, kann kaum nach einem so ehrenvollen Amt streben.«

»Ein gebildeter und intelligenter Mensch kann sich diese Erfahrung rasch aneignen. Zwar kann ich Ihnen keines der fünf Schlüsselministerien anbieten, aber ich würde mich doch glücklich schätzen, wenn Sie bereit wären, das Erziehungsministerium zu übernehmen.«

Ich denke, ich ließ das gebührende Maß an Verblüffung erkennen. »Aber Don Tomás, das ist doch *Ihr* Ministerium!«

»Und ich bin auch sehr stolz darauf, Don Ernesto. Doch als Premierminister muss ich mein Amt niederlegen. Außerdem werde ich, zumindest für eine Weile, das Ministerium für Wirtschaft und Bodenschätze übernehmen. In unseren Verhandlungen mit dem Konsortium dürfte das eine schwere Bürde sein. Es würde mich entlasten, wenn ich wüsste, dass meine Arbeit, die ja bekanntlich nicht völlig erfolglos war, nach den bestehenden Richtlinien gewissenhaft fortgeführt wird.«

Delvert hatte recht. Der neue Erziehungsminister wird sich an feste Vorgaben halten müssen, ob es ihm gefällt oder nicht. Es gelang mir, ein einigermaßen beeindrucktes Gesicht zu machen.

»Eine große Ehre, Don Tomás. Ich weiß überhaupt nicht, was ich sagen soll. Darf ich mir Bedenkzeit ausbitten?«

»Selbstverständlich. Bei solchen Dingen ist das üblich. Wir gehen davon aus, dass Sie uns binnen vierundzwanzig Stunden schriftlich mitteilen, ob Sie das Angebot annehmen.«

»Ich habe Sie nur deswegen um Bedenkzeit gebeten, weil ich mir meiner anderweitigen Verpflichtungen bewusst bin.«

»Sie meinen als Don Manuels Leibarzt? Ich bin sicher, beide Aufgaben lassen sich vereinbaren.«

»Wenn Don Manuel kerngesund wäre, dürfte das sicher kein Problem sein.«

»Ich weiß, dass Sie ihm Vitaminspritzen geben, aber es liegt doch gewiss nichts Ernstes vor, was Ihnen Kopfzerbrechen bereiten müsste.«

»Er hatte enormen Stress. Seine Situation war ziemlich belastend. Er hat sich überfordert. Eigentlich wollte ich Dr. Torres um ein Zweitgutachten bitten.«

»Nun ja, das ist Don Manuels Entscheidung. Torres, wie? Ich hoffe, Sie kennen seinen Background.«

»Jawohl. Ich weiß auch, dass er für Ihre neue Regierung ist und die Politik von Leuten wie seinem Vater ablehnt. Man sollte nicht vergessen, dass er seinem Arbeitsplatz treu geblieben ist, obwohl er in die Vereinigten Staaten hätte gehen und dort praktizieren können.«

»Er hat Sie beeindruckt, Doktor.«

»Jedenfalls bin ich überzeugt, dass er einen hervorragenden Gesundheitsminister abgeben würde. Eine solche Ernennung würde die Regierung auch auf ein breiteres politisches Fundament stellen.«

»Das hatte ich mir auch schon überlegt«, bemerkte er trocken.

»Bitte um Entschuldigung.«

»Sie brauchen sich nicht zu entschuldigen, Don Ernesto. Sie hatten völlig recht mit Ihrem Hinweis. Je aufgeschlossener wir uns präsentieren können, desto besser. Die richtigen Männer auf den richtigen Posten, ganz gleich, woher sie kommen. Haben Sie noch andere Überlegungen dieser Art?«

»El Lobo.«

»Tja, da haben wir ein Problem. Ein marxistisch-leninistischer Staatsfeind? Ein Terrorist? Unsere einflussreicheren Verbündeten wären über eine solche Ernennung ganz gewiss nicht begeistert.«

»Immerhin waren es die Aktivitäten von El Lobo und die Ihrer Studenten, die die Oligarchie letztlich zu der Erkenntnis brachten, dass ihre Position unhaltbar war. Ein Marxist-Leninist? Aber doch auch ein Pragmatiker. Und wäre es unseren Verbündeten lieber, wenn El Lobo im kubanischen Exil eine Regierung der Nationalen Befreiung anführt? Zugegeben, keine große Gefahr für unsere Sicherheit, aber doch ein ständiges Problem. Er ist ein fähiger Mann. Wäre es nicht besser, von seinen Fähigkeiten zu profitieren, nachdem man vorher dafür gesorgt hat, dass er keine Machtbasis hat?«

Don Tomás dachte einen Moment nach. »Sozialminister unter dem Finanzminister, hatten Sie an so etwas gedacht?«

»Oder Post und Fernmeldewesen unter dem Minister für industrielle Entwicklung.«

Er lächelte. »Ich sehe, dass ich Sie im Auge behalten muss, Don Ernesto. Sie sind bereits ein Politiker.«

Nach dieser trefflichen Bemerkung erhob ich mich, um dem nächsten potenziellen Amtsinhaber Platz zu machen. Lieh mir in der Bibliothek des Ministeriums ein Exemplar der Verfassung aus. Delvert hat bestimmt recht, aber nachschauen kann nicht schaden.

Nachmittags

Hatte einen Termin bei Dr. Torres. Kein leichtes Gespräch. Mein Hinweis, dass mich sein gestriges Plädoyer für einen politischen Neuanfang beeindruckt habe, stieß auf höfliche Skepsis. Er kann mich nach wie vor nicht leiden. Kann es ihm nicht verdenken. Aber wenigstens war er bereit, mit Don Manuel zu sprechen, *wenn man ihn offiziell dazu auffordert,* und auch ein Zweitgutachten zu besorgen, *wenn der Patient es will.*

Jetzt muss ich nur noch Don Manuel gegenübertreten, ohne mich zu verraten. Hoffentlich schaffe ich es.

Abends

Als ich im Justizpalast eintraf, war der Masseur noch immer beim Präsidenten, aber Doña Julia erwartete mich.

»Ich hatte gehofft, Sie kommen etwas früher, Ernesto.« Sie führte mich in ein kleines Nebenzimmer. »Ich mache mir große Sorgen um Don Manuel.«

Mit viel Geduld bekam ich die Fakten aus ihr heraus.

Der gestrige Tag war furchtbar für Don Manuel, furchtbar. Erst war dieser grauenhafte Pater Bartolomé da, zwar nur halbbetrunken, aber ausgesprochen widerwärtig. Seine Verärgerung war vielleicht nicht ganz grundlos – Doña Julia warf mir einen vorwurfsvollen Blick zu –, aber sein Benehmen völlig untragbar. Er musste von den Wachleuten abgeführt werden. Wirklich deprimierend. Und dann Besprechung über Besprechung – mit Don Paco, Don Tomás, mit diesem, mit jenem. Nichts war ihm erspart geblieben. Sogar den Botschafter der Vereinigten Staaten, der gerade aus Bogotá zurückgekehrt war, hatte er empfangen müssen. Dann wieder Besprechungen über den Umzug in den Präsidentenpalast. Immer wieder hatte sie ihm zugeredet, sich ein wenig hinzulegen, aber es war sinnlos. Der neue Masseur war ihm nicht sympathisch. Sogar über mich hat er sich beschwert. Er sei der Präsident, ich hätte ihn jeden Tag zu besuchen und nicht jeden zweiten Tag, wenn es mir passt. Und so hatte er endlos weiterlamentiert.

Und dann war etwas Schreckliches passiert. Und zwar nach dem Abendessen, Gott sei Dank waren sie allein gewesen. Sie hatte ihn gerade wieder gebeten, sich hinzulegen, er hatte es auch versprochen, als sich sein Gesicht plötzlich veränderte. Er riss den Mund auf, verzerrte das Gesicht wie ein wildes Tier, und aus seiner Kehle waren sonderbare Laute gekommen. Ungefähr eine halbe Minute war das so gegangen, dann war er haltlos in Tränen ausgebrochen.

Irgendwie hatte sie ihn zu Bett gebracht, ohne dass es jemand gesehen hatte. Er war dann sofort eingeschlafen, angekleidet, wie er war. Drei Stunden später war er aufgewacht. Alles schien wieder in Ordnung zu sein. Aber diese furchtbare Sache, was war das?

»Er hat sich überanstrengt, Doña Julia. Ich habe ihn gewarnt.«

»Dann müssen Sie es ihm jetzt befehlen, Ernesto.«

»Präsidenten lassen sich nicht gern Befehle erteilen. Ich hoffe, ich kann Dr. Torres vom städtischen Krankenhaus hinzuziehen. Er wird Ihnen gefallen. Er hat in Baltimore studiert.«

In dem Moment hörte sie den Masseur herauskommen, sodass ich ihr nicht mehr sagen musste. Ich frage mich, ob sie wirklich weiß, was für ein Mensch ihr Mann eigentlich ist. Ich kann es kaum glauben. Was heißt kaum. Es ist nicht zu fassen.

Don Manuel lag noch auf seinem Bett. Mürrisch begrüßte er mich.

»Sie haben also beschlossen, mich im Stich zu lassen.«

»Aber keineswegs, Don Manuel.«

»Ach, kommen Sie mir nicht mit Tricks. Sie haben heute Vormittag mit Don Tomás gesprochen. Glauben Sie etwa, er hat mir nichts erzählt?«

»Ich weiß nicht, ob man es als Im-Stich-Lassen bezeichnen kann, wenn ich bereit bin, einen Ministerposten in Ihrem Kabinett zu übernehmen.«

»Hübsch formuliert, Ernesto, trotzdem Quatsch. Sie haben nicht das Zeug zu einem Minister. Außer in Ihrem Beruf sind Sie eine absolute Null, und glauben Sie niemandem, der Sie vom Gegenteil überzeugen will. Schauen Sie nur, wie Sie Montanaro auf den Leim gegangen sind! Und schauen Sie, wie viel Ärger mir das bereitet hat. Nur um Blumen auf ein Grab zu legen, wie Paco sagt. Sie sind ein Vollidiot!«

»Dann sollten Sie Don Tomás beauftragen, sein Angebot zurückzuziehen.«

»Und was werden Sie dann machen? Nach Saint-Paul zurückkehren?«

»Natürlich. Sie sollten sich nicht von einem Vollidioten behandeln lassen. Und jetzt seien Sie still und bleiben Sie liegen. Ich werde Sie jetzt untersuchen.«

Das tat ich nun, und zwar gründlich, allerdings musste ich mich zwingen, ihn zu berühren. Der Blutdruck war ziemlich hoch. Aber selbst in den Armen war eine Muskelveränderung kaum festzustellen. Vielleicht etwas geschrumpft, aber ich hätte es nicht beschwören können.

»Na?«, sagte er, als ich fertig war.

»Ich bin nicht zufrieden. Ich würde Dr. Torres gern bitten, ein Zweitgutachten zu erstellen.«

»War mit dem Gutachten von Professor Grandval etwas nicht in Ordnung?«

»Nein, nein, ich will nur auf Nummer sicher gehen.«

»Wer ist dieser Dr. Torres?«

Ich erklärte es ihm.

»Diese Familie! Er bringt mich um!«

»Nur wenn es absolut notwendig ist. Stillhalten, bitte!«

Ich gab ihm seine Spritzen und packte meine Sachen wieder in die Tasche. Er wollte schon aufstehen.

»Nein, bleiben Sie bitte noch eine Stunde liegen. Sie haben morgen einen anstrengenden Tag. Sobald Sie in den Präsidentenpalast umgezogen sind, werde ich Sie gemeinsam mit Dr. Torres besuchen.«

Er sah mich fest an. »Sie sind heute sehr selbstsicher, Ernesto, hab ich recht?«

»Doña Julia hat mich gebeten, streng mit Ihnen zu sein. Ich befolge bloß ihre Wünsche.«

»Ärztliche Anordnung, wie?« Er machte eine Pause. »Schon mal von einem gewissen Escalon gehört? General Escalon?«

Das saß. Ich konzentrierte mich darauf, meine Tasche zu verschließen. »General wie?«

»Escalon. Besitzt eine Finca im Norden. Er wird als vermisst gemeldet.«

»Ich könnte mir vorstellen, dass einige Leute im Norden vermisst werden, Don Manuel. Genauer gesagt ganze Flugzeugladungen.«

»Er interessiert Sie nicht?«

»Warum sollte er?«

»Er hat Ihren Vater umgebracht.«

»Ich habe Blumen auf das Grab meines Vaters gelegt. Die Leute, die meinen Vater umgebracht haben, sind schon lange tot.«

»Für Sie ist das Kapitel also abgeschlossen?«

»Das habe ich doch schon gesagt.«

»Sie sollten es sich nicht anders überlegen! Das ist ein Befehl des Präsidenten. Sozusagen ärztliche Anordnung. Wer sich nicht daran hält, ist selber schuld, wenn sich die Konsequenzen als unangenehm herausstellen. Verstanden?«

»Sie reden zu viel.«

»Ich habe gefragt, ob Sie mich verstanden haben.«

»Mir ist klar, dass alle rechtmäßigen und vernünftigen Befehle befolgt werden müssen.«

»Gut. Und jetzt erteile ich Ihnen noch einen zweiten

Befehl. Meiden Sie El Lobo. Er ist ein Sicherheitsrisiko geworden.«

»Ich verstehe.«

»Das bezweifle ich, aber egal. Gehen Sie ihm aus dem Weg. Vielleicht verliere ich meinen Arzt, aber ich will nicht auch noch meinen neuen Erziehungsminister verlieren. Wir sehen uns morgen Vormittag, Ernesto. Es ist eine offizielle Veranstaltung, denken Sie dran. Erscheinen Sie bitte mit Jackett und Krawatte.«

»Gute Nacht, Don Manuel.«

Doña Julia wartete auf meinen Bericht. Ich erklärte ihr, dass ich Dr. Torres gern bitten würde, am Freitag, also übermorgen, zu einer Konsultation in den Präsidentenpalast zu kommen. Ich bat sie um eine schriftliche Einladung auf offiziellem Papier der Präsidialkanzlei.

»Ist Don Manuel einverstanden?«

»Unter Protest, ja.«

»Na schön.« Sie gab mir das Papier.

Bei meiner Rückkehr stellte ich fest, dass ich zitterte. Je schneller ich diesen Patienten loswerde, desto besser. Meine Abscheu vor diesem Mann ertrage ich nur, weil ich Mitleid mit dem Kranken habe. Dass er auch noch imstande ist, mir Angst zu machen, hatte ich nicht erwartet.

Ich hätte es mir denken können. Immerhin hatte Delvert mich gewarnt. General Escalons Verschwinden hat El Lobo verdächtig gemacht. Auch ich laufe jetzt Gefahr, zu einem »Sicherheitsrisiko« zu werden.

Finde, ich sollte El Lobo warnen. Aber wie? Mir einen offiziellen Wagen besorgen und ins Delta fahren? Absurd, selbst wenn ich den Weg wüsste. Außerdem hat Delvert gesagt, dass es nur eines seiner konspirativen Verstecke ist.

El Lobo wird selbst auf sich aufpassen müssen.

Donnerstag, 12. Juni

El Lobo passt tatsächlich auf sich auf.

Zumindest kann man die Ereignisse dieses schrecklichen Tages auch unter diesem Aspekt sehen.

Ich erschien, wie bestellt, um halb elf im Justizpalast. Don Tomás, Paco, die Minister für Finanzen, Inneres, Verteidigung und wirtschaftliche Entwicklung waren schon da, außerdem eine Abteilung der Zivilgarde. Das waren größtenteils Polizisten, aber auch ein paar Soldaten, doch alle trugen sie die Uniform der »neuen« Zivilgarde – genauer gesagt, die ehemalige weiße Paradeuniform, die zu diesem Anlass dunkelgrün gefärbt worden war.

Es gab keine Ansprachen. Don Manuel schonte sich offensichtlich für den Fernsehauftritt, der später auf dem Balkon des eigentlichen Präsidentenpalastes stattfinden sollte. Der Sicherheitsoffizier verteilte Merkblätter mit Hinweisen zum Ablauf der weiteren Veranstaltung und Angaben darüber, wer in welche der Limousinen zu steigen hatte, die im Innenhof schon vorgefahren waren.

Als Erstes marschierten die Zivilgardisten hinaus, um sich auf beiden Seiten der Treppe nach Art einer Ehrenformation aufzustellen. Das taten sie nicht besonders elegant, weil Militärkommandos für die Expolizisten fremd waren, ihr Chef aber ein ehemaliger Armeeoffizier war. Doch am Ende schafften sie es irgendwie, und eine ziemlich ungeordnete Prozession nahm dann in der Rotunde Aufstellung.

Geplant war, dass die rangniederen Persönlichkeiten den Anfang machen würden, damit die Wagenkolonne sofort losfahren konnte, sobald der Präsident und Doña Julia das Gebäude verlassen hatten und in ihre Limousine eingestiegen waren. Da ich zur Gruppe der rangniedrigsten Personen zählte, trat ich, zusammen mit dem Generalstaatsanwalt und dessen Frau und einem anderen höheren Beamten, als einer der Ersten hinaus. Wir sollten in einem Wagen fahren.

Leider hatte der Sicherheitsoffizier, der mit dem Protokollmerkblatt, nicht daran gedacht, die bereitstehenden Limousinen zu nummerieren oder sonst wie zu kennzeichnen. Das Ergebnis war, dass, als Don Manuel und Doña Julia die Stufen herunterschritten, alle anderen Personen, auch die höchsten Minister, sich noch immer am Fuß der Treppe drängten und sich bei den Chauffeuren erkundigten, welches Auto das ihre war.

Die Schüsse klangen überhaupt nicht wie Schüsse. Es war nur ein lautes Knirschen zu hören, als hätte einer der Fahrer, weil er zum zehnten Mal nach der Nummer seines Wagens gefragt worden war, aus Verzweiflung plötzlich angefangen, die Gangschaltung seines Autos kaputt zu machen.

Im selben Moment schrie Doña Julia laut auf.

Die Schüsse trafen Don Manuel in die Brust. Er fiel nach hinten, dann schlug sein linker Arm vor dem rechten auf die Stufen, sodass er zur Seite kippte. Während ich ihm entgegenlief, rollte er langsam die Treppe herunter. Ich blieb stehen und hielt ihn an der linken Seite fest.

In all dem Durcheinander war es der Generalstaatsanwalt, der die Nerven behielt. Er wusste, wo die Telefone waren.

Trotzdem dauerte es sieben Minuten, bis ein Krankenwagen eintraf. Ich konnte im Grunde nur versuchen, das Blut zu stillen, und dafür sorgen, dass die Umstehenden ihn nicht wie einen Sack anhoben und zu einem Auto trugen.

Er starb im Krankenwagen, ohne das Bewusstsein wiedererlangt zu haben.

Dr. Torres erwartete uns am Eingang des Krankenhauses.

»Eine Autopsie?«, fragte er, nachdem er die Leiche gesehen hatte.

»So schnell und so gründlich wie möglich.«

»Wollen Sie mir assistieren?«

»Nicht unbedingt. Ich muss nur dabei sein. Das Kabinett erwartet meinen Bericht.«

»Dann sollten Sie mir assistieren.«

Er arbeitete zwar nicht so flott wie Dr. Brissac, aber doch tadellos. Die fünf Kugeln wurden einem Ballistiker vom kriminaltechnischen Dienst, den ich bestellt hatte, in einer beschrifteten Dose übergeben. Er brachte sie weg. Torres machte dann genau das Gleiche, was Professor Grandval auf Saint-Paul getan hatte – er entnahm Muskelpartien zur Untersuchung. Nach einer Weile hielt er inne.

»Wenn Sie einen vorläufigen Bericht über die unmittelbare Todesursache schreiben wollen«, sagte er, »bin ich bereit, ihn zu unterschreiben. Ein umfassender Bericht kann dann später nachgereicht werden.«

»Ich bezweifle, dass man damit den Täter findet. Aber na ja …«

Ich schrieb den Bericht.

Außerdem musste ich mir aus dem Hotel frische Sachen kommen lassen. Was ich trug, konnte ich wegwerfen. Erst am späten Nachmittag war ich so weit, Don Tomás persönlich Bericht zu erstatten. Eigentlich konnte ich ihm nicht viel sagen. Er selbst wusste schon mehr.

»Die Polizei vermutet, dass die Kugeln aus einem automatischen Gewehr, einer M16, abgegeben wurden. Dieses Modell wird in der US-Armee verwendet.«

»Vermutet? Sie wissen es nicht?«

»Die Tatwaffe wurde noch nicht gefunden, aber die Schüsse wurden höchstwahrscheinlich vom Dach des gegenüberliegenden Bürogebäudes abgegeben, Entfernung ungefähr hundertfünfunddreißig Meter. Die Dachbrüstung war über eine provisorisch angebrachte Leiter zu erreichen, die zu den Flutlichtscheinwerfern führte. Die Fernsehleute hatten gestern keine Zeit, sie abzubauen. Es gibt acht Augenzeugen, die Polizei hat also acht Aussagen. Alle erklären übereinstimmend, dass sie unmittelbar vor den Schüssen einen Priester in weißer Soutane auf der Brüstung gesehen haben. Er hielt einen Gegenstand in Händen, den keiner der Augenzeugen richtig erkannt hat. Einer glaubt, dass es eine Filmkamera war. Da hat er sich natürlich getäuscht.«

»Ja.«

»Außerdem ist Pater Bartolomé tot aufgefunden worden.« Er hielt inne. »Die Polizei befasst sich auch damit. Die Leiche wurde vor drei Stunden von Arbeitern entdeckt, die unweit des neuen Containerhafens ein Stromkabel verlegen. Neben ihm lag eine Pistole. Selbstmord, wie es aussieht.«

»Ist sein Haus durchsucht worden, Don Tomás?«

»Ja. Auch dort kein Gewehr. Die Ermittlungen gehen weiter. Ich habe für heute Abend zwanzig Uhr eine Kabinettssitzung im Präsidentenpalast anberaumt, bei der Sie selbstverständlich in doppelter Funktion teilnehmen werden. Hoffentlich wissen wir dann mehr.«

»Und Doña Julia?«

»Sie befindet sich zurzeit in der Wohnung des Generalstaatsanwalts, hat ein Beruhigungsmittel bekommen. Im Hinblick auf Ihre dringenden offiziellen Verpflichtungen schien es ratsam, einen zweiten Arzt zu rufen.«

»Vermutlich möchten Sie, dass ich im Krankenhaus spezielle Anweisungen hinsichtlich des Leichnams erteile.«

»Für eine Aufbahrung? Ja. Das Gesicht ist ja wohl … ähm …«

»Unverletzt? Ja. Die Wunden im Brustkorb sind zwar erheblich, aber nicht zu sehen. Die Kathedrale?«

»Man wird Doña Julia konsultieren müssen. Ich werde die Entscheidung heute Abend auf der Sitzung bekanntgeben.«

Ich bin gerade von dieser Sitzung zurückgekehrt.

Da ich noch nie an irgendeiner Art von Kabinettsitzung teilgenommen hatte, geschweige denn einer, die nach der Ermordung eines Präsidenten stattfand, rechnete ich damit, beeindruckt zu sein. Zunächst war ich das auch. Das Dumme war nur, dass ich bald ein starkes Lachbedürfnis spürte. Spätfolge des Schocks, keine Frage. Zum Lachen gab es nämlich kaum Anlass.

El Lobo bemerkte ich zuerst nicht, sonst hätte sich das Lachbedürfnis vielleicht schon früher eingestellt.

Don Tomás eröffnete die Sitzung mit dem unvermeidlichen Hinweis auf die allgemein bekannte Tatsache, dass Präsident Villegas tot sei. Der Leichnam solle in der Kathedrale feierlich aufgebahrt werden.

Dann erhob sich Onkel Paco. Er habe mit der Regierung der Vereinigten Staaten und den anderen ausländischen Regierungen, die das neue Regime anerkennen wollten, Kontakt gehalten. Dank seiner Bemühungen werde die diplomatische Anerkennung in anderer Form ausgesprochen. Da Manuel Villegas nicht mehr Präsident sei, werde man die provisorische Regierung unter Don Tomás anerkennen.

Erleichtertes Gemurmel. Daraufhin wurde der Chef der Polizei um seinen Bericht gebeten. Nach dem, was ich bereits von Don Tomás erfahren hatte, hörte ich wenig Neues. Man wisse noch nicht genau, was Pater Bartolomé an diesem Tag alles getan habe. In der Nacht zuvor habe er jedoch reichlich getrunken und einen »niedergeschlagenen« Eindruck gemacht.

Ich selbst wurde gebeten, den Bericht des Krankenhauses offiziell zu bestätigen, wonach der Präsident an Schussverletzungen gestorben sei. Don Manuel sei im

Krankenwagen, in dem ich mitgefahren sei, seinen Verletzungen erlegen. Teilnahmsvolles Gemurmel.

Dann war der Sicherheitschef an der Reihe. Ich beneidete ihn nicht um das Kreuzverhör, dem er unterzogen wurde. Warum war die Leiter zur Dachbrüstung nicht entfernt worden? Weil die Fernsehleute, denen die Leiter gehörte, viel zu beschäftigt waren, ihre Apparate für die Ankunft des Präsidenten vor dem Palast aufzubauen. Und warum hätten keine Sicherheitskräfte auf der Brüstung gestanden? Keine Antwort. Eindringlich befragt, erklärte er, dass er nicht genügend Leute habe.

Und nun zu diesem Streit zwischen Don Manuel und Pater Bartolomé gestern Vormittag – worum sei es da gegangen? Das wisse er nicht genau, aber man habe gehört, wie Pater B. dem Präsidenten gedroht habe. Auf Bitten Doña Julias sei er von Sicherheitskräften aus dem Palast geworfen worden. Ob Pater B. betrunken gewesen sei? Schon möglich, aber das sei schwer zu sagen. Von welcher Art seien die Drohungen gewesen? Pater B. habe Don Manuel ewige Verdammnis angedroht.

Der Sicherheitsoffizier wurde gebeten, einen schriftlichen Bericht vorzulegen, dann durfte er gehen.

In diesem Moment registrierte ich dieses zwanghafte Lachbedürfnis. Ausgelöst wurde es vielleicht durch den Sicherheitsoffizier, der es so eilig hatte, den Raum zu verlassen, dass er auf dem Marmorfußboden ins Schlittern geriet.

In dem ernsten Schweigen, das daraufhin entstand, erhob sich El Lobo.

Zuerst erkannte ich ihn nicht, und ich glaube, auch

viele andere erkannten ihn nicht. Gekleidet war er wie ein grundsolider, junger Geschäftsmann.

»Don Tomás«, hob er höflich an, »darf ich ein paar Anmerkungen zur Aussage des Sicherheitsoffiziers machen, die wir soeben gehört haben?«

»Gewiss.« Don Tomás wandte sich nun an uns alle. »Don Edgardo Canales ist als zukünftiger Minister für Soziale Angelegenheiten unter uns.« Es erhob sich ein ungläubiges Raunen, das Don Tomás mit einem Blick zum Verstummen brachte. »Ich denke, dass jeder von uns interessiert ist zu erfahren, was El« – er fing sich gerade noch – »was Don Edgardo zu diesem Fall anzumerken hat.«

Nur einer der Anwesenden kicherte. Er wurde mit unwirschen Blicken bedacht.

»Ja, Don Edgardo?«

»Mit allergrößtem Respekt, Don Tomás«, sagte El Lobo ernst, »die Erklärung des Sicherheitsoffiziers vermag mich nicht im Geringsten zu überzeugen. Was sollen wir glauben?«

Wir warteten darauf, dass er es uns sagte.

»Pater Bartolomé war gestern betrunken und streitsüchtig. Ich wäre überrascht, wenn das irgendeiner der Anwesenden ungewöhnlich fände. Pater Bartolomé war eigentlich die meiste Zeit betrunken. Man könnte meinen, dass er gestern Grund hatte, streitsüchtiger als sonst zu sein. Das Ergebnis war, dass er Don Manuel ewige Verdammnis androhte. Meine Herren, ich habe ihn weitaus schwerwiegendere Verwünschungen äußern hören. Ich habe erlebt, wie er einem Kaufmann die Verwüstung seines Geschäfts androhte. Der Mann hatte sich geweigert, dem braven Pater Schutzgeld zu zahlen.«

Alle waren jetzt mucksmäuschenstill. El Lobo fuhr fort:

»Pater Bartolomé war sechzig Jahre alt, ein Alkoholiker, der sich oft kaum mehr auf den Beinen halten konnte. Hat einer von Ihnen die Leiter gesehen, die die Fernsehleute an die Dachbrüstung gelehnt hatten? Ich habe sie gesehen. Sie stand praktisch senkrecht. Wir sollen also glauben, dass dieser ältliche Trinker nicht nur die Leiter hochgeklettert war, sondern dabei auch ein automatisches Gewehr mitführte, das etwa drei Kilo wiegt. Weiterhin sollen wir glauben, dass er dann fünf Schüsse auf ein mehr als hundert Meter entferntes, sich bewegendes Ziel abgab und dass jeder Schuss traf.« Er sah mich an. »Doktor, wie groß war die Schusswunde?«

»Ganz genau ist das schwer zu sagen«, antwortete ich. »Meines Wissens haben die verwendeten Projektile beim Auftreffen eine explosive Wirkung. Ungefähr dreißig Zentimeter.«

»Für einen kurzatmigen Alkoholiker, der auf ein bewegliches Ziel schießt, eine erstaunliche Leistung, meine Herren. Ich glaube nicht daran, aber nehmen wir mal an, dass er das Unglaubliche geschafft hat. Was dann? In seiner weißen Soutane, das Gewehr noch immer in der Hand, klettert er dann sofort hinunter, verschwindet und wird später an einem vier Kilometer entfernten Ort aufgefunden, tot, mit einem Revolver in der Hand. Wie kam er dorthin? Er selbst konnte nicht fahren. Wer hat ihn also gefahren? Dieselbe Person, die sein Gewehr nahm und ihm dafür einen Revolver gab, mit dem er sich erschossen hat?«

Abrupt setzte er sich wieder hin.

Don Tomás wartete, um zu sehen, ob sich jemand zu Wort meldete, bevor er selbst das Wort ergriff: »Besten Dank, Don Edgardo, aber was schlagen Sie vor? Eine Untersuchungskommission?«

El Lobo stand langsam wieder auf und musterte uns mit seinen Fischaugen, als wären wir ein Schwarm kleiner Fische, den zu fressen sich nicht lohnte.

»Eine Untersuchungskommission? Meinetwegen. Aber nur, wenn sie die Möglichkeit einer groß angelegten Konspiration untersuchen darf. Der Frage nachzugehen, wie der arme, törichte Bartolomé dieses ganze Unternehmen völlig allein durchgeführt hat, wäre sinnlos.«

»Sie sprechen von einer Verschwörung. An wen denken Sie?«

»Ich habe natürlich keinerlei Beweise, sondern bislang nur Vermutungen. Ich glaube aber, dass man Pater Bartolomés Gangstersyndikat genauer unter die Lupe nehmen sollte.«

Das war ein cleverer Schachzug. Ich spürte die Woge der Zustimmung, die die Anwesenden erfasste. Jetzt hatten sie den Vorwand, nach dem sie so lange gesucht hatten, um die Bartolomé-Clique auszuschalten. Eine Untersuchungskommission wäre genau das richtige Instrument. Don Edgardo, dieses helle Bürschchen, würde man durchaus in die Kommission berufen können.

Mit Interesse bemerkte ich jedoch, dass die Anwesenden ihm nach Sitzungsende aus dem Weg gingen. El

Lobo war nützlich, zweifellos, aber man musste höllisch aufpassen. Mit einem Termitenkiller freundete man sich nicht an. Er stand isoliert da, als ich auf ihn zuging.

»Gratuliere!«, sagte ich.

»Wozu?«

»Zu Ihrer gelungenen Darbietung. Zwei Fliegen mit einer Klappe schlagen, wie vom General empfohlen. Und natürlich auch zu Ihrer Ernennung. Ich habe versucht, Ihnen das Ministerium für Post und Fernmeldewesen zu verschaffen, denke aber, es ist Ihnen egal.«

»Post und Fernmeldewesen?« Er grinste. »Sie haben doch nicht etwa geglaubt, dass die das schlucken.«

»Warum nicht. Als Machtbasis ziemlich harmlos.«

»Etwas, was man ein- und ausschalten kann, anhalten und wieder in Bewegung setzen kann, ist doch nicht harmlos.«

»Vielleicht. Aber da ist noch etwas. Ich habe Sie auf Saint-Paul darauf aufmerksam gemacht.«

»Nämlich?«

»Sie haben Übergewicht. Sie sollten mindestens zwei Kilo abnehmen. Ich meine es ernst. Bei einer so kurzen Leiter hätten Sie nicht außer Puste geraten dürfen, auch wenn Sie eine Soutane anhatten und ein Gewehr in der Hand trugen.«

Die Fischaugen betrachteten mich ruhig. »Welches Risiko Sie eingehen, Ernesto!«, sagte er mit sanfter Stimme. »Was, wenn ich Sie ernst nehme?«

»Es gibt keinen Grund, mich nicht ernst zu nehmen. Ich dachte nur, Sie würden gern hören, dass Ihr Timing gut war. Don Manuel hatte vom Verschwinden des Generals gehört und fing schon an, sich seine Gedanken zu machen. Sie standen ganz oben auf der Liste. Ich war gefährdet. Wenn ich gestern Abend gewusst hätte, wie ich Sie erreiche, hätte ich Sie gewarnt.«

Er sah mich fast mitleidig an. »Aus Ihnen wird nie ein Verschwörer, Ernesto.«

»Nein?«

»Was glaubten Sie denn, wem ich einen Gefallen tun wollte? Ihnen? In dem Moment, als Don Manuel erfuhr, dass General Escalon entführt worden war, waren wir alle so gut wie tot, alle, die wir auf der Liste standen – ich, Sie, Paco und der General. Der General wusste natürlich, was Sache war. Meinte, er würde untertauchen, sobald wir ihn freiließen. Sie können über Don Manuel sagen, was Sie wollen, aber er war nicht dumm. Sein Problem war, dass er, als angesehener, neuer Präsident immer im Rampenlicht stehend, keine Möglichkeit hatte, einen privaten Killertrupp aufzustellen. Unter solchen Verhältnissen erfordert die Planung eines solchen Vorhabens viel Zeit und Sorgfalt. Wahrscheinlich hätte er in ein paar Tagen unter Bartolomés Anhängern ein paar Leute gefunden und die ganze Aktion sicherheitshalber über einen Mittelsmann abgewickelt, aber er hätte unmöglich Dampf machen können, sosehr ihm an einer zügigen Abwicklung auch gelegen war. Also konnte er vorerst nur bluffen. Deshalb wurden Sie bedroht.«

»Sie kennen sich in diesen Dingen bestimmt aus. Schließlich sind Sie ein Experte.«

Er nickte vage. »Wir sehen uns wohl bald wieder. Hier oder bei der Beisetzung.«

Heute letzter Tag der feierlichen Aufbahrung von Villegas. Gottesdienst in der Kathedrale, Monsignore Montanaro zelebriert die Messe.

Doña Julia am Arm von Onkel Paco. Auf ihre Bitte
hin reihte ich mich unter die Familienangehörigen ein.
Die drei Kinder waren gestern eingeflogen worden – das
Mädchen und der jüngere Sohn aus Mexiko City, der
ältere Sohn aus Los Angeles. Der Letztgenannte hielt
sich an mich. Wenn ich ihn sympathisch gefunden hätte,
wäre womöglich eine heikle Situation entstanden – ich
hätte vielleicht festgestellt, dass ich mich mit ihm iden-
tifiziere. Doch dazu kam es nicht. Er zeigte keine Gefühle, schien sich zu langweilen, wollte nur so schnell wie
möglich zurück nach Kalifornien.

»Glauben Sie, ich könnte Montag abreisen?«, fragte er.

»Tja …«

»Sie sind doch in der Regierung, oder?«

»Erziehungsminister.«

»O Gott. Mein Vater hat Ihnen bestimmt erzählt, dass
er mich am liebsten aufs MIT geschickt hätte.«

»Er hat mir erzählt, dass Sie dorthin wollten.«

»Gar nicht wahr, außerdem würde ich es ohnehin
nicht schaffen. Das können Sie meiner Mutter ruhig erzählen.«

»Okay. Was wollen Sie denn studieren?«

»Landwirtschaft. Mit den Händen im Boden her-
umwühlen.«

»Ich dachte, heutzutage können das Maschinen besser.«

Er antwortete nicht. »Wissen Sie, wen ich von all den Leuten hier wirklich mal kennenlernen möchte? El Lobo. Wahrscheinlich kennen Sie ihn nicht.«

»Ziemlich gut sogar. Ich werde Sie mit ihm bekannt machen.«

Ich stellte ihn vor.

Später, nach der Beisetzung, fuhr ich mit El Lobo in einem Wagen zurück in die Stadt.

»Wie fanden Sie den jungen Villegas?«, fragte ich.

Er zuckte mit den Schultern. »Maoist, aber das wird sich geben. Er wird lernen. In ein paar Jahren könnte er ganz nützlich sein.«

»Im Ministerium für Soziales?«

Er stieß sein dumpfes Lachen aus. »Mein lieber Ernesto, wenn Santos im nächsten Monat Präsident wird, wird es Veränderungen geben. Paco wird sich nicht lange halten können. Schauen Sie sich nur diese vielen blauen Äderchen in seinem Gesicht an. Es gibt mindestens noch zehn andere zweifelhafte Kandidaten. Es wird wohl eine ganze Zeit lang immer wieder Kabinettsumbildungen geben.«

»Ich höre oft, dass die Leute von Stabilität reden.«

»Ja, sie reden.«

»Na schön, sie sehnen sich danach.«

Er tätschelte mein Knie. »Werd Ihnen was sagen, Ernesto. Sie halten Ihre Illusionen aufrecht, ich die meinen. Einverstanden?«

»Wenn Sie mir etwas versprechen.«

Das Fischaugengesicht fuhr herum. »Und zwar?«

»Sagen Sie Ihrem jungen Freund, dem Maoisten, nie,

dass sein Vater den Märtyrertod für die Sache gestorben ist.«

Diese Vorstellung fand El Lobo sehr witzig. Er kicherte unentwegt, bis wir das Nuevo Mundo erreichten.

Donnerstag, 19. Juni

Sitzung des vollzählig versammelten Kabinetts. Don Tomás gab unter großem Bedauern meinen Rücktritt bekannt, der aufgrund von Artikel 20, Absatz 11 der Verfassung notwendig sei. Der Erziehungsminister habe selbst auf diese ungewöhnliche Situation hingewiesen. Das politische Verantwortungsbewusstsein, das Don Ernesto bewiesen habe, stehe in allerbester Tradition und sei seines Namens absolut würdig.

Den von einem eifrigen Idioten geäußerten Vorschlag, dass man den Verfassungsartikel doch ändern oder einfach ignorieren könne, wurde von Don Tomás mit verächtlichen Worten abgelehnt, die meine volle Unterstützung hatten. Nur Barbaren setzen sich über die Verfassung hinweg oder basteln an ihr herum.

Die anschließende Pressekonferenz war gottlob unspektakulär. Wer aus dem Dunkeln kommt, mag eine Schlagzeile wert sein. Wer dorthin zurückkehrt, ist uninteressant.

Delvert hielt es für unklug, mich zum Flughafen zu begleiten. Er sei sicher, dass ich Verständnis dafür habe.

Es begleitete mich dann doch jemand, nämlich Monsignore Montanaro. Während ich an der Rezeption des Nuevo Mundo stand und den Angestellten bat, die gesamte Rechnung, nicht nur einen Teil, an das Erziehungsministerium und an die Kanzlei des Präsidenten zu schicken, kam ein Anruf von ihm. Wenn ich nicht schon anders disponiert hätte, könnten wir in seinem Auto fahren.

Der Wagen war nicht so komfortabel wie die Limousine des Nuntius, und der Monsignore saß selber am Lenkrad. Er fuhr langsam und miserabel. Da ich die Maschine nach Antigua nahm, die noch nie pünktlich zum Weiterflug eingetroffen war, war es mir egal, wie langsam wir fuhren.

»Schade, dass Sie uns verlassen«, sagte er, während wir durch die Elendsviertel schlingerten. »Ärzte brauchen wir dringender als Erziehungsminister.«

»Sie haben ausgezeichnete Ärzte, Monsignore.«

»Wenn Dr. Torres sich durchsetzt, brauchen wir noch sehr viel mehr.«

»Sie werden sie bestimmt kriegen.«

»Was mir wirklich Sorgen bereitet, Don Ernesto, sind unsere Zukunftsaussichten.«

»Die Aussicht auf Wohlstand?«

»Ach, darauf werden wir noch Jahre warten müssen, Erdöl hin, Erdöl her. Ich meine die Aussicht auf Reformen.«

»Ich verstehe Sie nicht ganz.«

»Nehmen wir die Verbesserungen im Gesundheitswesen. Endemische Krankheiten sind ein Übel, werden Sie sagen.«

»Ja.«

Monsignore Montanaro riss im letzten Moment das Steuer herum, sodass wir nicht im Straßengraben landeten. Vermutlich war Gott mit uns. Wenn uns in der nächsten Kurve ein Lastwagen entgegengekommen wäre, hätte es eine ziemliche Katastrophe gegeben.

»Aber sind denn endemische Krankheiten wirklich nur ein Übel? Schaffen Sie sie aus der Welt, und wo früher von hundert Menschen fünfzig krank waren, sind heute hundert gesund. Gleichzeitig haben Sie die wirtschaftlichen Probleme aber verdoppelt. Richtig?«

»Ja.«

»Wenn die Menschen gesund und energisch sind, wollen sie arbeiten oder sich vergnügen. Wenn Sie weder Arbeit noch Vergnügungen anbieten können, empören sich die Leute. Dann laufen sie den El Lobos hinterher. Erdöl schafft auch nicht mehr Arbeitsplätze als Kaffee, nur Kontoauszüge. In guten Jahren ging das auch mit Kaffee.«

»Ich habe keine Antwort darauf, Monsignore. Sie? Christlicher Sozialismus etwa?«

»Nein, nein.«

»Entschuldigen Sie, aber …«

»Ich präsentiere die Kirche ebenso wenig als Ausweg wie Sie vermutlich den demokratischen Sozialismus, was immer das sein soll. Keine Regierung, und sei sie mit noch so guten Absichten angetreten, kann für die Menschen etwas tun, ohne ihnen zugleich etwas anzutun.«

»Verzeihen Sie, Monsignore, aber das ist doch der Anfang einer soziologischen Plattitüde. Der Schluss lautet, dass man nur *mit* den Menschen etwas erreicht. Tröstlich, aber nichtssagend.«

»Nicht ganz, finde ich. Pater Bartolomé hat eine Zeit lang diese Ansicht vertreten. Er hat seinerzeit viel Gutes unter seinen Leuten getan.«

»Sie überraschen mich, Monsignore.«

»O ja, natürlich wurde er korrupt und hat uns allen Schande bereitet. Es ist so einfach. Einfach für Priester und noch einfacher für Regierungen.«

Bald erreichten wir den Flughafen. Nur zwei Beinahe-Zusammenstöße, und das Flugzeug hatte auch nur eine halbe Stunde Verspätung.

Als wir uns verabschiedeten und ich mich bedankte, nahm er meine Hände.

»Glauben Sie nicht, was jetzt über Pater Bartolomé verbreitet wird, Don Ernesto. Er ist diese Leiter nicht hochgeklettert und hat diese Schüsse nicht abgegeben. Das hätte er nie geschafft. Ohne Brille konnte er kaum etwas sehen. Aber er hat sie in der Öffentlichkeit nie getragen, nicht einmal privat, wenn es sich vermeiden ließ. Eine merkwürdige Eitelkeit, die niemand erwähnt hat. Vielleicht, weil niemand davon wusste. Trotzdem bedenklich von den Leuten. Wenn man sich anschickt, einen Menschen eines kapitalen Verbrechens zu bezichtigen, sollte man alles über ihn wissen. Schwer, wenn man nicht Gott ist.«

Begab mich in die Abflughalle. Konnte nur noch warten und nachdenken.

Ich bin nicht mehr Dr. Basch.

Die Herzogtümer Lothringen und Toskana habe ich abgelehnt.

Maximilian bin ich nie gewesen.

Fast wäre ich Kaiser Ferdinand gewesen, jemand, der prompt beseitigt wurde, als er ein Problemfall geworden war.

Als Geheimnisträger habe ich versagt und als Mann der Tat nichts bewirkt. Selbst Oberst Apis hätte es sich zweimal überlegt, mich nach Sarajevo zu schicken.

Also kein Gavrilo Princip, nicht einmal Cabrinovic, der die Bombe warf, die ihr Ziel verfehlte.

Was werde ich auf Saint-Paul sein?

Wieder Dr. Frigo?

Wohl nur noch gelegentlich und in einer etwas anderen Form.

Elisabeth weiß bestimmt die richtige Antwort: eine treffende Reinkarnation gut dokumentierter Vorgänger.

Vielleicht ein österreichischer General des achtzehnten Jahrhunderts, der nicht *alle* seine Schlachten verloren hat?

Den einen oder anderen muss es doch gegeben haben.